Priez pour nous

# Lionel
# DUROY

# Priez pour nous

ROMAN

*À Chantal*

# Chapitre premier

J'ai fermé les volets de mon bureau. J'ai allumé juste au-dessus du papier. Au-delà, c'est la nuit. Voilà, j'écris. J'écris Toto.

Lui et nous, on s'est rencontrés en 1960, au lendemain de l'expulsion. Vraiment rencontrés, je veux dire. Et tout de suite il nous a emballés, Toto. A l'époque, Frédéric, Nicolas et moi on habitait à Paris, pour continuer à suivre l'école parce que ç'aurait été impossible de faire le trajet tous les jours depuis les HLM où on nous avait relogés. Une ou deux fois par semaine il passait nous embrasser et c'est comme ça qu'elle a commencé notre histoire.

On le touchait, on le reniflait, on l'accompagnait même aux cabinets pour l'écouter siffler derrière la porte. Dehors c'était la guerre, le monde des types qui passaient leurs journées à filer comme des bolides, à klaxonner, à manger des sandwiches avec des bières, à boire des cafés sur le trottoir, à se serrer la main, à se taper dans le dos. Et lui, il en arrivait de là-bas. Il surgissait de la guerre. On n'avait pas eu sa peau.

C'était le printemps à ce moment-là. Fallait voir

cette allure qu'il avait avec son costume mastic défraîchi, ses lunettes noires, son col de chemise dégrafé. Il passait juste prendre des forces, s'enfiler trois verres de lait avant d'y retourner. Mais d'une fois sur l'autre il disait des mots qu'on méditait. Il disait : « Ça a été un sacré coup dur pour votre mère cette expulsion, elle était pas préparée à ça, la pauvre vieille » ; ou aussi : « On s'en sortira, les enfants, c'est pas possible autrement. » Il buvait son lait, il soufflait comme un phoque, il demandait :

— Frédéric, mon petit vieux, comment ça va le latin ?

Mais on voyait bien qu'il n'attendait pas la réponse. D'ailleurs, on aurait eu honte de le distraire. Ç'aurait été comme de parler des papillons pulvérisés par les obus aux types de Diên Biên Phû. Alors on disait très vite :

— Ça va, papa, le professeur a dit qu'il faudrait des cours particuliers, mais l'année prochaine, seulement l'année prochaine.

Il disait :

— Excellent, fiston, excellent. Eh bien ! va bosser, mon petit vieux, tu sais qu'on est de tout cœur avec toi.

On le raccompagnait jusqu'à sa voiture, une 203 Peugeot noire, énorme. Il lançait le moteur à plein régime. On cavalait derrière, à hauteur des gaz d'échappement, pour s'imbiber les poumons de son odeur. Et si par hasard il levait le pouce dans l'habitacle, juste à l'instant du décollage, alors on se mordait les joues pour ne pas pleurer.

Il ne nous avait jamais fait cet effet-là à Neuilly, Toto. A Neuilly, avant l'expulsion. Je dirais même que là-bas on remarquait à peine sa présence. Il me semble qu'il venait toujours derrière maman, en appui. Le soir, par exemple, elle nous criait deux fois de nous taire et de dormir, mais la troisième elle nous l'envoyait. Il menaçait d'en descendre un à la cave, au hasard. On ne savait jamais s'il était réellement dangereux. Envoyé par maman il pouvait frapper, ça oui, des claques magistrales, sur la tête, pas proportionnées du tout à la faute. Mais d'un autre côté, quand on partait en famille, à la messe, ou goûter chez des amis, elle le houspillait exactement comme nous. Ça courait dans tous les sens pour trouver les casquettes anglaises, les gants blancs, les médailles, et lui courait avec nous.

— Mon Minou, il suppliait, tu n'as pas vu ma cravate à pois ?

— Tiens, William, sois chic, va me chercher la brosse à chaussures.

Quand on était tous prêts, massés autour d'une balise nommée Minou, il nous restait encore à attendre Toto. Après ça, comme maman était trop en colère pour lui faire remarquer que son col rebiquait, que sa braguette était ouverte ou qu'il avait oublié une tache d'œuf sur son pantalon, c'est nous qui le faisions. Il n'était ni des nôtres ni d'en face. Il était le type qui disait : « William, quand ta mère te parle, je te prie de lui répondre », mais à qui sa femme ne répondait pas quand il lui parlait. Il était superflu comme bonhomme. Pas vraiment inutile mais superflu.

Et l'expulsion en avait fait ce guerrier. Et l'expulsion nous avait conduits à Paris, chez sa maman, ma vieille Colatte, que j'appelais aussi parfois Pancarte, mais ne me demandez pas pourquoi, j'ai oublié. Ça faisait beaucoup de cadeaux pour un seul printemps. S'il n'y avait pas eu la suite, on aurait même pu croire que ce séisme d'avril était un don du ciel.

Colatte, c'était ma raison de vivre. Je n'aurais jamais espéré habiter un jour avec elle. A Neuilly, quand je rentrais de la communale, j'avalais les cent cinquante mètres du couloir comme un boulet de canon pour me jeter dans ses bras. Au besoin, je bousculais maman pour arriver plus vite. C'est incroyable ce qu'elle m'aimait, Colatte. A force ça devait produire un petit halo de chaleur autour d'elle, un petit halo qui m'attirait comme la poule le poussin. Contre elle, le monde s'éteignait. Quelques secondes seulement et soudain je disais :

— Vite, Colatte, mademoiselle a dit qu'il fallait relire toutes les leçons depuis lundi.

Pour la lecture on se tenait la main. Pour l'écriture elle faisait les pleins et les déliés avec la langue, laaaa, la, laaaa, la, et sa petite musique m'avait même réconcilié avec le « f », cette vacherie. C'est avec le dictionnaire que les choses se gâtaient.

— Colatte, qu'est-ce que ça veut dire grommeler ?

— Prends le Petit Larousse, mon chéri. Tu vas essayer encore et je t'aiderai.

Il avait une tête de grand brûlé le Petit Larousse. Des bandelettes partout. Une fois, je l'avais balancé contre le coffre à jouets et sous le choc la reliure avait éclaté. Toute la nuit j'avais revu Colatte agenouillée devant les morceaux. Un remords à sangloter. C'était le dictionnaire de son mari, un héros télégraphiste de 14-18.

— Ton grand-père l'avait ramené de la guerre, elle m'avait dit en me l'offrant. Il y tenait beaucoup, tu sais.

Et je l'avais mis en pièces.

— Pourquoi tu as fait ça, William ? elle avait demandé. Mon Dieu ! Dans quel état l'as-tu mis...

Ce qui était insupportable, c'est qu'elle n'avait rien dit d'autre, même pas menacé d'une punition par exemple. Elle avait ramassé les paquets de pages, tout fourré dans son sac, et le soir elle était partie comme ça. Sans que je trouve les mots pour lui dire tout le malheur que c'était dans ma tête.

Elle rentrait chez elle juste après l'heure du bain. Je lui croisais son écharpe, je lui boutonnais son manteau, je la serrais à la casser et je fonçais dans la chambre la guetter par la fenêtre. Petite Colatte trottinait dans la nuit le long des grilles, en regardant ses pieds pour pas tomber. Elle partait parce qu'on ne voulait plus d'elle à la maison. Elle avait habité chez nous quand on était bébés mais maman n'en avait pas gardé un bon souvenir du tout. Quand elle lui parlait, maman, elle prenait toujours un air excédé et généralement elle claquait la porte avant la réponse.

— Pourquoi tu l'aimes pas, Colatte ? je lui avais demandé un jour.

— Tu comprendras quand tu seras plus grand, elle avait dit.

Il n'y avait rien à comprendre, j'en étais sûr. D'ailleurs, depuis le premier jour où mère Rivière nous avait parlé du péché, au catéchisme, je m'étais dit : « Colatte, elle a jamais dû en faire de péchés. » Le soir, quand on était tous agenouillés dans la chambre de Christine et que maman disait : « Maintenant, chacun fait son acte de contrition », je pensais : « Il faudrait bien que maman demande pardon, pour Colatte. »

Elle occupait une grande pièce et une cuisine dans l'appartement d'une de ses vieilles copines, la colonelle Brunetière de quelque chose, qu'on avait rebaptisée Brunaude, par commodité. Toto nous avait installé des matelas autour du lit de Colatte et une table pliante pour les devoirs. Seulement, pour atteindre notre campement, il fallait traverser de bout en bout l'appartement de la copine et le risque était immense qu'elle nous appelle.

— Qui est lààà ? on l'entendait grelotter, c'est toi, mon petit ?

Il fallait y aller, et ce qu'on découvrait, dans le

coin à gauche après la porte vitrée, dépassait l'entendement. Sur un lit aussi haut que Frédéric, un gros ver de terre, coiffé d'un bonnet de dentelles, agitait une petite langue dégoûtante entre les touffes de poils qui lui sortaient du nez.

— Approche-toi que je t'embrasse, crachouillait la bête.

La tête se dressait, le reste était pris de convulsions rampantes et il fallait tendre la joue à ce trou humide et velu.

— Et ton pauvre papa, comment va-t-il? elle lâchait encore en s'affalant dans ses coussins.

Elle l'avait connu en barboteuse, Toto.

— Il travaille beaucoup, madame, on disait en se grattant la nuque pour éponger au passage le blanc d'œuf qu'elle nous avait collé près de l'oreille.

Après ça, on filait à reculons et on se retrouvait tous chez Colatte à hurler de rire.

Mais c'est moi qu'elle aimait, Colatte, seulement moi. Ça remontait à la nuit des temps notre amour. Ça remontait peut-être à ce sauvetage. En pleine tempête. Dans une cuisine. Je me souviens d'un bruit d'enfer. Le ventilateur, la friteuse, la fenêtre ouverte sur la rue, tout devait contribuer à l'orage. Maman devait être au fourneau mais je ne me souviens que d'une peur. Pas d'elle. Je répétais : « Viens, Bouda, viens, Bouda », et je me tassais dans un coin de ma chaise de bébé pour lui laisser une place. En ce temps-là j'étais toujours accompagné de Bouda. Lui et moi on partageait tout, la purée, le lit, la baignoire, la chaise. Seulement, Bouda était invisible et ça irritait maman, cette bouche supplémentaire qui lui passait entre les yeux.

— Assieds-toi normalement sur ta chaise, elle disait, en me découvrant écrasé sur l'accoudoir.

Le soir ça recommençait :

— Enfin, William, pourquoi te fourres-tu contre les barreaux de ton lit ?

— Bouda, maman.

— Mais c'est qui Bouda ?

— Bouda, maman.

Lui et moi on était ce jour-là dans cette cuisine, en pleine détresse, quand soudain Colatte nous avait emportés.

Peu de temps après on s'était retrouvés dans un couvent de bonnes sœurs à la campagne. Chez les Guidon de Repeygnac on les aime bien les couvents de bonnes sœurs. Cette fois-ci, on était seulement tous les trois, Frédéric, Nicolas et moi, avec Colatte. Et c'est là qu'elle avait pris pour toujours ce goût de panade, ma Colatte. Elle avait dû essayer une fois la recette et je l'avais aimée. Des biscottes bouillies dans du lait avec du beurre et du sel. Et certainement elle avait aimé que je l'aime. La panade, c'était devenu comme ça une façon de se dire qu'on s'aimait, qu'on était bien ensemble. On marchait à petits pas en lisière des blés, elle enfouie jusqu'aux yeux dans un châle noir, moi un mètre plus bas dans mon passe-montagne. Il gelait la nuit, ça devait être janvier ou février. Je peinais sur des mottes de terre dix fois grosses comme mes bottines. Suspendu à sa main. Elle disait : « Vas-y, mon William, et en rentrant je te ferai une bonne panade. »

C'était ça qui s'était passé entre nous pendant que les deux autres se faisaient rissoler des pommes au caramel chez les sœurs cuisinières.

Beaucoup plus tard, Colatte était venue s'installer à la maison, à Neuilly. Je veux dire y dormir, pas seulement faire le raccommodage et les leçons du soir. Maman allait avoir un bébé, le sixième, et Toto l'avait emmenée à la clinique. Brusquement, avec Colatte, la vie s'était laissé aller. Le jeudi, le samedi, on traînait en pyjama jusqu'à midi. On se frottait les dents tout doucement, tout doucement, plus personne ne nous enfonçait de bâtons à l'eau de Cologne dans les oreilles, on pouvait laisser la moitié de nos épinards et sauter de table sans demander la permission. La nuit, on laissait toutes les portes des chambres ouvertes et c'était comme si toute la famille s'était blottie dans le même lit. On ne rentrait plus seuls de l'école. Colatte nous attendait à la sortie. Frédéric marchait devant avec ses soucis, Nicolas faisait rouler sa traction le long des grilles des maisons, très loin derrière, et moi je tenais la main de Colatte.

Un matin, elle est entrée dans notre chambre, les yeux pleins de larmes. Elle s'est assise sur un lit et presque aussitôt Christine, notre grande sœur, l'a rejointe. Elles ne disaient rien toutes les deux. On s'est approchés. Colatte a murmuré :

— Mes pauvres petits, il est arrivé un grand malheur. L'enfant est mort.

— L'enfant de maman ? a demandé Frédéric.

— Oui, mon chéri, cette nuit, juste après sa naissance.

— Mais comment il a fait pour mourir, il avait pas de maladie ? a insisté Frédéric.

— On ne sait pas, mon chéri. Les docteurs vont chercher...

— En tout cas c'était vraiment pas la peine que papa repeigne le berceau, a dit Nicolas.

— Et les dragées, Colatte ? Qu'est-ce qu'on va faire de toutes les dragées du baptême ? j'ai demandé.

— Petits crétins ! a sifflé Christine en haussant les épaules.


Le jour de son retour, maman a été très affectueuse. Elle a même bien voulu que Colatte dorme encore une nuit à la maison. Et puis on a parlé du bébé. Il paraît qu'il avait le cœur à droite, c'est comme ça qu'on a su que le nôtre était à gauche. A la bonne place, en somme.

— Alors nous, on a eu de la chance, j'ai dit.

— Le petit frère aussi a eu de la chance, a répondu maman. Jésus l'a rappelé au ciel avant qu'il ait eu le temps de faire des péchés.

— Parce que maintenant il est au ciel ? a demandé Frédéric.

— Bien sûr. Il n'a pas besoin de passer au purgatoire puisque son âme est restée toute blanche. Rappelez-vous ce qu'a expliqué mère Rivière au début de l'année : Jésus garde auprès de lui ceux dont l'âme n'est pas tachée par le péché.

— Mais s'il est au ciel, alors il nous voit en ce moment ? a encore demandé Frédéric.

— Oui, il nous voit et il nous entend, a précisé maman.

Et ce soir-là, pour la première fois, à la fin de la prière, elle a dit :

— Petit frère qui est mort...

— Priez pour nous, on a répondu tous ensemble.

C'est de ce jour qu'on a pris l'habitude de lui demander chaque soir de prier pour nous, et aussi l'habitude de le vouvoyer le petit frère, comme Notre-Dame de Lourdes et saint François d'Assise, à qui on demandait également de nous protéger avant d'aller au lit.


Et voilà que, grâce à l'expulsion, on se retrouvait de nouveau seuls avec Colatte. Chez la vieille Brunaude. Le soir, c'est Frédéric qui dirigeait la prière. Une fois, après le signe de croix, j'avais demandé à Colatte :

— Et pourquoi le petit frère il n'a pas empêché les policiers de nous expulser ?

— Tu sais, mon chéri, elle avait répondu, le Bon Dieu choisit parfois de mettre à l'épreuve ses enfants.

— Pour voir si papa va gagner assez d'argent pour qu'on retourne à Neuilly ?

— Non, le Bon Dieu ne se préoccupe pas d'argent, mon William. Pour voir si dans ce malheur ton père, ta mère, nous tous, nous allons continuer à prier.

On ne faisait que ça, le prier. Le problème, c'est qu'on n'avait jamais été aussi heureux qu'en ce printemps. Ce qui fait que le Bon Dieu ne devait rien comprendre aux réclamations des Guidon : d'un côté, les grands le suppliaient de ne pas les laisser un jour de plus dans les HLM, mais de l'autre, il voyait bien qu'on était contents, nous, les enfants. Puisqu'il voyait tout, le Bon Dieu.

Cité du Bois-Brûlé, c'est comme ça qu'ils s'appelaient les HLM. C'est là qu'ils avaient relogé maman et les petits. On se demandait à quoi ça pouvait ressembler des immeubles qui faisaient pleurer les gens aussitôt qu'on leur disait qu'ils allaient y vivre. Maman devait y être depuis un bon mois quand, un vendredi soir, Toto nous a annoncé qu'on allait y passer le week-end.

On aurait voulu que ce soit très loin parce que c'était la première fois qu'on montait dans la 203, mais en même temps elle était douce et chaude cette impatience soudaine de les revoir, elle, les petits qui sentaient l'eau de rose dans le cou, le coffre à jouets, le train électrique. Maintenant que Toto nous y emmenait, on se demandait même comment on avait pu s'en passer tout ce temps.

C'était bien au-delà de Nanterre cette cité, bien au-delà du grand bidonville des Arabes. En le traversant ce premier soir, Toto avait dit :

— C'est pas le moment de tomber en panne, les enfants.

— Pourquoi c'est pas le moment ? avait demandé Frédéric.

— Parce que tu vois tout ça ? Eh bien, c'est rien que des bicots qui vivent là-dedans. Et je te fous mon billet qu'ils n'aiment pas les Français, les bicots.

En parlant, il avait fait ce geste de se trancher la gorge.

— Ils nous tueraient comme le capitaine Moureau ? j'avais demandé.

— Je ne préfère pas qu'on prenne le risque, avait dit Toto, et il s'était rapproché de son volant comme pour mieux scruter les bords de la route.

Un dimanche matin à Neuilly, au retour de la messe, les parents nous avaient donné à chacun une image du capitaine. Il y figurait en médaillon, le regard infiniment triste sous un képi couvert du chèche saharien. Sous sa photo, il y avait cette phrase, seulement cette phrase : « Pourquoi m'avez-vous abandonné ? » C'était à pleurer une question pareille. On savait bien que c'était la guerre en Algérie, mais ce dimanche-là Toto nous avait raconté que les Arabes coupaient la gorge, le nez, les oreilles des soldats français. On imaginait les hurlements du capitaine, là-bas, si loin, dans ce pays où les hommes portaient des rasoirs sous des vêtements sans forme qui leur cachaient même le visage. « Ce ne sont pas des hommes, ce sont des bêtes, des bêtes », avait répété maman en frissonnant.

Il faisait encore jour à notre arrivée. C'étaient des petits immeubles blancs avec des balcons grillagés rouges. Ils surgissaient au bout d'une route étroite bordée de vergers en fleurs et de maisons basses. On aurait dit la campagne ici. A ce qu'on pouvait deviner, la route n'allait pas au-delà de la cité.

Derrière, ça devait être des herbes folles, comme à la montagne en été. Dans la cage d'escalier ça sentait le caoutchouc neuf. C'était au deuxième étage qu'on habitait. Les deux portes du palier, c'était chez nous. Mais il n'y avait pas comme à Neuilly une petite porte pour la bonne et les enfants et une grande pour les invités. Il n'y avait qu'une porte par appartement et elle était rouge.

Toto a sonné et on a vu maman. Oh ! ce bonheur de la retrouver ! Elle avait grandi. Et maigri. Elle avait toujours ce long nez mais ses yeux paraissaient tout délavés, vert tendre, plus doux qu'avant. Elle nous a serrés, beaucoup trop fort, en criant :

— Ouuuh que je suis contente de les revoir !

Quand elle nous a lâchés, j'ai vu que ses mains tremblaient et les boucles sur son front aussi. Elle nous regardait mais elle ne trouvait rien d'autre à dire. C'était si loin la dernière fois qu'on s'était vus. C'était à Neuilly, la veille de l'expulsion. A la prière du soir, petit frère qui est mort priez pour nous. Elle nous avait embrassés dans le lit et elle avait dû dire :

— Et maintenant, je ne veux plus rien entendre, sinon je vous envoie papa. C'est compris, Frédéric ?

Le lendemain matin on avait dû la croiser, mais c'était même pas sûr, entre les tartines beurrées, les bretelles qui ne fermaient plus et cette sacrée banane qu'il fallait embarquer pour le dix-heures et qu'on balançait en partant dans le jardin de Mme Fétie, la concierge. Et à midi c'était fini. Elle sanglotait dans la cuisine pendant que des types en blouse lui déménageaient sa maison.

C'était incompréhensible ce cataclysme. J'avais tenté de remonter le couloir en évitant le train des caisses qui empruntait le chemin inverse. A mi-course j'avais trouvé Colatte. Elle sanglotait aussi.

16

Elle m'avait serré très fort en me collant son mouchoir trempé sur la nuque.

— Mais Colatte, j'avais demandé, qu'est-ce qu'ils font les bonshommes dans notre maison ?

— Ton pauvre père est expulsé, mon chéri, expulsé...

Elle avait pas pu finir tellement elle pleurait. Je l'avais laissée. J'avais cherché à coincer quelqu'un qui veuille bien m'expliquer ce que ça voulait dire « expulser ». Un peu plus tard j'avais trouvé Mme Fétie. Elle s'était mise les bras en croix devant l'ascenseur pour empêcher les brutes qui sortaient de chez nous d'y enfourner les caisses. « Avec tous ces loyers impayés, elle avait dit, tu penses bien qu'ils allaient pas le garder, ton papa. »


— C'est bien, ici, j'ai dit. Et t'as vu, maman, il y a même une balançoire.

On l'apercevait par les fenêtres du salon, sous le store baissé. Mais elle l'avait remarquée, la balançoire, et ça n'avait pas l'air de l'intéresser.

— Allez, vite à table, la soupe va refroidir, elle a fait en filant à la cuisine.

Ce salon, il n'était pas plus grand qu'une chambre. Et déjà tout peint. Drôlement peint. Un mur marron, un mur rouge et le reste blanc. La grande table et les chaises occupaient presque tout l'espace. Je me suis demandé où ils avaient bien pu mettre le canapé, les fauteuils, le secrétaire de maman, celui de Toto, les tapis, le mirliton Louis XVI, les guéridons, les lampes, les glaces, le porte-parapluies, toutes ces choses qui étaient à Neuilly.

Maman est venue s'asseoir et Thérèse a apporté la soupe. Elle a dit bonjour les enfants, on a dit bonjour Thérèse, et là on a remarqué qu'elle ne portait plus le petit tablier blanc que les bonnes mettaient à Neuilly pour servir les repas. Elle avait juste un gros pull-over rouge, avec des tresses tricotées sur le devant. Et un pantalon qui lui serrait les cuisses.

— Maman, on peut lever le store pour regarder dehors ?

— Non, je ne veux pas qu'on nous voie.

On n'avait pas osé lui demander pourquoi, parce qu'elle s'était aussitôt replongée dans son petit manège contre les miettes de pain. Elle ne mangeait plus, maman, elle coupait le pain pour les autres, c'est tout. Entre les coupes, elle laissait porter sa tête sur son bras droit, le menton dans la main, le coude sur la table. Et sans cesse l'autre main chassait les miettes sous ce coude, sans cesse ses yeux guettaient l'envol des miettes. La tête, le coude, la main, tout cela semblait participer d'un mouvement mécanique, comme une mimique d'automate pour étonner les enfants.

Mais maman ne cherchait pas à nous étonner. Elle attendait seulement que Toto la délivre. Elle commençait d'attendre.

Maintenant, c'était la nuit. Une belle nuit de printemps, tiède, étoilée. Dehors un type lavait sa voiture avec une grosse éponge et des bottes en caoutchouc. Aussitôt qu'il vidait son seau, sa femme filait le lui remplir. Elle guettait ce moment, les poings sur les hanches. Lui en profitait pour souffler un peu, ses mains trempées loin du corps, comme un babouin content. Ils passaient une bonne soirée tous les deux, ça se voyait, et nous aussi à les regarder. Une fois, en vacances à Luc-sur-Mer, on avait lavé la « Juva 4 » de Toto comme ça, celle qui avait un aspirateur Tornado sur le toit. Toto l'avait frottée avec nous et, après ça, on avait passé toute la soirée assis sur le petit mur de la villa, à la caresser des yeux, la Tornado. Pour le moment, on était tous les trois à plat ventre sur le lit de Nicolas, la tête à la fenêtre. On donnait juste sur la petite route de ceinture de la cité. En face, c'étaient les garages, et au-delà, l'herbe folle. Le garage du type était ouvert mais il savonnait sa voiture au bord de la route, sous le lampadaire, pour être plus à son aise. C'est pas à Neuilly qu'on aurait pu faire ça. Là-bas, les hommes ne lavaient pas leur voiture en maillot de corps devant l'immeuble, et leurs femmes n'auraient certainement pas aimé porter les seaux d'eau.

— Dites, monsieur, comment vous vous appelez ? j'ai demandé.

Il s'est arrêté, j'ai vu sa moustache et deux trous noirs qui me regardaient.

— Qu'est-ce que ça peut t'faire comment j'm'appelle ?

— C'est mes frères qui voudraient savoir, j'ai dit.

— Tes frères ? Ils sont où tes frères ?

— Ben ils sont... Ah ben, je sais pas où ils sont, monsieur, ils étaient là et puis...

Et puis ils étaient sous le lit ces deux salauds, à glousser comme des dindons. Pourtant c'est eux qui m'avaient poussé : « Demande-lui comment il s'appelle, William, je parie que t'es pas cap de lui demander. » Ils aimaient bien me faire ce truc-là, Frédéric et Nicolas, et chaque fois je marchais. Dans le Bois de Boulogne je devais bramer en regardant le ciel pour affoler les vipères et ils en profitaient pour aller se cacher. Quand on passait devant la poupée mécanique qui cousait à la machine, je devais entrer dans la boutique et dire à la mercière de la mettre en route, pendant qu'ils se tiraient sous le porche d'à côté. C'était ça ou passer pour un lâche. Un mec qui aurait pas osé faire la guerre. « Comment tu veux devenir pilote d'avion si t'oses même pas aller chez la mercière ? » disait Frédéric. Ça se tenait. Seulement, cette fois-ci le type le prenait mal. Surtout que j'avais ri.

— Tu r'commences pas tes conneries, il avait dit, sinon j'monte t'en mettre une.

J'avais rampé en arrière pour rejoindre les autres.

Le lendemain matin j'étais sur la balançoire, seul, quand ils se sont ramenés à trois. Des grands, en blue-jean. Le premier s'est approché tout près et il a commencé à me souffler sa fumée de cigarette en pleine figure. Très lentement. Il m'asphyxiait et ses yeux n'exprimaient rien. Des yeux bleu pâle, un peu globuleux sous des cheveux blonds et gras qui lui faisaient comme une clé de sol sur le front.

— Je veux bien vous laisser la balançoire, j'ai dit.

J'étais debout, les cordes sous les aisselles, la planche entre les omoplates, et lui me coinçait devant. J'ai vu ses yeux descendre et, arrivés en bas, il a souri.

— Matez les cuisses de gonzesse, il a dit.

— ...

— Y z'ont pas d'quoi te vêtir, tes vieux ?

Quels vieux ? J'étais perdu. Je savais juste que Toto ne voulait pas qu'on ait des pantalons avant quatorze ans. Il disait : « Les culottes courtes, ça forme les hommes. » Et il me traitait de gonzesse, celui-là.

— Chez moi, les enfants mettent pas de pantalons, j'ai essayé d'expliquer.

— Ah ouais ? T'es nouveau, toi, ici, où qu'tu d'meures ?

— Là où les stores sont baissés, j'ai montré avec le doigt.

— Oh ! l'enculé ! il s'est esclaffé. Alors t'es un petit à la baronne et au baron ?

— ...

— Vous l'avez jamais vue sa vieille ? il a demandé en se retournant vers les autres. Ah ! elle vaut le déplacement. Tu croirais qu'elle s'est coincé une bite dans le gosier, dis donc.

— ...

— Mais j'y pense, c'est pas toi qui m'as balancé un bout de bidoche sur le crâne, l'aut' matin ?

— Je vous ai rien lancé du tout, monsieur, j'ai dit. D'abord, je sais même pas ce que c'est de la bidoche. Je vous promets. Laissez-moi partir.

— Te fous pas de ma gueule, p'tit enculé.

Il avait sorti un peigne. Il arrangeait sa crête. Il la tapotait d'une main, il la lissait de l'autre. Ça durait cette histoire, ça n'en finissait pas. J'allais pisser dans ma culotte, et même peut-être faire bien pire. Ça coulerait le long de mes jambes.

— Laissez-moi partir, s'il vous plaît, monsieur.

Il s'était collé son peigne sous le nez et il récurait les dents avec son ongle de pouce. Ça faisait des boulettes qu'il laissait tomber sur mes souliers. Je les regardais, mes souliers, et j'imaginais que dans un instant ce serait autre chose qui leur tomberait dessus. Ça allait venir. Ça venait. Je me suis mis à pleurer.

— Tire-toi, gonzesse, il a dit. Mais la prochaine fois j'te la ref'rai bouffer ta bidoche.

Le dimanche, on n'avait pas eu de chance non plus : on était tombés sur la messe des premières communions. « Il manquait plus que ça ! » avait grogné maman à peine descendue de voiture. On l'avait pas entendue depuis le petit déjeuner mais de voir toutes ces familles endimanchées qui cavalaient vers l'église en traînant le petit, empêtré dans les plis de son aube, ça lui avait rendu la parole, à maman. « Ces péquenots, c'est à vomir ! » elle avait dit très fort, pour qu'on l'entende, tout en bousculant sur le parvis un groupe de papas et de mamans qui poudraient une dernière fois les enfants. Elle les dominait d'une bonne tête avec ses talons aiguilles et ce nez qui semblait chercher l'air à haute altitude, là où les autres ne l'avaient pas encore souillé.

A l'intérieur la foule s'échauffait. « Réjouissons-nous, mes frères, il est tout près de nous », on chantait dans un remue-ménage de bancs. Il ne restait plus beaucoup de places libres. On suivait maman dans l'allée centrale et Toto fermait la marche en nous martelant la nuque avec son missel. Soudain, elle s'était engagée dans une travée libre et je l'avais immédiatement reconnu, là, juste devant, légèrement décalé sur la gauche : Bidoche ! Pas de doute c'était lui, cravaté sous un blouson trop court imitation cuir. Cette fois, il l'avait tellement entortillée sa mèche qu'on aurait dit une crotte fraîche déposée à l'instant sur le sommet de son crâne. On s'est tous casés sur le banc et c'est Frédéric qui s'est retrouvé derrière lui. Je m'étais imaginé qu'il serait capable de le rosser, mon frère, un jour, plus tard, mais à la comparaison, Bidoche avait facilement une tête de plus que lui. C'était pas rattrapable. Il avait au moins seize ans, cet abruti, et Frédéric n'en avait pas treize. On s'est assis. Bidoche et sa famille étaient encore debout tous occupés à chanter. Je me suis penché :

— C'est lui, j'ai murmuré à Frédéric.

— Qui, lui ?

— Tu sais, le mec qui a dit que maman avait mangé une bite.

— Lui, là, avec les grosses fesses ?

— Oui. Qu'est-ce qu'on va faire ?

Il avait le cul en arrière et tiens ! je venais de reconnaître son peigne dans la poche revolver. La messe avait commencé. Il fallait faire quelque chose pendant qu'on le tenait, mais quoi ? Nicolas avait proposé de lui piquer le derrière, et comme il ramassait tous les bouts de fer pour sa « ferraille », une caisse en bois pleine de débris immondes qui donnaient des haut-le-cœur à maman, il avait sorti de sa poche un vieux tire-bouchon rouillé et mimé le geste de le lui visser dans le cul. Frédéric avait haussé les épaules. C'était pas réaliste comme plan, il aurait fallu l'endormir avant. Mais le temps pressait. On allait arriver à la communion sans avoir rien trouvé. Là-bas, l'enfant de chœur venait de sonner la consécration. C'est à ce moment que la solution m'est apparue. Bidoche était agenouillé, nous aussi, et qu'est-ce qu'il y avait là, posé sous nos yeux ? Son missel ! Je l'ai ramassé tout doucement, je l'ai ouvert n'importe où et, tout en feignant de me recueillir à cet instant où le vin devient le sang du Christ, j'ai laissé couler de ma bouche un gros filet de bave. Frédéric en a ajouté l'équivalent d'une cuillère à soupe, et juste au moment où il fermait le missel, on a vu la main de Bidoche chercher à tâtons son livre de messe. Puis on l'a vu, lui, d'abord surpris de ne pas le trouver son missel, puis carrément sidéré de me découvrir là. Alors brusquement il a tout compris, avant même d'avoir aperçu son livre dans les mains de Frédéric.

— Premier avertissement, a murmuré Frédéric en le lui tendant.

Ça coulait sur la tranche, il s'en est pris plein les mains.

— Enculés de fils de baron, il a sifflé par-dessus son épaule, je vous crèverai.

Au lieu de répondre, on s'est mis à chanter comme tout le monde. Le refrain c'était à peu près : « Il m'a dit, je suis le pain, celui qui me mangera ne peut craindre de mourir. » On est partis le manger, en rang derrière Toto. La communion commençait juste, ça tombait bien. On s'en fichait pas mal de ses menaces, à Bidoche : le soir même on retournait chez Colatte et dans trois semaines c'était les grandes vacances.

Luc-sur-Mer. Maman était toujours soucieuse. Parfois, elle nous jetait un sourire dans la poussette deux places, mais c'était rare. Elle regardait loin devant, en plissant les yeux, en retroussant le nez. J'avais tout le temps de la manger des yeux. La plage était loin et il y avait au moins deux rues à traverser. Elle laissait ses seins aller et venir sous sa chemise. Les petits bouts durs sautaient et se ratatinaient en cadence. Ça devait être doux de les prendre dans la bouche, de les sucer. Il n'y a pas si longtemps Anne-Sophie le faisait encore et il paraît qu'on les avait eus chacun son tour. Après, maintenant, c'était défendu d'en redemander. Et même de les toucher. J'avais trois ans ? Trois ans et demi ?

Luc-sur-Mer. Les seins de maman. J'avais grandi depuis. Ils ne m'intéressaient plus à présent. Mais on louait toujours la même maison normande à colombages. Je crois que s'il existe un paradis, il ressemble à cette maison-là. Le soleil de juillet rien que pour elle et haut comme ça de cailloux blancs dans le jardin. Le matin, la lumière est bleutée et l'air si léger qu'on se sent plus près du ciel déjà. Je m'adosse au muret de la rue, les fesses sur les cailloux encore mouillés de la nuit. Et je n'ai rien à lui demander au ciel, je ne veux rien d'autre que rester là, à écouter le petit bruit des autres par les fenêtres ouvertes. L'eau qui siffle dans les robinets à longs cols pleins de vert-de-gris, c'est maman qui se lave, ou qui lave le bidet, qu'est-ce que j'en sais, moi. La voix de nez qui chante les tables de multiplication, c'est Frédéric qui raconte aux petits comment ça sera l'école, l'année prochaine. La grande, derrière moi, qui se défend d'une balle folle et qui fait han ! han ! han ! chaque fois qu'elle l'expédie, c'est Christine qui joue au Jockary sur le goudron de la rue. Il ne passe jamais personne dans notre rue. Aucun bonhomme ne vient jamais sonner à la grille du jardin.

C'était un pays sans danger ici. Un pays où quand on claquait les volets de bois, le soir, on percevait au creux du ventre le bonheur animal du sommeil à venir. Comme un frisson sensuel qui chatouillait sous le nombril. Alors on courait en riant se pelotonner dans les draps de coton.

Pour y aller, à Luc, on empruntait le tunnel de Saint-Cloud comme un dernier passage dans les égouts de la terre. Dès la sortie, on se mettait à guetter la mer. Et c'était comme de monter au ciel parce que plus on allait, plus la lumière devenait blanche. C'était peut-être qu'à force de chercher la mer au bout du ciel, nos yeux ne construisaient plus que des mirages éblouissants. Et brusquement elle était là, bien plus bleue qu'on ne l'attendait, au bout de la rue déserte plantée d'arbres verts.

Bien sûr, on aurait dû se douter que ce n'était pas un arpent de ciel, Luc-sur-Mer, puisque longtemps avant nous les chars d'assaut y étaient venus. Un matin de printemps ils avaient surgi de la mer, ils avaient fait trembler les maisons, ils avaient écrasé les arbres, ils avaient tout saccagé. Et on n'avait même pas l'excuse de l'ignorance puisque de leur passage il restait encore sur la plage quelques tourelles ensablées que la mer recouvrait à marée haute.

Un samedi matin Toto a surgi de Paris. On était assis en tailleur sur le trottoir, à regarder Christine frapper son Jockary, quand on a entendu rugir la 203. On a bondi, juste à temps pour le voir virer au carrefour. Il arrivait de l'enfer, Toto, ça se voyait au premier coup d'œil. Il avait dû bousiller trois millions de bestioles pour nous rejoindre, le pare-brise était couvert de sang, de tripes, de plumes, et le capot brûlant. Il n'avait pas coupé le moteur qu'on était déjà tous les trois dans la voiture à lui bouffer ses biscuits, à lui piquer ses lunettes noires, à lui arracher le volant.

— Putain, papa, comment t'as fait pour avoir toutes ces bêtes ?

— T'as roulé à cent à l'heure ? Dis, papa, t'as roulé à cent à l'heure ?

— Mais où tu l'as eu, ce stylo ? j'ai demandé en fouillant dans ses poches.

Il avait la barbe plus dure que la brosse à chaussures. Il se débattait en nous embrassant vaguement, en essayant de récupérer son cartable sur le siège arrière, son stylo, ses clefs, ses lunettes. Et soudain j'ai vu Christine qui attendait calmement à la porte qu'il veuille bien descendre pour lui dire bonjour. Et j'ai eu honte brusquement d'être encore un enfant. Il y avait de l'irritation dans ses yeux et cette lueur de mépris qui m'attirait très fort. C'était nouveau ce désir, et mystérieux. Ça datait d'un soir où on s'était retrouvés tous les deux dans l'herbe des dunes. Elle, parce qu'elle voulait dessiner cet endroit de la grève où on met à rouiller les chalutiers quand les pêcheurs n'en veulent plus. Moi, parce qu'elle avait bien voulu que je l'accompagne. Elle dessinait bien, Christine. Je suivais son crayon. On ne parlait pas. Et à un moment elle avait dit :

— J'ai envie de faire pipi, tu vas me cacher.

J'avais déjà vu ses fesses à Christine, un jour où on avait dormi dans la même chambre. Elle s'était tournée pour se déshabiller, mais en enlevant sa culotte elle avait trébuché et j'avais deviné des poils noirs, tout à fait en haut de ses cuisses, entre ses jambes. Maintenant, j'y repensais et à l'idée qu'elle allait encore enlever sa culotte tout près de moi, s'accroupir dans l'herbe, la tête me tournait. Carrément. Je l'avais cachée avec la serviette, j'avais entendu son pipi, et quand elle avait eu fini de reboutonner son pantalon, j'avais dit :

— Tu voudras bien m'apprendre à dessiner ?

— Si tu veux, elle avait répondu. Mais un autre jour, quand j'aurai fini ce dessin-là.

Voilà, j'allais devenir son ami. Mais entre Frédéric et Nicolas qui avaient entrepris de désensabler une tourelle de char et le mystère troublant de Christine, je n'avais toujours pas choisi quand Toto est arrivé.

L'après-midi, il nous a emmenés tous les trois pêcher la crevette à Riva-Bella. Et c'est là qu'il nous a proposé de monter un coup avec lui. Un gros coup, il a dit, qui allait définitivement nous sortir du pétrin. On allait partir en Belgique la semaine prochaine, avec Colatte et le chef de Toto pour cette opération, un certain Périne. Ce serait exactement comme le voyage qu'on avait fait l'année dernière en Bretagne, avec maman et Christine, sauf qu'on allait passer en cachette un sac de bijoux. C'est pour ça que Toto avait besoin de nous, et de Colatte aussi, parce qu'on n'avait pas des têtes à faire des trucs pareils. Ça les tromperait, les douaniers. Seulement, cette fois il ne voulait ni de maman ni de Christine.

— Pourtant elles, alors, elles ont vraiment pas des têtes de bandit ! j'avais dit en me forçant à rire.

En réalité j'avais plutôt peur et j'aurais bien voulu que Christine nous accompagne. Juste Christine.

— D'accord, mon petit vieux, elles ont pas des têtes de bandit, avait dit Toto, mais je te fous mon billet que si on les met dans le coup elles vont nous faire un pataquès du feu de Dieu. On en reparlera encore à la saint-glinglin. Fais-moi confiance, moins elles en sauront, mieux on se portera.

Bon, mais qu'est-ce qu'on allait leur raconter à toutes les deux ? Toto y avait pensé. On dirait qu'on partait voir une course de voitures. Comme ça, on était sûrs qu'aucune ne demanderait à venir ; elles détestaient ça les courses. Une fois, on était allés à Montlhéry avec Christine voir des motos. Eh bien, à peine sur le circuit elle était retournée dans la Tornado et elle avait passé la journée à tricoter une écharpe. Et puis maman ça l'étonnerait pas qu'on aille en pleine semaine à des courses d'autos, parce que maintenant Toto ne vendait plus d'aspirateurs Tornado, comme à Neuilly, mais des bidons d'huile dans les garages, et son patron avait même dit que c'était « un bon point » pour un représentant de fréquenter les circuits. Un bon point.

— Alors, on va voir une course en vrai ? j'ai demandé.

— Mais non, crétin, c'est pour maman qu'on dira ça.

On sentait que Frédéric, il voulait vraiment aider papa. Il avait les poings serrés dans les poches de son short, les yeux très noirs et le front soucieux. Des réflexions comme la mienne, on aurait dit que ça lui faisait honte. Comme s'il se sentait responsable de Nicolas et de moi au cas où l'histoire se terminerait mal. A cause de nous.

— Mais on va retourner à Paris chercher Colatte ? j'ai encore demandé.

— Colatte, elle est arrivée de Paris ce matin, avec moi, a laissé tomber Toto.

Alors là, il nous a épatés. Mais on s'en n'était même pas aperçus ! Mais pourquoi il l'avait pas dit plus tôt ? Mais où il l'avait mise, vieille Colatte ?

— Arrêtez de poser des questions tout le temps, flûte à la fin. Elle est ici et c'est tout, a râlé Frédéric qui s'était assis dans le sable à côté de Toto.

Elle était ici, oui, mais ça donnait le vertige d'imaginer qu'elle pouvait être cachée là justement, et qu'on pouvait l'ignorer pourtant. Plus que tout le reste, c'était le signe qu'on devait être en train de vivre une affaire d'adultes. Pour la première fois Toto nous admettait dans son monde, du côté des mangeurs de sandwiches, des types pressés qui téléphonaient en se coinçant l'appareil au creux de l'épaule tout en griffonnant leur calepin. Frédéric avait raison : si on voulait jouer un rôle dans cette affaire, il fallait arrêter de poser des questions, faire comme si on s'en fichait que Toto cache Colatte quelque part dans Luc et qu'il raconte à maman qu'on allait voir une course de voitures en Belgique alors qu'on allait y transporter des bijoux.

On est partis le surlendemain, à 4 heures du matin. On a sauté directement du lit dans la 203 où grelottait une toute petite lampe. On boirait un café chaud plus tard, sur la route, pour pas réveiller toute la cambuse, a dit Toto. Là, fallait faire fissa, on était dans les temps mais y avait rien de trop, comme dirait l'autre. Il s'est interrompu pour se moucher, une narine après l'autre, à sa façon, dans un grand mouchoir blanc qu'il roulait ensuite bien serré pour se tamponner le nez une dernière fois. Et puis il a mis en route. Et au moment où il se penchait pour tirer sur le démarreur, j'ai remarqué qu'il s'était entaillé sous l'oreille en se rasant. Mais j'ai rien demandé.

On roulait doucement dans la nuit, vers le « Tout à cent francs » où chaque année on se réapprovisionnait en pelles et râteaux pour la plage. Arrivé sur la place du marché aux poissons, Toto s'est arrêté juste sous l'enseigne de l'Hôtel des Anglais. Et là, je l'ai vue, dans le hall tout éclairé d'une lumière blanche, bien trop blanche pour cette heure de la nuit. Elle se tenait assise au bord d'une chaise, le cou cassé, le dos cassé, les deux mains posées sur son petit sac noir. On aurait pu croire qu'elle observait ses souliers, mais c'était bien au-delà qu'elle regardait. Elle était ailleurs, Colatte. Et c'est cette expression dont je me souviens. Elle lui avait passé dès qu'elle avait vu Toto pousser la porte vitrée, mais c'était inoubliable cet accablement dans ses yeux, dans son corps. « Pourquoi m'avez-vous abandonnée ? » On t'a pas abandonnée, petite Colatte, c'est juste maman qui veut plus te voir à la maison. Elle l'a dit à Toto l'autre dimanche, alors qu'on était tous à table, au retour de la messe. Elle a dit brusquement : « Et ne me ramène jamais plus ta mère. Celle-là, je ne veux plus qu'elle foute les pieds chez moi ! Tu m'entends, Toto ? Mon Dieu, ce que cette femme a pu faire comme mal ! »

On a embarqué Colatte, et Toto a fait demi-tour. On est repassés devant la maison. Maman, Christine et les petits dormaient encore, derrière les volets clos. Ça devait être comme ça la guerre. Il y avait ceux qui dormaient et ceux qui partaient avant le jour. Toto fonçait maintenant, le cou tendu vers le faisceau des phares. Frédéric s'était assis devant avec lui. Nicolas, Colatte et moi, on s'était blottis les uns contre les autres à l'arrière.

Le fracas des roues sur les pavés m'a brusquement réveillé. Il faisait clair à présent et on était en ville.

— Rouen, a dit Toto. On a bien mérité un petit jus.

On cherchait tous la gare, parce que c'est là que devait nous attendre Périne. Il cacherait les bijoux quelque part dans la voiture et il nous ferait un bout de route, presque jusqu'à la frontière. Alors on se séparerait pour se retrouver de l'autre côté.

— Mais c'est un commando de choc, mon vieux Raoul! Mais c'est formidable!

Il était seul dans la salle d'attente. Il avait bondi de son siège pour nous accueillir. Il avait dit tout ça en écartant les bras, comme un sacré vieux tonton des mers du Sud qui n'aurait plus attendu que nous pour appareiller. C'était chaud et réconfortant de le découvrir là, si loin de la maison, au petit matin.

— C'est bien, les enfants, il avait ajouté gravement. C'est très bien d'aider votre papa. On sait tous qu'il le mérite. N'est-ce pas, madame?

— Il est si courageux, avait murmuré Colatte.

Périne, lui, avait l'air terriblement courageux. Tout de suite j'avais eu très envie de lui plaire, à ce bonhomme. Il avait une barbe de quelques jours, une chemise kaki ouverte et des yeux bleus qui souriaient au-dedans. Même dans son sommeil ils devaient continuer à sourire. Et puis sur son visage il n'y avait aucune de ces infimes brisures qui trahissent le doute, l'incertitude, la fragilité chez la plupart des adultes. Il était tout en rondeurs son visage. L'arcade sourcilière, le nez, la bouche, l'oreille, tout cela se bouclait tranquillement sur soi-même, l'air de ne compter sur personne d'autre.

Au buffet de la gare il nous a commandé du chocolat et des croissants. Lui s'est pris un petit café qu'il a commencé à boire en fumant une cigarette jaune. Et soudain j'ai remarqué qu'il racontait une bataille. J'avais raté le début, trop absorbé par toute cette fumée qui lui sortait de la tête en même temps que les mots. Je pensais: «Dedans, il doit être solide comme un jambon fumé, Périne, tandis que nous on est encore tendres comme du jambon rose.» Et ça me dégoûtait un peu le jambon rose. J'étais en train de renifler goulûment sa fumée quand j'ai entendu qu'une balle avait traversé la tête du lieutenant. C'était son ami à Périne, le lieutenant. Il l'avait vu mort à côté de lui, dans la neige, avec un trou à la place de l'œil et le sang qui bouillonnait dans ce trou comme dans une petite casserole. Ça l'avait mis dans une rage terrible. Il avait hurlé « en avant ! », les hommes l'avaient suivi et à même pas dix ils avaient repris une maison en ruine à une armée de « popoffs » terrifiés.

— Pauvres bougres ! Vous en avez bavé sur le front russe, a dit Toto en recomptant sa monnaie.


Périne s'était endormi, on roulait peut-être depuis trois ou quatre heures sous un bon soleil, dans les champs de blé, quand c'est la 203 qui s'est mise à cracher une fumée d'enfer. Ça faisait déjà un moment que les gens en face agitaient leurs phares, mais comme Toto n'avait plus de rétroviseur, il ne comprenait rien. Il répétait :

— Mais qu'est-ce qu'ils me veulent ces zèbres aujourd'hui ?

Et il se dressait pour mieux loucher sur le long capot de la 203. Jusqu'au moment où Nicolas s'est retourné.

— Papa, papa, il y a le feu derrière nous !

— Fichtre ! a dit Toto, et tout de suite il a rejoint le bas-côté.

— Joint de culasse ! a dit Périne avant même d'ouvrir la portière.

— Tu en as de bonnes, toi, mais qu'est-ce qu'on va devenir ? a demandé Toto.

Maintenant, la fumée s'échappait de dessous les ailes et quand ils ont soulevé le capot tous les deux, on aurait dit le faitout quand la bonne avait oublié le rôti, un dimanche, à Neuilly. C'est vrai, qu'est-ce qu'on allait devenir ? On était dans les blés encore, sur une route qui n'en finissait pas, il devait être plus de midi et on avait fini toutes les pastilles Vichy de Colatte. Des voitures nous croisaient sans même ralentir.

— On ne doit plus être très loin de Cambrai, a remarqué Toto.

— Alors y a pas de pétard, faut s'y faire remorquer, a dit Périne.

Il a pris le temps d'allumer une cigarette, et pendant qu'avec Toto on préparait la corde, il a guetté un camion. Une demi-heure plus tard on y était à Cambrai.

— Voyez le chef d'atelier s'il peut vous prendre cet après-midi, a dit le garagiste.

Ça faisait dix minutes qu'on suivait le chef d'atelier dans tous les recoins du garage. Il avait tout de suite dit à ses chaussures : « Pas possible avant après-demain huit heures un quart », et il avait filé sans même nous jeter un œil. C'était un petit rond presque chauve, avec des verres de lunettes comme des loupes, plein de doigts gras dessus, et des joues qui tremblotaient quand il faisait non de la tête. A présent, aussitôt qu'il nous sentait approcher, c'est ça qu'il faisait, « non, non, non », en se penchant sur les tripes des voitures. Mais Toto ne le lâchait pas. Il disait : « C'est pas possible, vous ne pouvez pas me faire ça, je suis représentant, vous savez ce que c'est dans ce métier il faut vendre, vendre, vendre, sans ça on n'a plus qu'à crever la bouche ouverte et pleine de mouches. Qu'est-ce que je vais devenir moi ? » Il se penchait pour essayer d'accrocher son regard, mais l'autre n'en avait que pour ses épaves. « Faudra veiller à me fermer ça à la pâte à joints, il disait aux mécaniciens. C'est pas tendu cette courroie-là. Dis donc, l'apprenti, combien de fois

faudra que je te répète qu'on fait pas une vidange
à froid ! ? »

On était vraiment de trop mais Toto n'avait
pas l'air d'en souffrir. Il allait certainement bientôt le dire qu'on était... Ah voilà, ça y était : « J'ai
sept enfants, mon vieux, faites quelque chose,
vous ne pouvez pas me laisser comme ça. Si on
ne nous épaule pas un peu, nous, les familles
nombreuses, c'est la fin des haricots. Je vous
le revaudrai, vieux, j'en fais le serment devant
la sainte Providence. Au fond, vous n'êtes pas
plus méchant bougre qu'un autre, j'en suis bien
certain. Mais on est tous débordés, on est tous
à courir, c'est ça qui est terrible. Notez, c'est
ni de votre faute ni de la mienne, hein, on est
tous embarqués sur le même navire, voilà. Alors
si on commence pas à s'entraider... » Il avait fini
par nous regarder d'en dessous, le sale type, in-
terloqué tout de même, et il avait bougonné :
« Bon ça va, rev'nez c'soir, on va voir c'qu'on peut
faire. » D'habitude, Toto attendait le moment de
payer pour le dire. Il attendait cet instant où la caissière le regardait d'un œil éteint déplier son ché-
quier. Alors il avisait celui d'entre nous qui
l'accompagnait et il lançait :

— Des lascars comme ça, j'en ai sept à la
maison !...

Et aussitôt l'œil de la caissière s'enflammait :

— Sept enfants, mon Dieu !

On avait vaguement le sentiment d'être des héros,
et parfois, grâce à nous, Toto obtenait un petit
rabais. Mais il ne faisait pas ça quand maman était
là. Elle aurait pas aimé, comme genre. A Neuilly,
par exemple, c'est elle qui l'obligeait à garer la
Tornado dans une petite rue derrière. Ça lui faisait honte, l'aspirateur sur le toit. Dans notre
immeuble, Toto était le seul que son chauffeur

n'attendait pas, le matin, devant les grilles. Eh bien, sans arrêt maman le lui disait. « Tu es certaine, mon Minou ? », il s'étonnait. « Enfin, Toto, regarde !... »


Périne était sorti à la poste téléphoner pour ses affaires. On avait laissé Colatte dans un salon de thé et avec Toto on cherchait l'église. Il mettrait les mains sur ses hanches pour mieux se cambrer, il observerait longuement les angelots dodus du plafond et il dirait :

— C'est grandiose ! C'est de toute beauté !

Il l'avait dit dans toutes les églises de France où on était venus. Mais non, cette fois-ci, on n'allait pas la visiter l'église. Parce que, en passant devant la caserne, il avait murmuré :

— Quand je pense que mon père a vécu quinze ans de sa vie entre ces murs...

— Ton papa ? Le capitaine ? Il était à Cambrai ? Mais c'est incroyable alors, que le hasard nous ait justement arrêtés là !

Il avait beau dire, Toto, que son père était une brute, qu'il l'avait fouetté pour une histoire de pelle à charbon rayée, nous, on le tenait en haute estime le grand-père. Chez Colatte, il y avait une photo de lui en train de se faire agrafer une médaille par le général Foch. Eh bien, c'est le genre de photo qu'on aurait bien aimé avoir dans la poche quand on tombait sur un imbécile du genre de Bidoche.

— Parce que tout de même il était vraiment courageux ton père, j'ai dit.

— Je ne prétendrai pas le contraire, mais si tu regardes bien la photo tu verras que la décoration, c'était en 13 ! Tu me suis ?...

— En 1813 tu veux dire ?

— Mais non, mon bonhomme, il était pas si vieux que ça, réfléchis ? En 1913. Et en 1913, c'était pas encore la guerre, d'accord ?

— Alors pourquoi on l'a décoré si c'était pas la guerre ?

— Parce qu'il avait chargé les grévistes pour défendre la sous-préfecture, je crois.

Il croyait, mais il ne savait pas en fait. Et sur un vieux faire-part de décès on avait tout de même lu qu'à l'état-major de la 48e division d'infanterie, il avait « organisé et assuré, avec intelligence et un dévouement de tous les instants, le service délicat des liaisons par coureurs et estafettes, sous un bombardement des plus violents, devant Verdun, en avail-mai 1916, et sur la Somme, dans la période du 4 au 8 septembre de la même année ». C'étaient tout de même pas les grévistes qui bombardaient, en 16 ?

Ça faisait déjà trois fois qu'on faisait le tour de la caserne, avec l'envie confuse d'y entrer pour voir sa chambre. Ce grand-père on l'avait découvert, comme Toto, au lendemain de l'expulsion, en venant habiter chez Colatte. Avant ça, il n'y en avait eu que pour le papa de maman, un pur héros celui-là, et chaque fois que la conversation avait glissé vers celui de Toto, les parents avaient pris aussitôt une mine pincée pour dire que c'était un maniaque, un raté, un traîne-sabre qui n'avait jamais rien foutu de ses dix doigts. C'était même à cause de lui, paraît-il, qu'on était pauvres parce qu'il avait donné tout l'argent de la famille à des danseuses. En réalité, c'est maman qui disait ça. Toto, lui, faisait juste la musique de fond :

— Que veux-tu, mon Minou, on ne choisit pas ses parents...

Mais à présent on sentait que ça lui faisait plaisir qu'on le réhabilite, son père. D'ailleurs, on était en train de se mettre d'accord sur une position de compromis : il avait été un vrai soldat, son seul tort avait été d'épouser sa cousine germaine à cinquante-huit ans pour faire Toto. Ça, c'était impardonnable. Parce que évidemment à cet âge-là on ne supporte plus d'avoir un petit morveux dans les jambes. Résultat : Toto avait été malheureux.

— Bande de loustics, il a dit au quatrième tour de caserne, vous ne savez pas la chance que vous avez d'avoir un père comme moi.

On la mesurait à des journées comme ça, la chance. Et à l'idée que c'était pas fini, qu'on allait encore manger au restaurant, coucher à l'hôtel, rouler dans la 203, passer la frontière, ça m'a fait tout chaud dans la poitrine, comme si deux ou trois veines venaient de péter et qu'un bon bouillon m'inondait les tripes. On était des aventuriers, voilà. On faisait des trucs insensés pendant que les autres crétins de l'école passaient des vacances nulles à jouer au volley-ball sur la plage. Fallait voir les pères qu'ils avaient, aussi : des types blancs et mous à l'œil glauque, qui ne relevaient jamais le col de leur imperméable, qui murmuraient, qui ne souriaient même plus, qui avaient tous des cartables qu'ils portaient par la poignée. Celui de Toto, il y avait longtemps qu'il n'avait plus de poignée. Il se le coinçait sous le bras. Et il était le seul à nouer son écharpe avec un gros nœud sur le devant et à fourrer les mains dans ses poches.

Il était pas loin de 6 heures.

— Fichtre ! a dit Toto.

Ça valait plus le coup de demander à visiter la caserne. On le ferait au retour.

— On passe reprendre Colatte et on file récupérer la voiture, il a décidé. Si ça se trouve, Périne nous y attend déjà.

Le vent du soir était chaud. On s'est mis à courir dans les rues étroites de Cambrai. On était ivres de bonheur. Colatte, Périne, la 203, la nuit qui venait... On cavalait sur les pavés en hurlant de rire : avec les secousses toute la ferraille de Nicolas lui sautait des poches. Et comme il avait déjà sa traction dans une main et une bougie de moteur dans l'autre, il n'en sortait pas à essayer de ramasser ses vieux machins. Là-bas, derrière, Toto sifflait, les mains enfouies dans son pantalon blanc.

Petite Colatte s'était endormie sans toucher à son thé. Forcément, ça lui faisait une longue journée, elle avait pas l'habitude. Ça nous a enlevé l'envie de rire de la voir comme ça, toute ratatinée sur elle-même, sans personne pour la protéger. Même son chapeau partait de travers. Toto l'a réveillée doucement et je lui ai embrassé la main. Elle a dit :

— Oh ! mes chéris, mais... avez-vous goûté seulement ? Allez vite vous choisir des gâteaux.

On s'est enfilé un mille-feuille chacun et ensuite elle m'a essuyé la bouche en crachouillant dans son mouchoir, comme d'habitude.

Le garage avait l'air fermé, mais la 203 était toujours sur la piste et un type s'activait sous le capot. En s'approchant on a vu que c'était Périne. Il avait pas l'air content.

— Ils n'ont rien voulu entendre ces ronds-de-cuir, il a dit. J'ai juste obtenu qu'ils me laissent l'outillage pour la nuit. Et une baladeuse. Tu vois le topo ?

— Fichtre ! a encore dit Toto. Ben on n'a plus qu'à retrousser nos manches.

Un peu avant la nuit ils nous ont demandé d'aller

leur chercher des sandwiches et des bières. Ça faisait mille ans qu'on attendait ça, de manger des sandwiches avec Toto. Mais c'était pas le bon moment. A présent, ils étaient énervés tous les deux. L'après-midi autour de la caserne paraissait très loin. On aurait dit que maintenant ils étaient ailleurs, dans une autre histoire où entraient des trucs qui les inquiétaient. Des trucs qu'on connaissait pas. Ils ont mangé leurs sandwiches en faisant les cent pas, dans la nuit qui venait. A un moment Toto a dit :

— Te fais pas de bile, je leur expliquerai.

Mais ça n'a pas eu l'air de le rassurer, Périne. Il répétait :

— S'il arrive quelque chose y aura qu'un responsable, tu le sais bien.

Colatte dormait dans la voiture. Frédéric et Nicolas s'étaient assis à l'écart sur un carré d'herbe. Nicolas voulait ramener à Paris la tourelle de char qu'ils désensablaient ensemble sur la plage de Luc. Il disait que Périne avait certainement un camion chez lui et qu'on lui demanderait demain, quand il serait de bonne humeur.

— Il voudra jamais, disait Frédéric, et d'abord où on la mettra, la tourelle, à Paris ?

Maintenant il faisait tout à fait nuit. J'ai repensé à Christine. J'aurais bien voulu qu'elle soit là. Elle aurait dit : « Mais enfin, papa, on ne laisse pas des enfants dehors en pleine nuit ! Où avez-vous la tête ? »

Ce sont les hurlements du moteur qui nous ont sortis d'un mauvais sommeil. A travers le pare-brise j'ai vu Toto qui hochait la tête. Ils avaient fini donc. L'aube était grise, comme s'il allait bientôt pleuvoir. Et Toto était tout bariolé de noir. Les bras surtout, mais aussi la chemise et le pantalon blanc.

— Tout est paré, les enfants, il a dit en ouvrant

la portière. Retournez derrière somnoler, on va filer sur la Belgique.

A l'entrée de Valenciennes ils se sont arrêtés dans une station-service pour changer de vêtements. Toto a fait le plein. On est repartis. Ils étaient de nouveau heureux d'être là. Périne a dit qu'il allait finalement passer la frontière avec nous, pour rattraper le temps perdu. On dirait qu'il était un auto-stoppeur, voilà tout. Mais au moment où il s'apprêtait à nous raconter pourquoi les Belges ne prennent jamais d'auto-stoppeurs, Toto a crié :

— Merde ! mes papiers... Périne, mon vieux, mes papiers... Oh ! Seigneur, j'avais tout posé sur le toit... à la station-service...

Il a fait une embardée, on s'est arrêtés dans le fossé, il a bondi de la voiture : mais évidemment ils n'étaient plus sur le toit ses papiers. « C'est pas possible ! C'est pas possible ! » il disait en martelant la tôle. Périne avait blêmi. Au bout d'un long moment il a dit :

— Allez, rentre ! La bagnole qui casse, tes papiers qui s'envolent... C'était pas notre jour. D'ailleurs, j'avais un sale pressentiment depuis cette putain de nuit. Tu sais pas ? On recommencera la semaine prochaine. Demi-tour, mon vieux ; tu m'arrêtes au premier téléphone.


J'ai retrouvé Christine.

J'étais dans mon bain quand elle est entrée pour se coiffer. Soi-disant pour se coiffer. Mais pendant tout le temps où elle s'est brossée, elle n'a fait que me regarder dans la glace.

— C'était bien, la course de voitures ? elle a demandé au bout d'un moment.

— Oui, c'était bien. Il t'a pas raconté, Frédéric ?

— Non. Dis-moi, William, pourquoi vous êtes rentrés si fatigués hier ?

— Parce qu'on n'avait pas beaucoup dormi la nuit d'avant, tiens.

— Mais la course, c'était pas pendant la nuit...

— Non, mais on est tombés en panne, aussi... Ils t'ont pas dit les autres ?

— Vous êtes tombés en panne pendant la nuit, en Belgique ?

— Non, en France...

— Alors, la course, c'était pas en Belgique ?

— Si, c'était en Belgique, tu m'embêtes à la fin...

— D'accord, je t'embête, mais explique-moi quelque chose, petit crétin : comment vous avez pu passer la nuit en France, en panne, aller voir une course en Belgique le lendemain et arriver à Luc le même jour à l'heure du goûter ? Elles sont à quelle heure les courses en Belgique ?

— Flûte ! On n'est pas allés en Belgique. Voilà, t'es contente maintenant ?

— Non, je ne suis pas contente. Parce que je voudrais bien savoir ce que vous avez foutu pendant deux jours ?

— Tu me promets que tu le diras à personne ?

— Arrête, William, ou je te fiche une gifle.

— Eh ben, tu sais, papa, il a trouvé une solution pour gagner de l'argent. Beaucoup, tu vois. Enfin assez pour qu'à la rentrée on déménage. Mais faut pas le dire à maman surtout.

— C'est ça, faut pas le dire ! Qu'est-ce que c'est encore que cette imbécillité ?

— C'est pas une imbécillité. Et c'est même pas dangereux d'abord. Papa s'est renseigné. Y a aucun risque.

— On le paie pour quoi faire alors ?

— Pour passer des bijoux en Belgique, c'est...

— Quoi !! Mais vous êtes complètement fous ! Mais tu te rends compte ! ? Enfin, William, vous êtes devenus fous ! C'est pas possible ! Tu te rends compte qu'ils peuvent arrêter papa ? Le mettre en prison ? Qu'est-ce qu'on deviendrait s'il était en prison ?

Elle avait les yeux pleins de larmes, les cheveux n'importe comment, c'était une tempête terrible sur son visage. « C'est foutu, j'ai pensé. J'aurais jamais dû lui dire. Maintenant c'est plus possible de la calmer ! »

— S'il te plaît, Christine, j'ai murmuré, chut ! Maman va entendre. Tu m'avais promis...

— Où est papa ? Tu sais où est papa ?

— Dans le jardin. Mais je devais pas te le dire. N'y va pas, Christine. N'y va pas...

Elle était déjà partie. Je l'avais entendue dévaler l'escalier, courir sur les cailloux blancs et claquer la porte de l'appentis où Toto était toujours fourré à réparer les manches des casseroles.

Au moment où je sortais pour les rejoindre, maman est arrivée :

— Mais qu'est-ce qui se passe ? Où est Christine ? Vous vous êtes disputés ?

— Non, c'est rien, maman, c'est rien.

Je suis entré dans l'appentis comme un boulet de canon et je me suis adossé à la porte pour plus de sûreté. Toto était debout, il écoutait rien de ce que criait Christine, la bouche pleine de larmes, il faisait seulement chut ! chut ! chut ! en agitant les bras de haut en bas comme un chef d'orchestre.

— Qu'est-ce que tu as été lui raconter, William ? il a dit avec un méchant regard.

Je lui avais jamais vu ce regard-là.

— Fichez la paix à William, il n'y est pour rien

du tout. Vous êtes un irresponsable, papa ! Un irresponsable ! elle hurlait, Christine.

Alors maman a poussé la porte très violemment et je suis tombé.

— Qu'est-ce qui se passe à la fin ? elle a crié.

Mais juste au moment où Christine allait lui dire, on a vu entrer dans le jardin Mme Monteil, l'épicière, et deux types qu'on n'avait jamais vus. Ils étaient tellement essoufflés, tous, qu'ils ne crachaient que des bouts de phrases. Ils disaient :

— Vite, madame, monsieur... votre fils... sur la plage... le vieux tank... une explosion... on sait pas... le pied, la jambe... mais il est pas mort... il est pas mort, madame.

— Quoi ! a dit maman d'une voix blanche.

Toto était déjà parti vers la plage. On l'a tous suivi en courant. Frédéric pleurait. Nicolas dormait dans le sable. Une dame lui donnait des gifles et deux hommes étaient penchés sur sa jambe. Des gens regardaient, autour. Pas beaucoup. La plage était encore vide à cette heure de la matinée.

— Ça ira, a dit l'un des deux hommes.

Et à Toto :

— Je crois qu'on a prévenu l'ambulance, monsieur. Il faut tout de suite l'emmener à Caen, à l'hôpital.


On n'a plus jamais reparlé de la Belgique avec Toto. Les docteurs ont dit aux parents que Nicolas boiterait toujours et qu'il devrait éviter les gros efforts. Frédéric m'a dit que c'était pas la peine de lui annoncer tout de suite qu'il ne pourrait plus être ni ferrailleur ni même garagiste. On lui dirait ça plus tard, quand il rentrerait de l'hôpital.

Et trois semaines plus tard on a fermé la grande maison de Luc. Maman claquait les persiennes à toute volée. Toto disait :

— Mon Minou, l'armoire du troisième, c'est fait ?

Elle ne répondait plus, elle fusillait tout sur son passage, elle était un tank sans yeux, sans oreilles, sans bouche. La veille, elle avait dit à table :

— Quand je pense qu'il va falloir retourner dans ce taudis !

Toto s'était aussitôt mis à inspecter les feuilles d'artichauts qui atterrissaient de partout dans un plat au milieu de la table. Il avait fait des petites piles avec les bien léchées et entrepris de repasser à toute vitesse sur les autres. En minaudant, le nez au ras de l'assiette, comme un rongeur des forêts surpris dans une clairière.

— J't'assure, ces gosses... miam-miam-miam... j'aurais mangé un artichaut comme ça, moi... miam-miam-miam... mon père m'en aurait servi pendant huit jours... miam-miam-miam...

Il pouvait être midi quand on s'est tous retrouvés dans la 203. On n'entendait plus que la respiration de maman, encore tout essoufflée d'avoir fait trembler la maison. Toto verrouillait le portail, puis il s'est assis derrière son volant et il m'a paru beaucoup plus petit que pendant le voyage en Belgique. Il avait bien perdu dix centimètres en quelques jours, au point qu'aujourd'hui il aurait eu peut-être intérêt à regarder sous le volant plutôt qu'au-dessus.

On roulait depuis un moment quand maman a hurlé :

— Guillaume ! On a oublié Guillaume !

— Tu es sûr, mon petit ? a dit Toto.

— Mais enfin arrête-toi ! Qu'est-ce que tu attends ?

Maintenant elle s'en souvenait. Elle l'avait posé sur le tapis du salon, elle avait claqué les volets et elle avait oublié de le ramasser. Elle avait pensé à la dernière, Marie-Lise, qui dormait à présent dans son hamac, sous le plafonnier de la 203. Mais Guillaume, l'avant-dernier, lui était sorti de la tête.

Il avait cavalé à quatre pattes sous le buffet. Il s'y était coincé la tête. C'est là qu'on l'a retrouvé, avec plein de poussière collée sur la bouche.

On n'est plus jamais retournés à Luc-sur-Mer.

## 2

On allait vraiment habiter au Bois-Brûlé à présent, avec maman et les petits. Ce serait compliqué pour l'école parce qu'on était toujours inscrits au collège à Neuilly. Mais Toto disait que c'était l'affaire de trois mois. A Noël au plus tard, on reviendrait habiter Paris, ou Neuilly peut-être.

La semaine de notre retour, Thérèse est revenue toute bronzée de Pleine-Fougère où elle avait passé l'été dans sa famille. Elle a dit qu'elle voulait bien encore de la cuisine comme chambre à coucher. Toto avait dit de lui demander pour qu'elle se mette pas le bonnet de travers dès le premier jour. A partir de là on a pu s'installer. Christine, qui allait avoir quinze ans, et Anne-Sophie, qui en avait six, ont pris la chambre côté tas de sable et balançoires. Frédéric et Nicolas ont gardé la chambre côté garages. Et moi on m'a mis dans le salon où tous les meubles Louis XVI, planqués sous des draps de lit, attendaient le grand retour à la vie mondaine des Guidon de Repeygnac.

Le climat était très différent de part et d'autre du palier. En face, chez maman, on était toujours à la merci d'une bourrasque. Les fenêtres se fracassaient l'une contre l'autre, les portes vous arrivaient sur les doigts à une vitesse effrayante, et de

la cuisine vous parvenait en permanence, comme
une menace d'orage, le vrombissement du ventilateur, véritable turbine de Mystère IV que Toto avait
installée pour évacuer les fumées. Aucune mauvaise
odeur ne survivait plus d'une seconde dans cette
ambiance. C'était un fait. Mais à l'exception des heures de repas, on ne trouvait là-bas aucun recoin
pour se caler un moment devant un bon bouquin.
Du coup, chez nous, ça ne nous serait pas venu à
l'esprit d'ouvrir les fenêtres. D'ailleurs, avec tous
les flocons de poussière par terre, ça n'aurait pas
été malin. Le train électrique n'aurait pas supporté.
On le laissait monté en permanence. Il serpentait
entre les pieds des guéridons Versailles Grand Siècle, contournait le rouleau de tapis qui nous servait
de banquette et se bouclait au pied de mon lit.

Du Bois-Brûlé au collège de Neuilly il y avait à
peu près vingt-cinq kilomètres. Toto avait dit à Frédéric que c'était qu'une question de timing, vieux.
Il n'y avait aucune raison d'arriver en retard si on
partait à temps, tu me suis ? Ça, c'était la veille de
la rentrée. Le lendemain on est arrivés au collège
à 9 h 30 au lieu de 8 h 15. Toto nous a griffonné
un mot d'excuses et on s'est engouffrés sous le porche. Il n'y avait plus une âme dans le grand hall.
On cherchait où elles pouvaient bien être nos classes, quand on est tombés sur un type immense qui
portait son ventre en avant, comme maman quand
elle attendait Marie-Lise.

— Eh bien, d'où sortent-ils ces deux-là ? il a lancé
de tout là-haut.

— On est en retard, monsieur, a dit Frédéric.

— Oui, si on veut. Ou un peu en avance pour
demain... Quels noms ?

— Frédéric et William de Repeygnac, monsieur.

— Repeygnac, Repeygnac... Oui. Ils ont un mot
d'excuse, ces enfants ?

— Oui, monsieur.

— Voyons... miam-miam-miam...

Il mâchouillait quelque chose. C'était peut-être un bonbon, c'était peut-être sa joue. J'aurais bien aimé savoir. Ça faisait trois fois qu'il retournait la carte. Pour un mot de quatre lignes c'était beaucoup.

— Eh bien, mes petits amis, faudra dire à votre papa que la politesse, ça existe! Les enveloppes aussi, du reste. Compris?

— Oui, monsieur, mais il était pressé...

— Quand on ne veut pas être pressé, on s'organise, mon bonhomme!... Allez, filez!

Il avait mis les numéros de nos classes sur un petit papier. Ça s'appelait un « billet d'admitature », ce truc. Frédéric entrait en cinquième. Moi, en septième. J'avais dix ans.


Pour le soir, Toto avait dit:

— On se retrouve tous de l'autre côté du pont de Neuilly, devant un grand café qui fait l'angle avec le quai de la Seine. A 6 heures pile.

Il avait pas le temps de rentrer dans Paris, Toto, avec tous les bidons d'huile qu'il devait caser dans les garages de la Grande Couronne. Paris et la Petite Couronne, c'était pas son secteur. C'était pas de chance, d'accord, mais fallait prendre la vie comme elle était, pas comme on aurait voulu qu'elle soit. Okay, vieux?

— D'accord, papa.

Christine sortait de son école à la même heure que nous. On l'attendait devant le collège et on filait tous les trois à pied récupérer Nicolas que Toto avait mis dans une école spéciale, à cause de son pied et aussi de cette idée qu'il avait d'être ferrailleur. Après, on prenait l'autobus jusqu'au pont de

Neuilly. Mais le pont, on le traversait à pied, et dès le premier soir Nicolas avait repéré qu'il pourrait très bien faire rouler sa traction sur la rambarde en tôle.

Ce café, on ne pouvait pas le rater, parce que au-dessus de sa terrasse, il y avait une enseigne démesurée qui proclamait BAROCLEM à la face du monde. BAROCLEM, en lettres bâtons blanc électrique. BAROCLEM. Bientôt, dans la nuit pleine d'éclairs, de brûlures, de hurlements, de sirènes, dans ces nuits d'hiver effrayantes, on se sentirait sauvés par ce nom-là. Tu m'attends sous BAROCLEM, tu bouges pas. Le monde aurait pu flamber, s'entre-tuer, se déchirer autour, on serait restés blottis mille ans sous BAROCLEM. Sans bouffer, sans boire. Parce qu'on ne savait pas quand, ni d'où, mais à condition de pas bouger d'ici, on verrait forcément Toto surgir pour nous emporter.

Le premier jour d'école, on l'a retrouvé à la chapelle, le colosse des billets d'admitature. Il était pas seulement concierge, il était professeur de chant en plus. Il s'appelait M. Sérigny-Croupeau mais les autres l'avaient baptisé « Serin Croule-Cul » à cause de sa voix d'oiseau dans les hautes et aussi de ses pantalons qui lui tombaient en accordéon jusqu'aux souliers. Il a demandé s'il y avait des volontaires pour faire la chorale, mais comme personne n'a levé le doigt, il a dit :

— Ah bon ! Ah bon !... Eh bien, mes enfants, si vous voulez qu'on reste bons amis va falloir montrer un peu plus d'enthousiasme. Je répète une dernière fois : que les volontaires lèvent la main...

A ce moment quelqu'un a fait « hé hé hé », avec une voix de nez, comme le grand-père O'Hara dans *Lucky Luke*.

Et presque aussitôt Croule-Cul a sorti des rangs le faux vieillard. Il le tenait par une oreille et comme il tordait tout en marchant, l'autre avait pris tout entier la forme d'un tire-bouchon. Il allait à reculons, la tête à l'horizontale, le menton dans un sens, les pieds dans l'autre. On avait mal pour lui.

Après ça Croule-Cul a désigné vingt-cinq volontaires, dont Frédéric, et on a pu partir en rang pour la cantine.

Le soir même on s'est mis d'accord avec Thérèse pour qu'elle nous réveille vraiment très tôt. On était tous furieux contre Toto mais on l'a pas dit à maman. Ça allait de soi déjà, qu'on était plutôt de son côté à lui. Même Christine, malgré la Belgique. Avec maman, on a tout de suite essayé de faire comme si rien n'avait changé.

— C'est pas trop long toute cette route ? elle a demandé le premier soir.

— Oh! non... même on en a profité pour travailler.

Elle avait encore les yeux rouges d'avoir pleuré tout l'après-midi. C'était pas la peine d'en rajouter.

— Tu me réciteras tes leçons, William ?

— Bien sûr, maman.

Au début, elle a fait des efforts pour s'accrocher à quelques restes. Elle avait décidé qu'on continuerait à aller au catéchisme chez les bonnes sœurs, par exemple. C'était tous les jeudis matin ce truc, dans un couvent qu'on appelait le Cénacle. Du temps de Neuilly on rencontrait là-bas les enfants les mieux élevés du quartier. Forcément, on avait tous des cours d'instruction religieuse déjà, alors le Cénacle c'était comme une idée qu'auraient trouvée les gens de notre milieu pour se distinguer des autres.

Les bonnes sœurs nous gardaient jusqu'à la communion solennelle. On avait d'abord appris à reconnaître tous les péchés : péché d'orgueil, de jalousie, de gourmandise, de mensonge, etc., avant de mesurer à quel point c'était difficile de les éviter. Ils nous guettaient sans cesse au coin du bois. Vous réjouissiez-vous d'être le premier de la classe que vous commettiez le péché de vanité. Donniez-vous la moitié de votre brioche au petit pauvre, que vous risquiez, sans le vouloir, de tomber dans l'affreux péché d'arrogance, ou de mépris. C'est que le diable était à l'affût, attentif à gâter nos meilleures intentions.

Nulle part on ne nous avait parlé du diable comme au Cénacle. Ombre molle et impalpable partout ailleurs, il s'incarnait ici en un « petit homme gris ». Mère Rivière racontait que des témoins l'avaient vu surgir dans des assemblées d'hommes à l'âme percluse de péchés, les « fromassons », que Toto avait également en horreur. Ça tombait bien. Elle disait que ces types-là lui gardaient toujours un siège à la tribune, pour le cas où il voudrait venir présider la séance. Elle le décrivait avec tant de soin, disant son chapeau, son costume trois-pièces, sa baguette (il avait une baguette), qu'on sortait de ses leçons liquéfiés de trouille. Parce qu'il lui arrivait aussi, paraît-il, au petit homme gris, de s'installer sans prévenir dans le cœur des enfants faibles. Ça s'était vu, cette horreur. Et alors le gosse devenait hystérique : il arrachait les doubles rideaux, jetait des braises sur le tapis persan, menaçait de mordre ses frères et sœurs. On l'enchaînait. Il fallait appeler un de ces rares prêtres que redoutait le diable, car eux seuls avaient ce pouvoir secret de le terrasser, de le chasser.

Après ça on se plongeait toute la semaine dans la vie des saints. On ramassait les nourrissons sous les porches des églises avec saint Vincent de Paul, on renonçait à la carrière militaire et aux honneurs pour filer évangéliser les Touaregs avec Charles de Foucauld, on tremblait avec les martyrs d'Ouganda.

Mère Rivière nous interrogeait le jeudi suivant, et quand c'était mon tour je voyais ses pupilles s'embraser entre les œillères gaufrées de sa cornette. C'est vrai que je m'identifiais sans mal à ces hommes-là. Je trouvais qu'ils avaient belle allure dans leurs soutanes blanches quand ils s'avançaient au-devant de bougres immondes, à moitié nus, porteurs d'un crucifix en guise d'armure, tandis que les autres, en face, avaient au moins deux lances par personne. J'étais outré par le massacre de Charles de Foucauld, trahi par des Arabes qu'il avait nourris, soignés, couchés. Et mère Rivière aimait passionnément cette outrance. Elle disait à maman que j'étais fait du même bois que ces soldats de Dieu et qu'il ne l'étonnerait pas qu'à l'heure dite le ciel nous fasse signe.

J'étais en somme dans l'antichambre de la sainteté. Mais le jeudi matin seulement. Tous les autres jours de la semaine on aurait dit que le sort s'acharnait à m'en éloigner. Nos rapports avec Sérigny-Croupeau s'étaient très vite gâtés. Au moins trois jours sur cinq on arrivait au collège après la sonnerie et il était illusoire d'espérer lui échapper. D'ailleurs, les professeurs ne voulaient pas de nous en classe sans billet d'admitature et seul Croule-Cul les délivrait. Mais il se faisait prier, le gros salaud. Je crois même que c'était devenu une jubilation intime chez lui. On déboulait dans le grand hall, hirsutes, écarlates, le cœur sens dessus dessous, mais quand bien même on n'avait qu'un quart d'heure de retard, monsieur n'était déjà plus à l'accueil. Il fallait alors s'enfiler des kilomètres de couloirs déserts en espérant le croiser. Souvent, on passait trois fois de suite devant notre classe sans pouvoir y entrer. On aurait voulu ramper pour ne pas être aperçus par les professeurs à travers les murs vitrés. On était des clandestins sans papiers. On cavalait du bout des semelles, on pliait l'échine, on se cachait dans les cabinets quand on reconnaissait la soutane d'un aumônier, parfois même on ressortait dans la rue, pour rerentrer aussitôt, l'air presque neuf, comme si tout ça n'avait été qu'un cauchemar, comme si en recommençant tout à zéro on allait trouver Croule-Cul derrière son guichet. Petit frère qui est mort, un miracle, juste une fois ! Quand enfin on l'interceptait, il faisait le type harassé, vaincu, même désireux d'en finir tout de suite, tiens, plutôt que de survivre dans ces conditions. Il fallait encore supporter ses mimiques d'agonisant avant d'empocher le billet du jour.

Et puis un matin il a dit que les Repeygnac c'était fini, voilà, qu'il n'en pouvait plus lui, à la fin, qu'il ne voulait plus s'occuper de nous, qu'on pouvait bien faire ce qu'on voulait.

— Enfin une bonne nouvelle ! Si seulement ça pouvait être vrai, a dit Toto le soir.

Ça l'exaspérait ces histoires de retard. Il trouvait qu'à une demi-heure près on n'avait pas le droit de le chipoter. Avec tout ce qu'il avait sur le dos. Et maman qui était enceinte. Oui, de nouveau. Je vous l'avais pas dit ? Non ? Eh bien, voilà, c'est fait. Oui, le huitième. Tu sais compter, non ? C'est tout de même pas sorcier. Un petit garçon, une petite fille, on verra bien ce que va nous donner la sainte Providence. C'était sa sainte préférée à Toto. Malgré l'avalanche de tuiles qu'il se prenait sur la figure depuis quelques mois, il continuait de croire à son ardent soutien.


Le malheur c'est que si Croule-Cul ne voulait plus s'occuper de nous, nous, on était condamnés à s'occuper de lui. Le surlendemain on a vu qu'il avait dit vrai. Il nous a d'abord croisés sans baisser les yeux. Alors on l'a suivi.

54

— Monsieur, s'il vous plaît... ? a dit Frédéric.

Il s'est même pas retourné. Il est entré dans une classe, on l'a attendu à la porte, mais quand il est sorti on était toujours aussi transparents.

— Monsieur, s'il vous plaît... ? a encore dit Frédéric.

Alors brusquement il a fait volte-face, il nous a soulevés chacun par une oreille et il a fait comme s'il voulait nous dévisser la tête. Frédéric est devenu tout rouge puis livide. J'ai failli vomir de douleur. Le sang nous cognait dans la tête, dans le ventre, mais on a tout de même entendu :

— Je ne veux plus vous voir traîner dans les couloirs. Allez dans vos classes si on veut bien de vous, allez où vous voulez mais disparaissez !

On a fui chacun dans une direction, sans se regarder.


— Billet d'admitature, Repeygnac.

C'était l'aumônier. Il était occupé à écrire au tableau. Il avait dit ça sans se retourner, juste à l'instant où j'ouvrais la porte. C'était à croire qu'ils avaient des yeux derrière la tête, ces curés.

— M. Sérigny-Croupeau a dit qu'il ne voulait plus...

— Billet d'admitature, Repeygnac.

— Mais, monsieur l'abbé, M. Sérigny-Croupeau...

— Billet d'admitature, Repeygnac.

Il s'était toujours pas retourné. Je voyais que sa nuque au-dessus de trente-six paires d'yeux.

— Mais, monsieur l'abbé, j'ai dit, M. Croupeau veut plus... ·

Et comme j'ai senti que j'allais pleurer, je suis retourné dans le couloir et j'ai refermé la porte tout doucement. Je suis resté là jusqu'à la récréation de dix heures et demie. Alors c'était facile de se mélanger aux autres.

Le lendemain matin j'ai vu qu'ils avaient mis une table et une chaise dans un recoin du couloir, mais j'ai pas compris tout de suite. Cette fois, c'était le professeur de dessin qui circulait dans la classe quand j'ai voulu entrer.

— Tiens donc, Repeygnac ! il a dit. Vous arrivez d'où comme ça ?

— De la maison, monsieur. C'est la voiture qui a pas démarré.

— Oui... Et hier vous aviez crevé, je crois, c'est bien ça ? Et avant-hier la bonne ne s'était pas réveillée à temps. Et la semaine dernière vous aviez vomi toute la nuit, à moins que... Rafraîchissez-moi la mémoire : c'était quand la fois où tous les réveils de la maison sont tombés en panne ?...

Je me forçais à sourire. Tous les autres étaient écroulés sur leurs pupitres, je n'aurais pas pu faire moins.

— Et ça le fait rire ! il s'est exclamé. C'est bien, mon vieux, c'est bien, continuez à vous foutre de nous, de vos camarades, de vos professeurs... Et tenez, puisque vous avez tellement envie de rire, allez donc rigoler tout seul dans le couloir. On vous a installé une petite table...

J'aurais voulu mourir, ou plutôt que quelqu'un meure à la maison, parce que alors ils auraient été obligés d'être gentils. Ils auraient dit : « Il fallait le dire, Repeygnac, que votre mère était malade. On en aurait parlé, on aurait compris... Vos camarades aussi, du reste. Il faut leur pardonner, ils ne savaient pas... » J'aurais pu pleurer tranquillement. J'aurais pu sangloter. Ils se seraient mis en quatre pour me consoler. L'aumônier, Croule-Cul. « Ah ! Repeygnac, si seulement on avait su... » Ils m'auraient passé la main dans les cheveux... Et aussi, on aurait affiché partout dans les couloirs que Frédéric et William de Repeygnac venaient de perdre leur maman, comme on avait fait quand un grand de la classe de Frédéric avait perdu la sienne. Le supérieur avait célébré la messe rien que pour elle et du jour au lendemain on s'était poussé du coude pour se le montrer, ce grand qui n'avait plus de maman. C'était à ça que je pensais, dans le couloir. J'y pensais tellement fort que ça y était, elle était morte. Je pouvais pleurer, ils allaient venir... Je pleurais, oui, mais quand un aumônier passait dans le couloir il ne me voyait toujours pas.

Personne ne mourait à la maison. On était même plutôt tous en bonne santé. C'était une catastrophe. Parce que plus le temps passait, plus on devenait des étrangers dans ce collège. On aurait dit que les uns et les autres on était parvenus à vivre ensemble sans se voir. Ils nous laissaient venir, on était là, oui, mais ils allaient sans nous. S'ils mentionnaient encore notre nom, le samedi matin, à l'heure des bulletins, c'était tout à fait à la fin, de façon incidente. Ils disaient :

— Enfin, trente-septième et dernier donc, Repeygnac. Mais ça, malheureusement, il n'y a plus rien à en dire.

Et toujours ils soupiraient après notre nom, comme s'il était synonyme pour eux d'une immense fatigue. J'avais le sentiment que même si maman mourait maintenant, il serait trop tard. Ça ne les intéresserait plus. Peut-être soupireraient-ils une fois encore, comme pour signifier que de toute façon ils n'attendaient plus de nous qu'une suite de tuiles.

Toto signait les bulletins sans les lire. Ou alors il disait :

— Dis donc, William, ça fait combien de temps que tu es dernier ?

Et sans attendre la réponse :

— Il va tout de même falloir que je prenne rendez-vous avec ton professeur.

Et puis il oubliait. Il n'avait pas une seconde. Parfois, on l'attendait jusqu'à 8 heures du soir, tous les quatre assis sur un banc public, à BAROCLEM. La 203 avait un phare cassé, l'échappement presque libre : on l'entendait venir de loin. On sautait dedans. Il demandait :

— Pas trop froid, les enfants ?

— Ça va, papa (c'était l'automne encore). Mais tu sais, ce matin aussi on est arrivés en retard.

Il levait une main de son volant. Qu'est-ce qu'il y pouvait, Seigneur ! Et on n'insistait plus. D'ailleurs, on s'en fichait brusquement. De se retrouver dans sa voiture c'était comme d'être dans un autre pays, très loin du collège. Les deux histoires ne se croisaient pas. Là-bas, on était des légumes sans yeux, sans bouche, et on regrettait même d'avoir conservé des oreilles. Ici, on vivait à toute allure des bribes de l'histoire de Toto. Il avait encore couru à L'Haÿ-les-Roses à cause d'un zèbre qui ne l'y attendait plus, il s'était embourbé en quittant Sarcelles à la nuit tombée, les gendarmes l'avaient coincé en excès de vitesse du côté de la Vache-Noire. Une fois, même, il était tombé dans la fosse d'un garage. Il avait l'oreille fendue, du sang plein son col, la main enflée et bleue.

— Mais t'aurais pu te tuer, papa, on a dit.

— Fichtre oui ! il a fait. Sans la sainte Providence, je m'en sortais pas.

Dans sa voiture il y avait de quoi faire le tour du monde sans escale. Des paquets de gros biscuits qu'il mangeait pour son déjeuner. Un projecteur suspendu au tableau de bord pour les vols de nuit. Un rasoir à piles, une brosse à cheveux, trois peignes, une bouteille d'after-shave et un coupe-ongles dans le vide-poches. Un nécessaire à chaussures sous son siège. Sans compter les trombones, les élastiques et les vieux Bic qu'il suspendait à son rétroviseur.

On arrivait au Bois-Brûlé à l'heure où maman couchait les petits. Quand on entendait : « Ah ! Toto ! Viens voir ici je te prie », on filait chez nous sans faire le crochet. Parce que ça voulait dire qu'ils allaient s'enfermer dans leur chambre et qu'elle allait hurler des trucs infernaux, mais comment j'ai pu t'épouser, tu n'es qu'un monstre, un menteur, un raté, avant de se jeter sur le lit pour sangloter. C'étaient toujours des histoires de courriers qui réclamaient de l'argent ou encore l'huissier qui passait une ou deux fois par mois. Toto sortait de là vingt minutes plus tard, le teint gris, la cravate chiffonnée, les joues griffées. Il passait chez nous pour pisser plus à son aise, et puis il disait :

— Bon, je file en clientèle. Soyez gentils, les garçons, allez dire un petit mot à maman, ça lui fera du bien.

Parfois, la journée avait été calme et maman disait :

— Vite, à table, les enfants. Tu as des leçons, William ?

Alors avant de partir Toto lui caressait un peu les fesses et elle se laissait faire. Ou il se collait derrière elle et il l'enlaçait pendant qu'elle feignait de recompter s'il y avait le bon nombre d'assiettes. Elle disait, avec un petit rire de gorge et une fausse colère :

— Oh ! Toto, fiche-moi la paix...


Malgré tout on continuait fidèlement à se rendre au Cénacle tous les jeudis matin. Ces jours-là, on se déguisait en gens de Neuilly. Maman remettait son costume prince-de-galles, sa voilette et ses chaussures à très hauts talons. Nous, on ressortait les gants blancs et les casquettes anglaises. Toto nous laissait au coin de l'avenue, près de la tour Eiffel, et aussitôt qu'on quittait la 203 borgne et pétaradante, on pénétrait dans un rêve d'autrefois, conduits par maman. Je crois qu'elle pouvait encore être belle en ce temps-là. On franchissait le porche, mère Rivière me prenait longuement la main, m'embrassait, et c'était si bon d'être enfin reconnu qu'une fois, dans un élan subit, je l'avais serrée contre moi à lui briser la cornette.

— Voilà un enfant qui a quelque chose à se faire pardonner, elle avait dit gentiment en me caressant les cheveux.

C'est arrivé un jeudi matin, au retour du Cénacle. Thérèse était en congé. On était tous à table. On attendait que maman apporte les frites. Je l'ai vue se présenter à la porte de la salle à manger, brandissant des deux mains la friteuse. Elle était encore en costume prince-de-galles, avec ses hauts talons. Et soudain, elle a basculé en arrière. Alors il y a eu ce cri, en même temps que le fracas de la bassine sur le sol. Et puis ce cri s'est transformé en un hurlement déchirant. Un hurlement qui n'en finissait pas. J'ai vu maman hurler, longtemps, longtemps, et gesticuler par terre. J'ai vu maman les jambes en l'air, griffant furieusement le ciel de ses quatre membres. Et alors j'ai cru qu'elle était devenue folle. Folle, vraiment folle. J'ai cru qu'on pouvait comme ça mourir brutalement au fond de sa tête. Et pour toujours.

Quand enfin papa l'a emmenée, j'ai couru sangloter de l'autre côté du palier. J'ai pleuré tout l'après-midi en répétant : « Ma pauvre maman, elle est devenue folle. » Et Frédéric et Nicolas disaient :

— Mais non, William, elle est pas folle, tu verras.

C'est juste qu'elle a eu peur. Alors elle a crié, tu comprends ? Elle a crié, c'est tout.

Et un peu plus tard Nicolas a dit :

— Tu sais, William, avec Frédéric, on croit bien que c'est de la comédie, sa crise de nerfs. C'est vraiment pas la peine que tu pleures pour ça.

# 3

Mère Rivière avait dit à Toto :

— Ne vous tourmentez pas, ils auront un beau Noël, comme tous les autres enfants.

C'était un soir, on attendait papa dans le hall du Cénacle. Il était monté voir maman et il était redescendu avec mère Rivière. Elle avait dit aussi :

— On vous les gardera toute la journée. Je leur passerai des diapositives.

Et voilà, c'était les vacances de Noël à présent. Toto disait qu'on reverrait certainement maman le soir des cadeaux, puisqu'elle habitait au Cénacle maintenant, mais que pour le moment il fallait la laisser dormir.

Le premier matin des vacances on a tout de suite mis en route le train électrique. On était encore à plat ventre dans la poussière, à le regarder filer dans la steppe floconneuse, quand Christine est arrivée de son lit, en chemise de nuit. Elle s'est d'abord plantée debout à nous observer, avec l'air ahuri, en se frottant les yeux, et puis elle est allée s'asseoir sur le gros rouleau des tapis et elle a replié ses jambes sous sa chemise. Au bout d'un moment Frédéric a dit :

— T'as bien dormi, Christine ?

Elle a fait oui, presque sans bouger son museau

de fouine d'entre ses genoux. Elle avait pas envie de bouger, ça se voyait. Elle avait juste envie d'être là, à regarder le train et à penser à rien.

D'habitude, elle était toujours pressée et pas contente, elle nous houspillait sans arrêt. On voyait ses narines palpiter à la vitesse des ailes d'une abeille surexcitée en même temps qu'elle nous bourdonnait dessus à basse altitude : « T'aurais pu te coiffer — t'as vu ta bouche — quand est-ce que tu te décideras à changer de chemise ? — Nicolas, mouche-toi, flûte à la fin — t'es dégoûtant, tu sens mauvais — t'as vu tes oreilles ? — ton lacet, William ! où est ton lacet ? — t'aurais pas pu dire plus tôt que t'avais plus de boutons à ta braguette ? »

Mais là, ce matin, elle avait tout son temps. On est peut-être restés comme ça deux heures, bien tranquillement. Et puis on a traversé le palier, toujours en pyjama. Et en rentrant chez les parents on a senti une bonne odeur. Et c'était comme jamais ici : le fond de l'air était chaud, même en écoutant bien aucun ventilateur ne vrombissait plus, les petits avaient vidé le coffre à jouets, il y avait des morceaux de dînette jusque dans l'entrée. Guillaume mangeait une banane sous la table et Anne-Sophie lisait une histoire à Marie-Lise qui dormait profondément, la tête sur le carrelage de la salle de bains.

On a trouvé Thérèse dans la cuisine. Elle avait les joues rouges, les yeux brillants. Elle a dit :

— Ah, il y a une surprise pour ce soir. Qui c'est qui va deviner ?

Trois faitouts bouillonnaient sur la cuisinière. La table était couverte d'épluchures. Mais cette odeur-là, on l'avait jamais sentie nulle part.

— Choucroute ! a dit Thérèse.

Et dans son regard j'ai vu passer très vite une expression à la fois tendre et sensuelle.

— Pour votre papa, elle a ajouté en se retournant vers les casseroles. Pour ses quarante ans à monsieur le baron, on va lui faire une surprise, d'accord ?

Bien sûr qu'on était d'accord. Mais on le savait pas, nous, qu'il aimait la choucroute.

— Comment tu l'as su, toi ? a demandé Nicolas.

— Il me l'a dit, gros malin.

— L'autre nuit, là, quand il a pleuré... ?

C'était le soir du jour où il avait emmené maman au Cénacle qu'il avait pleuré.

On ne savait pas pour combien de temps elle s'en allait. Elle était venue nous embrasser chez nous, de l'autre côté du palier. Ça faisait bien trois jours qu'on ne l'avait plus vue, depuis cette crise terrible qui l'avait jetée par terre, elle, et toute l'huile noire de la friteuse. Ses contorsions, ses hurlements... Et elle réapparaissait soudain, en chemise de nuit, livide, les cheveux collés, les épaules couvertes d'un manteau qui lui tombait aux pantoufles. Elle était pitoyable mais c'était impossible de la plaindre, c'était même impossible de lui sourire avec cette peur qui me siphonnait tout le sang des pieds, des jambes, du ventre, dans la tête. Ça grondait comme un torrent dans ma tête, et dans ce vacarme je m'étais répété en la voyant s'approcher :

« Jésus-Marie, faites qu'elle recommence pas à se rouler par terre. Jésus, faites qu'elle recommence pas... »

L'après-midi, on était allés acheter un stylo chromé quatre couleurs pour Toto. Pour ses quarante ans. Et le soir, on s'était installés dans la cuisine pour l'attendre. Juste nous trois, avec le cadeau sur la table et Thérèse qui ne voulait pas le laisser dîner tout seul.

Elle n'avait plus voulu nous abandonner, Thérèse, après l'expulsion. Au début, à Neuilly, ça devait être une bonne comme les autres, qu'on sonnait à table quand on voulait la suite et que maman poursuivait de ce doigt qu'elle fourrait dans tous les recoins pour voir si par hasard la bonne n'y aurait pas laissé un petit dépôt de merde. On ne l'avait pas remarquée, Thérèse. C'est arrivé dans les HLM qu'elle s'était révélée. Presque aussitôt elle s'était mise à appeler Toto « monsieur le baron » et à lui faire des niches. C'est comme ça qu'elle disait, des niches Par exemple, elle lui dépareillait ses chaussettes ou elle lui servait un grand bol de jus de viande à la place de son chocolat froid du matin. Il déboulait dans la cuisine, les narines encore pleines de crème à raser, et avec l'élan il avalait au moins trois gorgées de cette saloperie avant de réaliser. Alors on l'entendait glapir :

— Foutre Dieu ! Que c'est dégueulasse...

Mais jamais il ne se mettait en colère. Il dressait un sourcil et, avec un sourire du dessous, il disait :

— Sacrée Thérèse ! Celle-là, j't'assure, elle existe-rait pas qu'il faudrait l'inventer.

Et Thérèse pouffait, le nez enfoui dans ses poings serrés.

On avait attendu Toto très tard ce soir-là, et puis on était allés se coucher en laissant le cadeau sur la table. Le lendemain matin, à la place, on avait trouvé un dessin très compliqué : des étoiles, que des étoiles qui se dédoublaient à l'infini.

— Dis, Thérèse, tu l'as vu, toi, papa, hier soir ? on avait demandé.

— Oui.

— C'est lui qui a dessiné tout ça ?

— Oui. En chialant. Toute la nuit il a chialé, votre père.

On n'avait pas osé se regarder avec Frédéric et

Nicolas. On n'avait rien osé lui demander d'autre à Thérèse. Même pas s'il l'avait trouvé joli le stylo. On était partis chez nous et on avait fait comme si on n'avait rien entendu.

Et brusquement voilà que Nicolas en parlait des larmes de papa. Ça lui avait échappé. Tout de suite on l'a vu, ça, qu'il avait pas fait exprès. Alors Christine a dit très fort :

— Bon, eh bien, si on mange de la choucroute ce soir, pour midi il y a qu'à juste faire de la bouillie. Pour tout le monde. Dans une grande casserole, tiens...

Elle a pris la plus grande qu'elle trouvait, elle a versé trois ou quatre litres de lait dedans, la moitié d'un paquet de phosphatine, et dix minutes plus tard ça y était : ça faisait une grosse purée blanche gélatineuse qui tremblotait dans la casserole. C'était notre plat préféré la phosphatine. On s'est tous mis à table n'importe comment, avec seulement une assiette et une petite cuillère par personne. A la fin, plutôt que de se resservir on mangeait directement dans la marmite.

Après ça on s'est senti le corps engourdi et plus envie de rien. Christine est allée coucher les petits, Nicolas a vidé sa ferraille entre les assiettes sales et il s'est mis à nettoyer un vieux dérailleur de vélo avec sa serviette de table. Frédéric et moi on a lu. J'en étais au début du saint curé d'Ars, quand il met ses souliers sur ses épaules pour pas user les semelles, en rentrant de l'école.

Et brusquement on a entendu la 203 de Toto, comme ça, en plein après-midi. On s'est précipités dans la cuisine et on l'a vu par la fenêtre. Il avait ficelé un sapin de Noël sur le toit. En poussant la porte il a dit :

— Ça va, les enfants ? Fichtre ! Mais ça sent la choucroute par ici !

— C'est Thérèse qui voulait te faire une surprise...

— Elle est bien mignonne. Ben tiens, à propos de surprise, j'en ai une aussi.

Et il avait déversé de son cartable au moins un quintal de bonbons à côté de la ferraille de Nicolas.

— Ouaaa... ! on avait crié. Mais où t'as eu tout ça ?

— Dans ma nouvelle société, mes petits lapins. A partir de demain je suis directeur commercial au Petit Gourmet. Les huiles moteur, c'est fini.

— T'es directeur, t'es plus représentant ?

— Si, enfin, c'est presque pareil. Mais c'est mieux tout de même.

— Papa, vous ne croyez pas qu'il faudrait faire la crèche pour les petits ? a demandé Christine.

— Et pourquoi tu crois que je suis là, ma cocotte ?... Je me change et on s'y met.

Il était parti dans sa chambre, mais Frédéric, Nicolas et moi on l'avait suivi. On aimait bien y aller dans la chambre des parents parce qu'il y avait toutes sortes de photos de nous à hurler de rire, en costumes marins, à des mariages, des baptêmes. Il était en slip, en train d'enfiler une salopette, quand j'ai lu :

— Lu-bri-fiés a-vec ré-ser-voir, qu'est-ce que c'est ces trucs ?...

Ça lui a fait un effet terrible à Toto de m'entendre. Il s'est retourné d'une pièce, il a bégayé :

— Mais... Mais... Mais où t'as trouvé... Remets ça tout de suite dans le tiroir, William. Qu'est-ce que... Enfin quoi, merde ! On t'a pas appris que ça se fait pas de fouiller dans les tiroirs... ?

L'instant d'après il avait oublié et on était descendus à la cave récupérer la crèche, l'Enfant Jésus, sa

68

famille, les santons de Provence et les Rois mages. Tous ces gens-là, ainsi que le bœuf et l'âne, passaient l'année en caisse, emmaillotés dans du papier de soie. De sorte qu'ils n'avaient rien su de l'expulsion, du déménagement, et qu'il fallait s'attendre à des exclamations de surprise ou d'effroi de la part des plus délicats. Joseph certainement ne dirait rien, habitué qu'il était des soupentes humides et des étables. S'il minaudait celui-là, on lui rabattrait son caquet comme maman avait fait quand Thérèse avait pleurniché, au début, dans les HLM.

— Oh ! vous ça suffit ! elle lui avait dit. Quand on a été élevé à Pleine-Fougère avec les poules et les cochons, on ne doit pas se sentir dépaysé dans ce taudis.

Mais les autres s'étaient endormis avec en tête le confort du grand salon de Neuilly. Là-bas, on les installait toujours à la frontière entre ce salon et la salle à manger, si bien qu'ils avaient vue d'un côté sur les vitrines d'argenterie et de l'autre sur le canapé vert flanqué de ses guéridons Louis XVI, eux-mêmes flanqués de leurs lampes potiches en faux Chine, elles-mêmes flanquées d'abat-jour comme ceci ou comme cela, etc. On édifiait une montagne de papier kraft sur le tapis persan, au sommet de laquelle on plantait la crèche. C'était une sinistre masure sans porte ni fenêtre, avec un toit pentu couvert d'une neige sale mais néanmoins éternelle. Le soir de Noël on déposait là l'Enfant Jésus, en plein courant d'air, sur un simple lit de paille. Et comme exceptionnellement on faisait la prière au pied de la crèche pendant les vacances, on avait tout le temps de l'observer le nourrisson. Il était nu, avec juste un petit lange, mais il fallait faire un effort surhumain pour l'imaginer grelottant, parce que nous on avait bien chaud dans nos robes de chambre écossaises et nos pantoufles assorties. Petit frère qui est mort, priez pour nous.

C'était un bonheur de les retrouver tous en bonne santé, pas vieillis pour un sou. Jésus, au teint d'ivoire malgré la froidure, déjà presque aussi gros que le bœuf et l'âne, pourtant censés le réchauffer. Marie, sa maman, toujours souriante dans l'épreuve. Pourtant, celle-ci aussi elle en aurait eu des raisons de pleurer. Il fallait voir dans quel pétrin il l'avait mise, Joseph. Question taudis c'était difficile de trouver pire. Joseph, justement, l'œil serein et pas plus mécontent de lui qu'un autre ma foi. En somme Toto, avec une femme aimante et un baudet en guise de 203. Le berger, l'œil à jamais rivé sur sa bonne étoile. Du coup, la plupart de ses moutons s'étaient brisé les pattes, et tiens, celui-là avait même perdu la tête. Les commerçants, soudain bonne pâte. Et que je t'apporte une miche de pain, un panier de fruits, une cruche de lait. A un mauvais payeur comme Joseph ? L'épicier du Bois-Brûlé, lui, refusait de nous faire crédit pour un litre de lait ! Enfin les trois Rois mages et leurs chameaux, chargés d'or, de miel, de richesses pour ce fils de rien. Ça s'était déjà vu un truc pareil ?

Nicolas et moi on les a tous parqués sur le linoléum de la salle à manger en attendant qu'ils aient de quoi grimper. Christine et Frédéric étaient en train de la fabriquer la montagne, avec de vieilles boîtes de biscuits et du papier d'emballage. Toto vissait les éléments d'un pied pour le sapin. Et puis Christine s'est mise à peindre : la neige, les rivières, les petits lacs gelés des cimes, les sapins, les crevasses, les chemins. Alors on s'est mis à plat ventre, nous, pour la regarder. Elle peignait du rêve. Le soir tombait. Pour la première fois depuis qu'on habitait ici, Toto avait complètement relevé le store. On voyait dehors. On voyait des centaines de petits cubes de lumière bien proprement empilés, et presque dans chaque cube brillait un sapin. Brusquement, on a eu le sentiment qu'on aurait pu aller seul dans la nuit, sans prendre aucun risque, du moment qu'on demeurait dans l'enceinte dessinée par les cubes de lumière. Même Bidoche, qu'on soupçonnait d'être à l'origine du caillou qui avait pulvérisé une des vitres de la chambre des parents, même Bidoche perdait dans ce décor un peu de sa férocité.

Quand Toto et Christine ont eu fini, on a coincé le vrai sapin contre la fausse montagne et alors la Sainte Famille a commencé l'escalade. Le petit peuple patienterait encore un jour ou deux dans la plaine. C'était la coutume : Joseph et Marie démarraient les premiers pour arriver les premiers dans la crèche, au sommet, le soir de Noël. Quant à Jésus, en attendant sa naissance, il rejoignait les couverts dans le tiroir du buffet.

Sans prévenir, Christine est allée chercher tous les disques de Noël et elle a mis « Mon beau sapin » sur le pick-up. Exactement comme maman faisait à Neuilly, quand on avait le droit de venir au salon, le soir, après le bain.

— Monsieur le baron est servi ! a claironné Thérèse au bout d'un moment.

Ça nous a fait l'effet d'une porte qui claque dans un rêve très tendre. On se sentait déjà le cœur tout ramolli par les chansons de Noël. On somnolait quelque part entre le ciel et la terre. Et voilà que Thérèse apportait sa choucroute.

Toto ne l'avait pas goûtée qu'on sonnait à la porte. C'était Périne. Encore plein de nuit accrochée dans ses poils de barbe, le trois-quarts fermé au cou par une grosse écharpe tricotée main, de drôles de chaussures qui rebiquaient aux pointes.

— André ! Eh bien, ça alors, d'où sors-tu, mon vieux ? a demandé Toto.

Il n'avait pas l'air trop content de le voir. Il restait dans l'entrée à le regarder, comme un ahuri, la poignée de porte dans une main, sa serviette de table dans l'autre.

— J'ai une bonne nouvelle pour toi, a dit Périne avec un clin d'œil. Je peux entrer ?

Il s'était assis à la place vide d'un petit et aussitôt Christine avait arrêté le pick-up. Il nous souriait sans dire un mot, les mains enfouies dans son trois-quarts. Il avait l'air gêné, un type comme lui !

— Si tu veux, Périne, y a de la choucroute, j'ai dit.

Les autres ont ri. Toto a dit :

— William a raison. Commence donc par dîner, on parlera plus tard.

Toto et lui, ils mangeaient exactement de la même façon. Ou plutôt ils ne mangeaient pas, ils broutaient, la bouche au ras du chou, prête à engloutir ce que lèverait la fourchette. Entre deux coups de fourche ils mastiquaient avec des bruits d'éponge, les joues gonflées, laissant parfois perler quelques gouttes ou gicler un jet sous pression de leurs lèvres trempées. Et à intervalles réguliers ils se rinçaient la bouche d'un grand coup de blanc. On sentait que tout ça leur faisait un bien terrible. Ça donnait même envie de les imiter.

Sa surprise, à Périne, c'est qu'il nous avait trouvé un moteur de 403. Déjà, en allant en Belgique, il avait dit à Toto : « L'idéal, ce serait que je te dégote un moulin de 403. Ta trottinette, tu la reconnaîtrais plus ! » Eh bien, ça y était, il en avait un presque neuf.

— C'est la meilleure nouvelle de la soirée, a dit Toto en raclant la peau de son camembert.

On voyait bien qu'il s'en fichait totalement de ce moteur, parce qu'il disait exactement la même chose, c'est la meilleure nouvelle, etc., quand on lui annonçait que pour une fois on était arrivés à l'heure au collège ou qu'on avait retrouvé nos espadrilles tout à fait sous le lit.

— Encore un peu de choucroute, monsieur Périne ? a demandé Thérèse.

— Non, ma poule, elle était délicieuse ta machine. Donne-moi voir le fromage... Et tu sais, Toto, qu'avec ça tu es parti pour dix ans ?

— Tu penses ! a dit Toto qui voyait que Christine attendait à côté du pick-up que Périne s'en aille pour nous remettre « Il est né le divin Enfant ».

— Alors on fait ça demain ? a demandé Périne.

— Demain ? Non, sois chic, vieux, laisse-moi souffler. Et puis je t'avoue qu'en ce moment je n'aurais pas de quoi t'en payer un fifrelin.

— Mais il s'agit pas de ça ! Toto, enfin, entre nous ! Non, attends, t'as pas compris : j'ai aussi besoin de toi dans cette histoire.

Elle était pas simple comme histoire. Le moteur, on allait le prendre sur une 403, ça oui, mais il fallait d'abord récupérer la 403 que Périne avait vendue à un type qui refusait de la payer. Périne trouvait que ça avait assez duré et qu'il fallait donner une bonne leçon au mec. Lui reprendre la voiture et l'engueuler, voilà. Seulement pour ça il avait besoin de Toto parce que le gars habitait très loin, dans une ferme, près d'un bois.

— Où est-ce exactement ton affaire ? a demandé Toto.

— Du côté de Moulins, par là.

— Fichtre ! Mais c'est au diable.

C'était au diable mais on allait y aller quand même. D'abord Toto a dit que ça tombait vraiment mal, juste le jour où il prenait la direction des bonbons du Petit Gourmet. Ensuite il a dit qu'après tout c'était peut-être le moment ou jamais parce que, une fois dans la place, je t'en foutrais des escapades. Et puis au diable l'avarice, tiens ! Ça nous ferait une bonne journée de détente et on en avait tous besoin, pas vrai, les enfants ?

Quand Périne est parti on était bien trop excités pour écouter « Il est né le divin Enfant ». D'ailleurs il ne naîtrait que dans quatre jours et en attendant Toto avait besoin de nous pour préparer la 203. Elle avait l'avant complètement défoncé à présent, mais Toto disait qu'avec un peu de bonne volonté et un bon marteau on pouvait très bien sauver le phare gauche. Le droit était irrécupérable. On a tapé un bon moment avec lui. Ensuite on a installé la couverture sur le moteur. Il faudrait quand même la pousser le lendemain matin, mais peut-être moins longtemps. Elle faisait plus du tout un joli ronflement la 203, comme au printemps, quand Toto venait nous embrasser chez Colatte. Non, on aurait dit qu'un esprit cognait sous le capot. Et elle fumait, c'était épouvantable. Au début, on s'était bagarrés pour convaincre Toto de prendre un garage, comme le voisin du dessous qui tous les matins faisait chauffer sa Dauphine dans son box en lustrant les ailes à la peau de chamois. Mais un jour qu'il était venu nous chercher avec une Aston-Martin toute démolie pour nous conduire au collège, Périne s'était moqué du voisin :

— Frotte, pépère, frotte, il avait dit.

Et en rigolant :

— Celui-là, je préfère le savoir au chaud dans son garage que l'avoir devant moi sur la route.

Depuis, on ne savait plus trop quoi penser.

Quand ils étaient ensemble en voiture, Périne en profitait toujours pour apprendre à Toto des astuces de pilote de course. Et Toto conduisait beaucoup plus vite que d'habitude, mais ça, on était les seuls à le savoir. Périne devait croire qu'il allait toujours à cette allure. Pendant le voyage en Belgique ç'avait été le double débrayage. On avait passé des moments terribles à haleter au-dessus de son épaule pendant qu'il s'acharnait à rentrer ses vitesses, tout en lançant dans le vide de furieux coups d'accélérateur. « C'est presque ça, essaie encore », hurlait Périne au milieu du vacarme. Cette fois il s'agissait d'apprendre à casser les virages. C'était un truc pour éviter de « décrocher » à grande vitesse, surtout par temps de pluie. Et depuis le matin il nous tombait dessus bien pire que de la pluie : de la neige à moitié fondue.

On avait embarqué Périne devant la gare Saint-Lazare, à la nuit encore, et Toto avait fait un premier dérapage en contournant la Madeleine. « Casse ton virage ! » lui avait aussitôt dit Périne. C'est comme ça qu'avait démarré la leçon. Depuis, on guettait les courbes, tous les trois solidement arrimés par les bras au dossier de la banquette avant. « Ne freine jamais, surtout, c'est un principe, avait dit Périne. Si tu sens que ça décroche, tu accélères et tu casses. » Toto s'engageait dans les virages à une allure vertigineuse. « Vas-y, casse ! Casse ! Casse ! » criait Périne. Toto cassait, cassait, cassait, nous projetant violemment les uns sur les autres et vlan d'un côté, et vlan de l'autre, et on n'arrivait même plus à suivre la route tellement on riait.


— Sandwiches, les enfants ? a demandé Périne beaucoup plus tard.

On entrait dans un village tout à fait désert. La neige avait tenu sur les toits, sur les marquises des maisons et aussi par endroits sur les trottoirs.

— Tiens, là-bas ! a dit Périne.

Toto a freiné, et au moment où il se garait en épi devant une épicerie-buvette, Périne a sorti de sa poche un pistolet. Il a dit :

— Je préfère laisser ça dans le vide-poches.

— Oh ! fais voir, t'as un pistolet ? Tu le montres ? on a tous fait ensemble.

— Tu peux vraiment pas t'en passer de cet outil ! a dit Toto, mi-embêté, mi-rieur.

Ça se voyait qu'il le connaissait, le pistolet.

— Et si le type veut pas rendre la voiture, tu fais comment, toi ? a demandé Périne en boutonnant son trois-quarts.

Toto a répondu :

— Allez, le monde est moins méchant que tu le dis.

Il n'y avait qu'une table recouverte d'une toile cirée à carreaux rouges et blancs dans cette épicerie. Et une Colatte aussi, qui trottinait exactement comme la nôtre, le dos rond, la tête pendulant en avant. Toutes les deux, on aurait dit des tortues dressées sur les pattes arrière. Avec ses mains pleines de gros nœuds, cette Colatte a mis un temps inouï à nous faire des sandwiches comme on n'en avait jamais mangé : des cornichons et des petits oignons au vinaigre écrasés entre le jambon et le beurre. Quelque chose d'une finesse incroyable. En mangeant les sandwiches, Périne nous a raconté qu'après Stalingrad, il avait traversé toute la Suisse à pied, en se cachant pour pas être arrêté par les « popoffs ». Il était tellement affamé qu'une fois il s'était jeté sur une vache et il lui avait découpé un bifteck dans la cuisse, comme ça, avec son couteau, pendant qu'elle broutait tranquillement l'herbe gelée.

— Pourquoi tu demandais pas à manger dans les fermes ? j'ai fait.

— Mais, mon bonhomme, ils m'auraient dénoncé ! il a dit. C'est marrant, vous ne savez pas ce que c'est, la guerre, à votre âge. Moi, j'ai marché pendant neuf mois comme une bête traquée, avec juste mon couteau et mon revolver dans la ceinture. Des fois, quand je passais un village, je devais ramper dans la neige, dans la boue. J'aurais dû crever cent fois. Et ces salauds laissaient traîner des chiens affamés qui te sautaient dessus pour te bouffer à la gorge. Une fois, tu vois, il y en a un qui m'a renversé, je lui ai foutu mon bras dans la gueule et avec l'autre main, regarde, j'ai enfoncé mon couteau dans sa putain de gorge, tout mon poing y est entré, dans la plaie, et j'ai touillé là-dedans jusqu'à ce qu'il dégueule son sang, le salaud. Et le sang, je l'ai bu, comme une bête, pour boire chaud. J'en étais là. J'étais plus qu'un fauve, tu vois. Un tueur. Prêt à n'importe quoi pour survivre.

— Oui, on en a bavé des rondelles de chapeau, a dit Toto, pensif. Vous réalisez, les enfants, que pendant tout l'hiver 43, dans les chantiers de jeunesse, on n'a eu que du gruyère à bouffer ! Du gruyère, du gruyère, du gruyère...

— Pourquoi, que du gruyère ? a demandé Nicolas.

— Parce que c'est comme ça, mon vieux ! C'était la guerre, on campait à côté d'une fromagerie, et que tu le veuilles ou non tu trouvais rien d'autre à te mettre sous la dent. Vous n'avez pas connu ça, vous !

— Eh ben, c'est bon le gruyère, pourquoi vous n'étiez pas contents ? j'ai dit.

— Je voudrais bien t'y voir, toi, difficile comme tu es, tout un hiver à ingurgiter du gruyère !...

Périne avait rien dit mais on devinait qu'il était d'accord avec nous : si sa guerre à Toto ç'avait été de se bourrer de gruyère à tous les repas, il n'y avait vraiment pas de quoi la ramener.

— Bon, maintenant, faut jouer serré, a dit Périne une fois remonté dans la voiture. Passe-moi la carte, Toto, on doit plus être très loin.

On a encore roulé une petite heure, puis on s'est

engagés dans un chemin de terre plein de flaques
d'eau gelée. Au bout, il y avait une forêt et juste en
lisière de cette forêt une maison en préfabriqué,
sans étages, construite au fond d'un terrain boueux
parsemé d'épaves de voitures.

— Qu'est-ce qu'il fait dans la vie, ton zèbre ? a
demandé Toto.

— De la récupération, des petits boulots, et je
crois qu'il surveille le bois, derrière.

Toto a slalomé entre les carcasses. Périne a dit :

— Va doucement, je préfère pas qu'il nous
entende venir.

Et juste au moment de s'arrêter devant la maison,
il a montré une 403 :

— C'est la bleue, là, il a murmuré. Les enfants,
ne bougez pas. Toto, tu me suis. On va le piéger, ce
fumier.

Il a mis le pistolet dans la poche de son trois-
quarts et on les a vus tous les deux aller sur la
pointe des pieds jusqu'à la porte. Périne a cogné dessus avec le poing. Un gros homme a ouvert. On a
vu sa bouche et ses yeux s'arrondir et aussitôt il a
essayé de refermer. Mais Périne avait déjà mis son
pied dans l'encadrement. Alors on a entendu le gros
homme hurler :

— Sauve-toi, Marie-Jo ! Sauve-toi !

Aussitôt Périne s'est engouffré dans la maison en
écartant la porte et l'homme d'un grand coup
d'épaule.

On n'a plus vu que Toto, qui était resté sur le seuil
avec l'air de rien comprendre à la bagarre. On comprenait pas non plus, nous, pourquoi le type avait
gueulé : « Sauve-toi, Marie-Jo ! », pourquoi Périne
était entré comme un fou dans la maison, alors que
la 403 était dehors et qu'il n'y avait qu'à la prendre,
après tout.

Et puis on a vu une femme surgir de derrière la

maison et courir vers la forêt, sans manteau, les cheveux chassés par le vent. Un instant plus tard, Périne a surgi à son tour, suivi de tout près par le gros qui criait encore : « Sauve-toi, Marie-Jo ! Sauve-toi ! » En passant à notre hauteur Périne a hurlé :

— Toto, bon Dieu, la laisse pas filer !

Et alors Toto s'est mis lui aussi à courir derrière la femme. Et on n'a plus vu personne.

Depuis combien de temps avaient-ils disparu, tous ? Sans montre, sans rien pour compter les heures, on n'aurait pas su le dire. D'abord on avait essayé de reconstruire l'histoire. Nicolas disait que le bonhomme avait dû donner la 403 à sa femme et que c'est pour pas nous la rendre qu'elle était partie dans la forêt. Avec les clés, certainement. Frédéric pensait que la dame ne devait pas être la femme du gros mais qu'elle avait dû venir se cacher chez lui après avoir fait un sale coup à Périne, un truc beaucoup plus grave que l'affaire de la 403. Après ça, Nicolas avait estimé qu'en tout cas — il disait sans arrêt entouka, Nicolas — qu'en tout cas, donc, si un jour il avait une ferraille comme celle-là, il laisserait pas les voitures rouiller sous la pluie. C'était quand même pas difficile de construire un grand hangar. On s'imaginait bien tous les trois dans cette ferraille, d'ailleurs, à condition de la ranger.

— Mais alors il faudra pas se marier, avait dit Nicolas.

— Si, on pourra se marier, avait corrigé Frédéric, mais seulement si les deux autres acceptent la femme du troisième. Sinon, il devra la renvoyer chez elle.

— Ouais, on veut pas d'emmerdeuse, avait tranché Nicolas.

Et puis on avait eu froid dans la 203 et Frédéric avait dit qu'il allait mettre le chauffage. Il avait enjambé le siège avant et poussé des manettes.

— Ça y est, y a plus qu'à attendre, il avait dit au bout d'un moment.

On avait attendu. Longtemps. En se taisant. Parce que le froid nous avait ôté l'envie de parler et aussi parce qu'on guettait le souffle de l'air chaud. On croyait chaque fois l'entendre, on imaginait même la sensation du chaud, mais on avait de plus en plus froid. La nuit tombait à présent, et le seul mouvement perceptible dans la maison du gros homme était celui de la porte d'entrée que le vent secouait et rabattait.

— Pourquoi ils reviennent pas ? j'ai demandé.

— Peut-être que Périne les a tués, a dit Nicolas.

— Et s'ils reviennent plus jamais ? j'ai encore demandé.

— Il est con, ce William, a dit Frédéric en haussant les épaules.

Après ça on s'est tus et j'ai de nouveau regretté que Christine ne soit pas là. Comme la fois où Toto et Périne nous avaient laissés errer toute la nuit pendant qu'ils réparaient la 203, sur la route de la Belgique.


C'est Toto qu'on a aperçu le premier sortant du bois. Périne suivait à quelques pas. Il tenait son pistolet d'une main par le canon et se frappait la paume de l'autre main avec la crosse. Ils crachaient de la fumée blanche, ils avaient l'air à bout de souffle tous les deux. Quand ils ont été plus près on a remarqué qu'ils avaient de la boue collée jusqu'au-dessus des genoux.

Toto a ouvert la porte. Il a dit en se penchant :

— Ça va, les enfants ?

— Ouais, on a dit. Où vous êtes allés ?

Il a pas répondu. Il avait une grosse goutte au bout de son nez et les yeux très rouges.

— On va rentrer, maintenant, il a dit. Qui veut aller dans la 403 avec Périne ?

— Moi, j'ai dit.

Frédéric a dit :

— Bon, moi j'y vais aussi. Nicolas, t'as qu'à rester avec papa.

Périne avait déjà la tête sous le tableau de bord de la 403.

— On n'a pas les clés, a dit Toto, mais on va faire comme si.

— La garce, a murmuré Périne. Quand je pense que je l'ai sortie du caniveau...

— Laisse tomber, a dit Toto. T'as récupéré la voiture, c'est déjà pas si mal.

Un instant plus tard on partait. Il s'était remis à pleuvoir de la neige fondue.

Périne suivait Toto dans cette nuit boueuse. Il pestait contre les essuie-glaces qui laissaient de grosses traînées glauques sur le pare-brise.

— Il se prend pour Fangio, votre père, il a fait en riant.

— C'était qui la dame que vous avez poursuivie ? j'ai demandé.

— Ma fiancée, mon petit bonhomme. Une sacrée garce...

— C'est elle qui t'avait volé la 403 ou le gros type ?

— Le gros type, comme tu dis, c'est son père. Et elle c'était une grue, enfin une pauvre fille que j'avais placée au bar de l'hôtel, chez ma mère.

— Et tu voulais te marier avec elle ?

— T'as tout compris. Seulement, cette petite traînée elle s'est tirée un soir avec la recette du bar. Tu vois le tableau ? Et trois mois avant, le père avait

81

embarqué la 403 en promettant de la payer dans les huit jours.

— T'aurais voulu les tuer tous les deux alors ? j'ai encore demandé.

— T'es fou, toi ! Où tu vas ? On ne tue pas les gens comme ça dans la vie. Il t'a pas appris ça, ton père ?

— Si... Tu le montres ton pistolet ?

— Plus tard, pour le moment, tu vois, j'ai à peine assez de mes deux mains pour conduire.

L'accident est arrivé à un moment où on pensait plus à rien. Je m'étais même à moitié allongé sur la banquette arrière, la cervelle tout ankylosée par l'air chaud. Brusquement Périne a crié :

— Merde !

Et la voiture a basculé sur le côté. J'ai senti un choc très violent sur la tête, j'ai dû vouloir toucher l'endroit mais alors j'ai roulé sur le toit, puis j'ai été projeté sur la portière et après je suis parti dans tous les sens comme si on m'avait enfermé dans une machine à laver, parce que la 403 roulait sur elle-même, roulait, bondissait à une vitesse incroyable. Je revois Frédéric un centième de seconde à quatre pattes sur le toit, je me souviens de Périne accroché à son volant, tout en bas, ne se doutant pas encore que mes pieds, projetés comme des boulets, allaient lui écraser la figure. Quand les secousses ont cessé, Frédéric n'était plus dans la voiture. Périne a dit :

— Nom de Dieu ! William, t'as rien ?

— Non, j'ai juste mal là, sur la tête.

On était debout tous les deux sur les portières de droite. Périne s'est agrippé au volant et est sorti par le haut. J'ai essayé de l'imiter mais je suis retombé au fond. J'ai entendu Périne qui appelait :

— Frédéric ! Frédéric !

— Je suis là, a dit Frédéric d'une voix de vieille dame.

— Oh! putain de ma mère! a juré Périne. Ce que tu m'as fait peur, mon salaud.

On s'est tous retrouvés dans l'herbe gelée. La route était beaucoup plus haut. On voyait filer les phares des voitures. Personne n'avait dû remarquer qu'on avait dévalé toute la montagne sans les roues. Et maintenant on grelottait. On est remontés à quatre pattes jusqu'au terre-plein. Arrivé en haut, Périne a dit:

— Cet enfoiré de Toto a même pas remarqué qu'on le suivait plus.

On a commencé à marcher sur le côté gauche et presque aussitôt on a vu arriver sur nous un phare qui éclairait les avions. C'était la 203. Le temps de nous identifier, Toto était déjà loin. Il a couru vers nous.

— Mais qu'est-ce que vous fichez, il a crié entre les sifflements mouillés des bolides. Où est la voiture?

— Dans le trou, a hurlé Périne. Et on a bien failli y rester avec elle.

— Fichtre! Qu'est-ce qui est arrivé?

— Je sais pas, qu'est-ce que tu veux voir dans cette purée? J'ai dû péter une flèche de roue, un truc comme ça...

— Rien de cassé, les enfants?

— Non, ça va, papa.


— Décidément, cette garce me fout la poisse, a bougonné Périne un peu plus tard, comme on fonçait vers Paris.

— Qui ne tente rien n'a rien, a dit Toto.

Et il a gentiment tapoté le bras de Périne.

Le soir de Noël on est tous partis pour le Cénacle. Christine est montée devant, à côté de Toto, et c'est elle la première qui en a parlé. On s'est tus aussitôt, pour bien écouter, parce qu'on ne pensait qu'à ça depuis le matin, mais on n'avait pas osé se le dire, ni se demander comment ça allait se passer. Elle a dit :

— Comment va maman ? Est-ce qu'on va pouvoir l'embrasser ?

— Oh ! certainement, a répondu Toto, elle va être ravie de vous voir, la pauvre vieille. Je crois qu'elle s'ennuie un peu. Les sœurs me disaient hier qu'elle recommençait à manger.

— Elle dort plus tout le temps alors, j'ai demandé très vite.

– Non !... Les premiers jours elle a pioncé comme une malheureuse, ça oui. J'te fous mon billet que même les chars allemands ne l'auraient pas réveillée. Ha ! ha ! ha ! Mais là, elle dort comme toi et moi, ni plus ni moins. Ni pluuuus... Foutre merde, il en a peur de sa trottinette, celui-là ! Tu vas à la pêche, papa, ou t'attends le déluge ?...

Bon, l'essentiel c'était qu'on ne la voie pas dormir. Je voulais pas de cette image-là. Pour le reste, on suivrait Christine. On ferait comme elle, voilà. Exactement comme elle.

Il devait être 7 ou 8 heures du soir quand on a sonné à la grande porte de bois. La mère concierge, qui devait aller sur les cent ans, a souri en nous apercevant de sa loge. Et mère Rivière est arrivée, fraîche et souriante aussi, les deux mains en l'air comme Notre-Dame de Lourdes pendant les apparitions.

— Qu'ils sont beaux, tous ! elle a chanté.

Puis soulevant Marie-Lise, la dernière, qui avait quelque chose comme deux ans, elle a ajouté en cherchant mes yeux :

— Est-ce qu'on sait que c'est une nuit de joie et de recueillement, n'est-ce pas, les grands ?

Fichtre ! j'ai pensé à cet instant, on a oublié de sortir Jésus du tiroir des couverts.

— Alors voilà notre programme, a dit mère Rivière en fourrant Marie-Lise dans les bras de Toto : nous allons aller tous ensemble embrasser votre maman, puis nous souperons. Après cela, nous nous dirigerons tous vers la confession de façon à recevoir Jésus dans des âmes bien blanches. As-tu pris la peine de nettoyer ta maison avant de m'y recevoir ? demande le Seigneur au pauvre berger. On se souvient de cela, n'est-ce pas ? Nicolas ? William ? M'entendent-ils, ces enfants ? On songe déjà aux cadeaux, dirait-on... (sourire tendre à l'adresse de Toto). Allons, les grands, un peu d'attention ; car avant les cadeaux, il y a la messe de minuit ?... Ça y est ? Nous y sommes ? Alors, allons vite embrasser votre maman qui doit être tellement impatiente...

Dans ces moments-là Toto parvenait à prendre un regard d'arriéré mental, soutenu par le même sourire béat que notre saint Joseph. Et ce qui était amusant, c'est qu'il se laissait conduire comme nous, sans protester ni rien. Il avait gardé Marie-Lise dans ses bras, alors qu'il la portait jamais, et il grimpait à présent l'escalier derrière Christine, comme un grand garçon bien élevé, toujours flanqué de son rictus de débile léger.

Parvenus au deuxième étage, au bout du couloir, on s'est tous arrêtés devant une porte close, le souffle court. Mère Rivière a fait « chut ! » en se collant un doigt sur les lèvres. Elle a entrebâillé la porte et elle a glissé la tête dans l'interstice. Sans se donner le mot, on s'était arrangés pour que Christine soit en première ligne. Anne-Sophie, six ans, suivait. Puis Frédéric, Nicolas et moi. Enfin Toto, avec toujours Marie-Lise dans les bras et Guillaume dans les jambes.

— Entrons! a chanté mère Rivière en ouvrant toute grande la porte.

Cet « entrons » m'a vidé d'un seul coup de tout mon sang, et de surprise mon cœur s'est mis à cogner furieusement, dans le vide, n'ayant brusquement plus rien à pomper. La bousculade m'a porté au pied du lit. Et dans le lit il y avait maman, assise, les pommettes écarlates, les lèvres rouge vif, les yeux pleins de larmes tandis que sur tout le reste du visage tremblait un vague sourire. J'ai eu envie de pleurer soudain. Christine l'a embrassée en disant gentiment:

— Bonjour, Minette!

Puis elle s'est plaquée contre le mur, à la tête du lit, pour nous laisser la place. On est allé chacun son tour se faire embrasser par maman, mais quand Toto l'a prise par le cou pour lui déposer un baiser, elle s'est dégagée d'un mouvement vif à peine perceptible, et Toto s'est redressé sans l'avoir touchée des lèvres. Alors il a eu comme un geste d'impuissance avec le bras et il est parti à la fenêtre regarder la nuit. Là, j'aurais bien voulu lui prendre la main. Sa main carrée et chaude. Mais je suis resté avec les autres à guetter le sourire de maman. Et j'ai pensé qu'elle était méchante. Et que pleurer pour elle c'était un truc d'imbécile.

Elle avait dit qu'elle nous rejoindrait au dessert. Ça voulait dire que d'ici le dessert on allait rester entre nous. Mère Rivière elle-même ne nous retrouverait qu'à la fin du repas. Mais Toto, ça n'avait pas l'air de lui faire le même plaisir qu'à nous. Il s'était assis à table machinalement, il avait joint les deux mains devant sa bouche en se collant les index dans les trous de nez, et maintenant il était parti très loin dans ses rêves à en juger par cette saloperie de tic qui lui claquait les paupières en lui remontant les oreilles. C'est l'arrivée de la soupe qui nous l'a ramené sur terre, vieux Toto. Dès qu'il en a senti le fumet, il a dit :

— Ah ! Une bonne soupe. On n'a encore rien trouvé de mieux pour retaper son bonhomme. N'est-ce pas, ma sœur ?

Mais comme la sœur cuisinière était sourde, elle a juste fait un sourire, à tout hasard. On l'a laissée remplir nos assiettes et aussitôt qu'elle a disparu Nicolas a dit :

— Quoi ! De la soupe le soir de Noël, c'est pas du jeu, hé...

— Comment ça, c'est pas du jeu, a dit Toto. Moi, de la soupe comme ça, slup-slup-slup, j'en boufferais tous les soirs, slup-slup-slup, y compris à Pâques et à la Sainte-Trinité, slup-slup-slup.

— Mais toi t'es complètement fou aussi, j'ai dit en riant.

— Eh bien, ça alors ! (Il s'était arrêté de manger, la cuillère ruisselante suspendue à mi-chemin.) Tu es quoi, toi, petit morveux, pour traiter ton père de fou ? C'est un monde ça tout de même ! J' t'en foutrai des gaillards pareils ! Ah mais ! Allez tiens, Nicolas, donne-moi donc ta soupe, chochotte, va !

— Je parie que t'es pas cap de manger toutes les soupes de la table, j'ai dit.

— Tu crois ça ! ? Commence déjà par me passer la tienne, trognon.

La table, c'était plus qu'un champ de ruines quand maman est arrivée. Parce que lorsque la bonne sœur avait vu que Toto en était encore à la soupe quand on attaquait les poires au sirop, eh bien, elle était plus revenue enlever les assiettes sales. Résultat, autour de Toto il y avait toutes nos assiettes à moitié pleines encore de carottes, de patates, d'endives, de poireaux, qui attendaient là d'être mangés, tandis que nous, en périphérie, on mélangeait des petits-suisses avec du sirop de poire, en éclaboussant pas mal tout de même. Comme Toto avait dit que les légumes, fichtre ! c'était délicieux et qu'on était vraiment des enfants gâtés parce que lui pendant la guerre il n'avait eu que des rutabagas et du gruyère, on lui avait demandé en hurlant de rire de nous expliquer une fois pour toutes à quoi ça ressemblait un rutabaga. Et c'est ça qu'il était en train de faire quand maman est entrée. De la voir toute vacillante, avec toujours ce sourire de vieille poupée, on n'a pas eu envie d'en savoir plus sur les rutabagas. Et d'ailleurs Toto s'est arrêté.

— Assieds-toi avec nous, mon Minou, il a dit. Tiens, prends une assiette.

— Pas faim, elle a bougonné, et elle s'est assise à côté des petits.

Elle s'est mise à coiffer Guillaume avec sa main qui tremblait et à faire « kikiki » à Marie-Lise qui s'est arrêtée net de taper dans sa bouillie. Au bout d'un moment Guillaume a secoué la tête pour qu'elle lui foute la paix mais Marie-Lise a tendu le doigt pour toucher le rouge à lèvres. Alors c'est maman qui s'est reculée.

— Tout de même, Toto, elle a sifflé brusquement, tu aurais pu les habiller proprement. Regarde-moi ça, ils sont fichus comme l'as de pique.

— J'ai fait ce que j'ai pu, mon Minou, il a dit en ouvrant de grands yeux vides. On s'y est mis à deux avec Christine et je t'assure qu'on en a bavé. Que veux-tu ? Tu nous manques, voilà tout...

Elle n'a rien répondu. Elle a mis le doigt dans son nez et ainsi recroquevillée sur elle-même, elle est restée à regarder Guillaume dessiner un jardin dans son petit-suisse. Mais je crois que ses yeux ne le voyaient pas, le jardin.

On se taisait tous quand mère Rivière est entrée.

L'espace d'une seconde elle a paru perplexe parce que bien sûr le chaos de la table n'allait pas avec ce silence. Mais retrouvant très vite son sourire, elle a dit :

— On voit que c'est un soir de fête, ici ! Est-ce que tous ces enfants ont mangé à leur faim ?

On a fait des oui mous avec des sourires indéfinis et aussitôt maman a dit, bien trop fort :

— Merci, ma mère, c'était formidable !

Elle s'était brutalement redressée. Son visage resplendissait soudain d'un sourire de mère de famille comblée.

— Alors allons vite à la confession, a dit joyeusement mère Rivière.

On s'est levés dans la bousculade. Toto a secoué les miettes de son veston et il est allé tendre son bras à maman. Il aimait bien lui donner le bras en allant à l'église. Ça datait de Neuilly ce truc-là. Mais tout en conservant son sourire qui déjà se gâtait au coin des lèvres, maman s'est encore retirée, s'emparant précipitamment de la main de Guillaume qui ne lui demandait rien.


Maintenant ils priaient, les parents. Devant nous. Chacun sur son prie-Dieu. Le visage enfoui dans les mains. Qu'est-ce qu'ils pouvaient bien lui raconter au Seigneur, lui qui voyait tout ? Est-ce que maman disait qu'elle le haïssait ? Oui, mais parfois, elle le laissait bien lui caresser les fesses quand même. Et aussi, la nuit, ils devaient se rouler l'un sur l'autre dans le lit puisque à présent elle attendait un autre bébé. Tiens, c'est vrai ça, et pourtant elle a pas encore le gros ventre. Ils devaient les faire le samedi soir les bébés. Parce que le samedi après-midi maman enfilait son tailleur prince-de-galles et ils filaient tous les deux faire des courses. Enfin, avant qu'elle soit au Cénacle. Ça la mettait de bonne humeur d'aller dans les magasins. Le soir, je crois, ils allaient au cinéma. Avant de rentrer. Alors elle devait se déshabiller en se laissant embrasser dans le cou. Ou peut-être même qu'il la déshabillait. Oui, il la déshabillait. Il lui touchait les seins avec ses mains carrées et chaudes. Tout nu, il se collait le ventre contre ses fesses. Elle rejetait la tête en arrière et il lui mordait le cou. Elle soupirait. Et le Seigneur voyait ça. Il la poussait doucement sur lé grand lit. Elle y demeurait les yeux clos, la bouche entrouverte. Il se mettait sur elle, sur ses seins, sur son ventre. Elle haletait. Et le Seigneur voyait ça. Alors ses mains à lui, doucement, effleuraient ses fesses. Elle devait se cambrer, dire oui, oui, comme dans ce film qu'on avait vu une fois avec Périne. Elle devait plus être qu'une offrande. Peut-être même qu'elle aurait donné sa vie, à cet instant-là, pour être comblée. Et lui la comblait. Et elle était secouée de plaisir. Et elle le laissait aller et venir en ne lâchant plus que d'infimes gémissements. Et le Seigneur voyait ça. Et à cet instant-là il aurait pu en faire ce qu'il aurait voulu, de maman. Elle n'aurait rien refusé, ni ses baisers ni ses morsures. Et alors ils s'agitaient follement comme dans ce film. En criant même, à la fin. Et le Seigneur voyait ça. Et le Seigneur entendait ça. Il devait bien s'amuser le Seigneur à guetter leurs ébats des nuits de week-end tandis que dans la semaine elle lui griffait le visage. Il devait jouer de leur désir pour retourner brusquement des situations meurtrières. A l'intant où elle aurait voulu le tuer, à l'instant où il était sur le point de lui trancher la gorge, voilà qu'une petite flamme, bientôt brûlante, s'allumait au bas de leur ventre. Et ce besoin soudain de s'accrocher, et ce désir soudain de se lécher, et ce souvenir brutal, oh ! tellement brutal Seigneur, d'une odeur d'entre ses cuisses à elle qui monte, qui monte, cependant que ses mains à lui se tordent, s'exaspèrent. Il devait bien s'amuser le Seigneur, à les écouter à présent pleurnicher, chacun sur son prie-Dieu. Que pouvaient-ils lui raconter d'autre que la suffocante douleur de se haïr ? Jusqu'à quand, Seigneur, jusqu'à quand devrai-je le supporter ? Pendant combien de temps, Seigneur, pendant combien de temps m'humiliera-t-elle ? Il devait bien s'amuser le salaud, le pervers, sachant déjà le jour, ou plutôt la nuit, où il les jetterait l'un contre l'autre, brusquement affamés l'un de l'autre. Et ils se réveilleraient le matin, encore tout imprégnés de l'odeur de l'autre, mais bel et bien revenus parmi nous. Nous, les fruits increvables de leurs élans, les boulets, les rançons successives versées à cette crevure qui avait fait d'eux son couple de marionnettes.


— A toi, William.
Nicolas venait d'être condamné à deux Notre Père et trois Je vous salue Marie par le confesseur. C'était à mon tour. J'ai dit qu'en une semaine j'avais oublié trois fois de faire ma prière du soir, que j'avais pas été toujours très gentil avec mes frères et sœurs, que j'avais dit des gros mots. Mais j'ai pas dit qu'au lieu de préparer la confession je venais de passer un quart d'heure les yeux posés sur les fesses de maman, à imaginer les mains de papa les fouillant fiévreusement. Cependant, après un long silence et voyant que le prêtre s'impatientait, j'ai demandé :
— C'est vrai, monsieur l'abbé, que le Seigneur voit tout, qu'il sait tout ?
— Oui, mon petit, il a fait. Dis-moi ce qui te tracasse ?
— Je voudrais savoir pourquoi il nous laisse faire des péchés alors ?

— Le Seigneur nous donne la liberté, mon enfant. A chacun d'en faire l'usage qu'il veut. Tu es libre de pécher ou de ne pas pécher. Tu comprends cela ?

— Et est-ce que c'est un péché quand les parents font des bébés dans le lit ?

— Oh ! dis donc, ça c'est une grave question en effet. Je vais te dire : le Seigneur a fait un merveilleux cadeau aux parents qui s'aiment ; il leur a donné le pouvoir d'avoir autant d'enfants qu'ils le désirent. C'est la plus belle chose que peuvent souhaiter des parents. Tu n'es pas de mon avis ?

— Mais pourquoi, quand ils ne s'aiment pas, ils ont quand même des enfants ?

— Tu es en train de me dire que tes parents ne s'aiment pas comme tu voudrais qu'ils s'aiment. Est-ce que je me trompe ? Tu sais, je crois que tu es bien jeune pour juger de ces choses-là. Allons, on va s'arrêter là, tu veux ? Tu me réciteras trois...

— Je voudrais seulement savoir pourquoi le Seigneur laisse des parents qui ne s'aiment pas avoir des enfants. Des parents qui se détestent même...

— Oui, chut ! parle plus bas mon petit. Tu sais, la vie est beaucoup plus compliquée que tu le crois. Allez, va en paix. Tu me diras trois Notre Père pour la peine et je suis certain que le Seigneur, un jour, t'éclairera. Garde confiance.

Le lendemain, on n'a pas voulu retourner au Cénacle voir les diapositives de mère Rivière. Thérèse nous a préparé un poulet aux petits pois et, après le déjeuner, on est allés faire tourner le train électrique. Toto nous a rejoints avec son café. Il a dit en s'asseyant en tailleur, contre le rouleau des tapis :

— Ce train électrique, le jour où je vous l'ai offert, j'ai été bien inspiré, tiens.

— Oui, on a dit.

C'était pas comme les jouets de mère Rivière ; des

trucs d'occasion qui roulaient pas droit, qu'on avait fichus dans le coffre de la 203 et qui y étaient encore. Plus tard, Thérèse est venue à son tour voir la 2D2 siffler dans la steppe. Elle s'est assise sur les tapis et elle a laissé son genou venir doucement reposer contre l'épaule de Toto.

# 4

— Mais merde, papa, on disait, t'as vu l'heure ?

Nous, on était déjà en manteau et lui il était encore devant la glace de la salle de bains à se raser. Là, il était juste en slip, les narines pleines de pâte blanche et il se tirait les joues pour faciliter la tâche au rasoir. Aussitôt qu'il était passé, son truc, on voyait sourdre des filets rouges qui rosissaient en se diluant.

— Tu t'es encore coupé, papa.

— Bande de loustics, il râlait en secouant son rasoir, si vous n'étiez pas là à me bassiner ça n'arriverait pas.

Après, il se fichait la tête dans le lavabo plein d'eau grise et d'œufs en neige, et avec ses mains il s'éclaboussait jusque dans la nuque en soufflant comme un fox-terrier qui sort du bain. Un bon coup de serviette là-dessus en écarquillant les yeux et en se secouant les trous d'oreilles, et ça y était. Quand il en avait un sous la main, il se collait sur ses coupures une espèce de bâton cicatrisant à vomir. Sinon, il s'aspergeait directement d'after-shave en faisant « ooh, ooh, ooh » parce que ça le picotait comme dix bonbons à la menthe.

On s'écartait de la porte pour le laisser filer dans sa chambre mais on l'y rejoignait aussitôt avec nos cartables, nos manteaux, nos écharpes. Il boutonnait sa chemise et puis il se la fourrait dans le slip jusqu'à ce qu'elle ressorte par le bas. Il tirait bien les quatre bouts, deux derrière, deux devant.

— Si tu veux pas être débraillé, t'as qu'à faire comme moi, il disait quand on avait la chemise pardessus la culotte.

Ça risquait pas de lui arriver. Son pantalon, il le remontait jusqu'aux seins, et une fois sa ceinture bouclée il se tapotait deux trois fois le zizi comme pour faire un rapide bilan de la situation. Regard circulaire sur le lit défait, la fenêtre où battait un nylon, le réveille-matin, fichtre ! on n'est pas en avance, et on repartait tous pour la salle de bains.

En se brossant les cheveux il sifflait toujours. Un machin filandreux qui n'avait aucun sens.

— Papa, t'as encore plein de crème dans les trous de nez.

— Vous allez me foutre la paix, oui ? C'est pas croyable ce qu'ils sont emmerdants ces drôles !

— Votre chocolat, monsieur le baron, criait Thérèse.

— Si elle s'y met aussi, celle-là, on n'a pas fini.

Mais à présent, elle lui faisait plus de niches, Thérèse. Elle le regardait boire, adossée à l'évier, le nez enfoui dans ses poings serrés, les yeux tout pailletés de soleil. Et quand il s'en fichait plein le menton, que ça dégoulinait, elle pouffait, en penchant la tête de côté, en le regardant tendrement, comme on regarde un enfant.

— Allez, barka ! il disait en s'essuyant du revers de la main.

Il enfilait son manteau qui avait passé la nuit sur une chaise et on dévalait les escaliers chacun avec son cartable.

Elle reviendrait peut-être à Pâques, maman. Mère Rivière avait dit à Toto qu'il fallait être patient, qu'elle la sentait encore bien fragile, qu'elle avait besoin de calme et surtout de sommeil.

— Vous avez parfaitement compris le problème, il avait dit, Toto, tout en réalisant qu'il venait d'oublier son calepin chez un boulanger de Livry-Gargan. Dormir, dormir, dormir, y a que ça qui la retapera, la pauvre vieille, il avait ajouté machinalement, le front cramoisi, en se tâtant les poches pour la quatrième fois.

On en arrivait de Livry-Gargan. En retournant à la 203 j'avais entendu Frédéric souffler à Nicolas :

— Dormir, dormir, dormir, y a que ça qui la retapera, la pauvre vieille.

Aussitôt, tous les deux, ils s'étaient pliés de rire sur le trottoir. Alors j'avais compris et j'avais pouffé à mon tour.

On avait plein de phrases comme ça qu'on aimait se dire dans la journée quand la situation s'y prêtait. Notre préférée c'était : « Volontiers, dit le cochon, et il sauta dans la benne du camion. » C'était extrait, cette perle, du *Joyeux Chauffeur de camion*, un livre d'or que Nicolas avait encore à douze ans passés, sans doute parce qu'il s'imaginait dans la peau du chauffeur ramassant en vrac cochons et ferraille, ses deux gourmandises. Frédéric disait par exemple :

— Et si on allait faire tourner le train électrique ?

Et nous on répondait :

— Volontiers, dit le cochon...

Il y avait aussi : « Nous l'aurons ! Nous l'aurons ! », qui nous avait été offert par une vieille dame caracolant derrière un bus à plate-forme qui ne l'avait pas attendue.

On courait derrière la 203 qui ne démarrait plus qu'à la poussette, et on hurlait :

— Nous l'aurons ! Nous l'aurons !

Il y avait encore : « Alors je m'suis dit, madame Didi, c'est ici ! » Celle-là venait d'une dame qui, nous ayant longtemps cherchés, avait dû nous répéter une bonne cinquantaine de fois qu'elle nous avait enfin trouvés. Voilà. Mais pour se dire bonsoir, on n'en avait pas encore, de phrase magique. Celle de Toto tombait à point.

— Dormir, dormir, dormir, y a que ça qui la retapera, la pauvre vieille, j'ai crié le soir en sautant dans mon grabat.


Thérèse faisait la cuisine et baignait les petits. Christine les embrassait dans leur lit et disait parfois la prière, mais de moins en moins, petit frère qui est mort priez pour nous. Pour le linge, Toto avait trouvé un filon, comme il disait : il avait passé un contrat avec une blanchisserie industrielle en racontant qu'il dirigeait un orphelinat. Le lundi matin on chargeait les sacs dans la 203 et on les récupérait le jeudi. Une fois par mois, Toto rapportait un sac supplémentaire : c'était tous les vêtements perdus par les autres clients que les dames de la blanchisserie nous mettaient de côté. Forcément, ça leur faisait pitié qu'on soit orphelins. Alors vieux Toto ramassait sans se faire prier des chemises, des pulls, des manteaux et plein de blue-jeans. Ça tombait à pic parce que ça ferait bientôt un an qu'on avait quitté Neuilly et depuis ce jour-là on n'avait plus acheté de vêtements.

Peut-être qu'en me voyant, moi tout seul, on pouvait encore deviner qu'on avait été riches. Autrefois. Parce que je portais les culottes en flanelle et l'ancien manteau vert de Frédéric, avec la casquette anglaise assortie. Râpée, la casquette, mais assortie quand même. Les autres n'avaient plus rien à se mettre de ce temps-là. Alors, progressivement, ils s'étaient retrouvés habillés à peu près comme Bidoche. Blue-jeans délavés, chemises à boutons-pression et pulls marron tricotés main. La première fois qu'elle les avait vus en blue-jeans, maman avait eu comme un sursaut dans son lit du Cénacle:

— Toto! elle avait crié, enfin d'où sors-tu ces accoutrements? Tu ne vas pas me dire que tu trouves ça joli, tout de même? C'est... C'est...

— C'est des blue-jeans, maman, on avait dit.

— Mais enfin, c'est péquenot comme je ne sais pas quoi!... Vous êtes habillés comme des gosses de concierges, ni plus ni moins... Tu vas me faire le plaisir de me foutre tout ça à la poubelle. Oh non! Mais qu'est-ce que j'ai fait au Bon Dieu pour mériter ça...

Et voilà. Elle avait recommencé à sangloter en trépignant des genoux sous la couverture.

Toto avait rien dit, mais en rentrant il s'était mis à bougonner tout seul:

— Elle est marrante, elle! On voit bien qu'elle la sort pas de sa poche, l'oseille. Après tout merde, quand on comparaîtra devant le Seigneur on sera tous à poil.

— Ouais, on s'en fout. On n'a qu'à plus aller la voir, avait dit Nicolas.

— Elle nous emmerde à la fin, j'avais ajouté. Ils sont très bien ces blue-jeans.


On avait couru comme des fous ce matin-là pour démarrer la 203, et trois quarts d'heure plus tard, en arrivant à Neuilly, on avait encore le fond de la gorge qui flambait. Toto avait viré devant l'église Saint-Pierre en faisant hurler les pneus, et puis il avait lancé le moteur à fond dans le dernier kilomètre qui nous séparait du collège. Après ça il dirait:

— Fichtre! déjà neuf heures et demie. Je suis désolé, les enfants, j'ai vraiment fait le maximum.

Et on répondrait :

— Ouais, ça fait rien, papa. C'est pas de ta faute.

On avait jamais le cœur à lui rappeler tout le temps qu'il mettait à se raser.

Les gens de Neuilly se retournaient pour nous regarder passer. Elle faisait un bruit d'auto de course, la 203, sans son pot d'échappement. Et dans les derniers cent mètres, en décélération, on parvenait même à jeter les commerçants sur le pas de leur porte en deux ou trois explosions retentissantes.

On a encore couru pour traverser l'avenue, puis l'entrée du collège, mais arrivés dans le grand hall on l'a vu qui nous attendait. Croule-Cul. Comme autrefois. Comme au temps où on avait droit aux billets d'admitature. Croule-Cul. Bonjour, monsieur Croule-Cul, tiens, vous vous intéressez à nous de nouveau ? Bonjour, monsieur Croule-Cul, tiens... Ça revenait en boucle dans ma tête pendant que chaque pas nous rapprochait de lui. Ah! monsieur Croule-Cul mâchonne, il mâchonne toujours monsieur Croule-Cul, mais qu'est-ce qu'il peut bien mâchonner ?

— Bonjour, monsieur, a dit Frédéric. C'est la voiture qui n'a pas démarré.

— Parloir! il a roucoulé, M. Sérigny-Croupeau, d'une petite voix d'oiseau, en pointant son doigt dans la direction d'où on venait.

Il était derrière nous le parloir, oui, on savait. Mais qu'est-ce qu'il voulait nous dire, M. Sérigny-Croupeau ?

— C'est la voiture qui n'a pas démarré, monsieur, a répété Frédéric. Excusez-nous.

— Parloir! a encore chanté Croule-Cul.

Et cette fois on a compris, parce que, avec son

doigt, il a dessiné dans le ciel une virgule qui signi-
fiait demi-tour. On marchait devant, il nous suivait.

— Vous prenez un drôle de genre, les Repeygnac,
il a marmonné. Vous savez que dans la maison, les
blue-jeans...

On est entrés dans le parloir et il a refermé la
porte derrière nous. C'était une grande pièce sans
fenêtre, éclairée par des appliques aux quatre coins,
uniformément peinte en jaune. Autour de tables
rondes on avait disposé des chaises de classe en
tube vert olive et contre-plaqué verni. Ici, la seule
preuve tangible de l'existence de Dieu, c'était un
aquarium plein d'une eau trouble où surnageait un
gros solitaire gélatineux blanc-rose. Frédéric s'est
assis, sans déboutonner son nouveau duffle-coat
arrivé le mois dernier de la blanchisserie. Il a laissé
tomber son cartable et il a regardé vers le plafond.

— Pourquoi tu crois qu'il nous met là, ce gros
con ? j'ai demandé.

Il a fait un truc qui voulait dire je sais pas, en
haussant les épaules, en secouant vaguement la tête
mais en regardant toujours le plafond bien bien haut,
comme s'il retenait quelque chose dans son corps
qui aurait pu déborder par les yeux. Il était tout
rouge, tout congestionné, avec en plus son manteau
qui le tirait au cou. Et brusquement il a rapetissé
sur sa chaise et il s'est mis à pleurer, en se tortillant
les poings dans les yeux. Il a dit plusieurs fois :

— J'en ai marre à la fin, j'en ai marre à la fin...

Et moi j'ai rien dit. Ça faisait des années que je
l'avais pas vu pleurer Frédéric.

Et puis il s'est calmé et il a pris un cahier de
chants dans une corbeille sous la table. J'ai fait la
même chose. Il n'y avait que ça à feuilleter dans le
parloir. On a lu les chansons religieuses chacun
dans son coin. Frédéric, ça devait lui rappeler des
souvenirs parce qu'il était tout de même resté un

mois dans la chorale avant que Croule-Cul le mette à la porte. Pour une histoire de répétition le dimanche matin.

— Il se fout du monde, ton professeur de chant, avait dit Toto. Il n'a qu'à vous faire chanter dans la semaine, la barbe ! Je suis pas taxi.

Au bout d'un temps indéfini on a vu entrer dans le parloir un petit abbé claudicant. C'était un nouveau. Je l'avais eu deux fois en catéchisme mais les autres l'avaient tellement chahuté qu'on ne l'avait plus revu. Ils avaient dû le mettre dans les étages, à faire des papiers.

— Bonjour, mes enfants, il a chuchoté. Dites-moi, on me demande comment joindre vos parents. Savez-vous où travaille votre père ?

— Oui, mais il est toujours sur la route, a dit Frédéric. Et maman n'est pas à la maison. De toute façon, on n'a pas le téléphone.

— On ne peut pas l'appeler quelque part, votre maman ?

— Non.

— Ah... c'est bien ennuyeux. Et vous n'avez personne qui pourrait venir vous chercher ? En attendant...

On comprenait qu'ils voulaient qu'on s'en aille, les abbés, mais on savait pas pourquoi. Et on n'osait pas demander. Après un silence, j'ai dit :

— Il y a notre grand-mère. Vous pouvez lui téléphoner si vous voulez.

— C'est une bonne idée, oui. Où habite-t-elle votre grand-mère ?

On le lui a dit et il est reparti sans rien ajouter.


— Flûte, j'ai envie de pisser ! Frédéric a dit un peu après.

Moi aussi j'avais envie mais les seuls urinoirs

qu'on connaissait ils étaient tout à fait à l'autre bout du collège. Il aurait fallu traverser le grand hall, une cour de récréation, un autre bâtiment. C'était inimaginable. Si on rencontrait Croule-Cul, ou n'importe qui d'autre... On savait même pas l'heure qu'il était ; on voyait pas le jour, on n'entendait rien dans ce parloir. Si ça se trouve c'était bientôt la cantine et on croiserait nos classes. « Hé, Repeygnac, tu cherches ta montre ? Pour le réfectoire, c'est dans l'autre sens », etc. Ils nous les avaient déjà toutes faites, « nos camarades ». Alors Frédéric a dit :

— On n'a qu'à faire dans l'eau du poisson. Commence, vas-y vite, je coince la poignée.

Je me suis mis debout sur une chaise et j'ai pissé, j'ai pissé, ça n'en finissait plus. Le gros gélatineux est même monté un moment en surface voir de quoi il retournait, et puis il est redescendu se planquer dans les algues. Mais à part lui, personne ne nous a surpris.

Beaucoup plus tard, un bras d'homme a brusquement ouvert la porte et on a vu surgir petite Colatte.

— Colatte ! j'ai crié.

J'ai failli la renverser. A présent, j'étais presque aussi grand qu'elle. On l'avait plus revue depuis le voyage en Belgique. Elle arrivait de très très loin, d'un temps où on mangeait encore des brioches dans les allées du Jardin d'acclimatation. Elle était restée en zone libre, Colatte. Mais elle m'écrivait des lettres pleines de tendresse et de baisers que je recevais sous la mitraille, au Bois-Brûlé. Je lui répondais que maman était partie se reposer chez mère Rivière et qu'on était bien pressés qu'elle revienne, maman chérie, oui, bien pressés, que papa travaillait beaucoup, quel courage ! Que nous aussi d'ailleurs comme au temps, tu te souviens, Colatte ? où on cherchait les mots dans le dictionnaire, que Thérèse était dévouée c'était pas croyable, une vraie sainte. Enfin que des choses « raisonnables » comme elle disait, parce que je savais qu'elle attendait ça de moi. Elle me répondait que nous étions pour Toto autant de dons de la sainte Providence. Et quand je me caressais le soir, dans mon lit, j'avais honte de lui laisser prendre un petit vicieux pour un don de la sainte Providence.

Frédéric a demandé :

— Ils t'ont dit pourquoi ils veulent voir papa ?

— Mes pauvres enfants, elle a soupiré, votre père doit beaucoup, beaucoup d'argent à ces malheureux prêtres.

Et alors elle a sorti son mouchoir pour se tamponner les yeux. Elle avait dû pleurer dans le bus en venant et maintenant ça recommençait. Certainement qu'elle se doutait pas qu'on était tombés si bas, j'ai pensé. Elle nous a tendu deux brioches et pendant qu'on mangeait elle nous a regardés avec ses yeux qui coulaient et son menton qui tremblait.

— Mes enfants, dites au moins à votre père de vous emmener chez le coiffeur, elle a supplié, le visage en compote. Oh ! mon Dieu, William ! mais tu n'as même plus de semelles, mon chéri !

Elle nous a emmenés chez le marchand de souliers et tout de suite après elle nous a ramenés devant le collège parce que c'était déjà l'heure de la sortie. Elle nous a embrassés en nous rappelant de dire à Toto de nous conduire chez le coiffeur et on l'a vue disparaître, petite tortue emportée par le flot des élèves. Christine est arrivée, on est passés prendre Nicolas et tous les quatre on est partis pour le pont de Neuilly attendre Toto sous BAROCLEM. Comme tous les soirs.


— Vous faites pas de bile, les enfants, il a dit, c'est une erreur. Ils m'avaient promis de vous garder jusqu'à la fin de l'année. J'arrangerai ça demain.

Le lendemain on a déposé Christine et Nicolas, et Toto nous a gardés tous les deux avec lui dans la 203. On l'a suivi dans sa tournée des boulangeries. En milieu d'après-midi il s'est tapé sur le front et il a dit :

— Fichtre ! Faut aussi que je règle cette histoire de collège.

On s'est arrêtés devant une poste. Il en est ressorti un quart d'heure plus tard en sifflant.

— Bon, il a dit, c'est l'affaire de quelques jours. Ils ont été très compréhensifs.

On a dû passer deux semaines à la maison. Frédéric à faire des versions latines parce qu'il ne voulait pas redoubler. Et moi à partager mes journées entre la vie de saint Pie X, le train électrique et la promenade des petits autour du bac à sable. Et puis un matin, alors qu'il se rasait, Toto a dit :

— Ah ! les enfants, maman rentre ce soir. Mère Rivière a donné le feu vert. Soyez chics, n'allez pas lui raconter que vous manquez le collège depuis trois ou quatre jours. La pauvre vieille, elle a vraiment pas besoin d'un souci supplémentaire.

— Ça fait au moins quinze jours qu'on manque le collège, papa, a dit Frédéric. Et de toute façon, tu sais bien qu'on lui aurait pas dit.

— Quinze jours ? Tu crois, vieux ? Tant que ça ? Bon, faut vraiment que je m'en préoccupe alors. Tiens, passe-moi l'after-shave, tu veux ? Hoo, hoo, hoo, ça brûle cette histoire. Au fond ça tombe très bien le retour de maman, demain je vous emmène avec moi, qu'elle vous trouve pas là, et on réglera tout ça dans la foulée.

Parfois le matin, avant de partir en clientèle avec Toto pour de longues journées qu'on passait vautrés dans la 203, à l'attendre, on faisait escale à son bureau. C'était une grande salle où chaque représentant avait sa table, son téléphone et son calendrier des bonbons du Petit Gourmet. Il y avait toujours un collègue de Toto pour s'étonner :

— Ben, Repeygnac, tu les mets pas à l'école, tes gosses ? il demandait gentiment.

— Bien sûr que si, répondait Toto, je les ai gardés pour la demi-journée, ils sont passionnés par le métier.

— C'est bien ! C'est bien ! On en fera des vendeurs. A propos, y a ta femme qu'a appelé. Dis donc, elle a pas l'air commode, Mme de Repeygnac... Enfin, faut que tu penses à rapporter l'aspirateur de chez le réparateur. Elle te l'a déjà dit vingt fois, paraît-il.

Toto bougonnait :

— Merci, vieux, oui, non, enfin elle est adorable mais elle est un peu nerveuse en ce moment.

Quand c'était pas pour l'aspirateur, la machine à laver ou le fer à repasser, c'était pour ajouter dix kilos de choux de Bruxelles ou vingt-quatre artichauts à la liste du marché. Maman l'appelait presque tous les jours à son bureau depuis la cabine téléphonique de la cité. Mais c'était rare qu'elle tombe sur lui. Thérèse aussi l'appelait, quelquefois, juste comme ça. Elle laissait que son nom. Pas de message.

— T'en fais trop, Repeygnac, disait un autre collègue. Faut laisser bosser les femmes un peu...

— Mon vieux, quand on a sept gosses et bientôt huit, on n'a pas le droit de chômer ! lançait Toto qui ne perdait jamais une occasion de le placer.

— C'est vrai que la nuit non plus, Repeygnac, y chôme pas ! Ah ! Ah ! Ah !

Ces plaisanteries-là, ça venait toujours de l'autre bout de la pièce, d'un petit moustachu qui roulait en Dauphine Gordini bleu France et avec lequel

Toto nous emmenait déjeuner de temps en temps, parce qu'il disait que c'était le meilleur représentant de la maison.

— Il est peut-être un peu vulgaire, il nous expliquait après, mais il finira à la direction. Il faut vivre avec son temps, foutre merde ! C'est ce que je me tue à répéter à votre mère. Si mon grand-père avait travaillé avec ces gens-là au lieu de péter plus haut que ses fesses, on n'en serait pas là.

N'empêche que chaque fois tous les collègues se mettaient à glousser en nous regardant. Et quand le moustachu mimait le va-et-vient, les mains posées sur des hanches qu'on devinait, la braguette en avant, c'était carrément l'hystérie.

Toto gloussait aussi, un peu, juste assez pour pas avoir l'air de les mépriser, on aurait dit. Et il lançait :

— Vous allez arrêter de faire les guignols, oui ? J't'assure, quelle équipe !...

Mais personne ne l'écoutait plus.


A la maison, maman allait beaucoup mieux. C'était grâce à M. Bouchet-Borin qui avait promis de nous trouver un appartement rue des Belles-Feuilles, dans le XVIe arrondissement. On ne savait presque rien de ce Bouchet-Borin. Juste que c'était un type épatant et qu'il s'était juré de nous sortir du pétrin. Ça, c'était impossible de l'ignorer. Une fois aussi, Toto avait dit, en mimant une grande souffrance intérieure :

— Au fond, tu vois, Minou, cet homme, on le sent meurtri par nos ennuis. Physiquement meurtri (et il avait crispé sa main sur son cœur). C'est un type qui ne supporte pas l'injustice et il en crèvera s'il le faut, mais tu verras qu'il nous sortira de là !

Minou avait bougonné « moui, moui, on verra », en

chassant frénétiquement les improbables miettes qui auraient pu s'infiltrer sous son coude. Mais en réalité, elle y croyait comme en Jésus, à Bouchet-Borin. Le soir, au dîner, pendant que Toto vendait ses acidulés en grande banlieue, elle répétait à Christine que la première chose qu'on ferait, une fois là-bas, ce serait un bal à tout casser pour ses seize ans. Avec tous les cousins de Poitiers qui ne nous avaient plus donné signe de vie depuis l'expulsion. La tante Gertrude et ses grands fils — quelle garce celle-là ! pas un mot en un an — les de V. — quand je pense qu'ils ont fait des bassesses pour cette particule qu'ils ne méritent même pas ! — non mais, où ça va se nicher, je te jure ! — et ce petit trou du cul de Pierre F. — y a pas d'autre mot — qui se croit sorti de la cuisse de Jupiter alors que sa mère — fallait voir ! — mais c'était rien du tout cette femme ! — moins que rien — on lui aurait donné deux sous ! — et les de P. — cette famille de dégénérés — lui est d'une bêtise ! — il n'a d'ailleurs jamais rien foutu — je crois que toute sa vie il est resté petit comptable dans la banque de son beau-père, ce minable ! On inviterait aussi les amis de Neuilly. Tiens, par exemple, cette pimbêche de Solange D. qui l'autre jour chez Brummel a fait semblant de ne pas me reconnaître, les U. — quand je pense que lui est pratiquement ministre, ah le salaud ! — il n'aurait eu qu'un mot à dire — mais je t'en fiche — et pendant ce temps-là sa femme — mon Dieu qu'elle est cruche celle-là aussi ! — pendant ce temps-là sa femme tenait la permanence du Secours catholique. Enfin voilà, on réunirait tous ces gens-là, et d'autres encore, rue des Belles-Feuilles, pour fêter l'anniversaire de Christine.

Souvent, on était encore tous à table comme ça, à écouter maman organiser la réception, quand Toto surgissait de la nuit.

— C'est bien sympathique cette petite réunion de famille, il disait avec un sourire de mineur de fond catapulté sous les néons.

Il avait le teint gris, la barbe drue déjà et parfois les mains pleines de cambouis à cause de la 203 qui n'en pouvait plus, elle aussi. Il ne prenait même pas le temps d'enlever son manteau, il jetait son cartable sur une chaise et il allait se pencher au creux de son cou.

— Ça va, mon Minou ? il minaudait. Tu as pu te reposer un peu ? Pas de mauvaises nouvelles ? Et ton dos, mon petit ?

Il lui picorait l'oreille, le cou, la joue, cependant qu'on la voyait se racornir, se durcir, se ramasser sur elle-même comme un menhir de gélatine sous l'effet du chalumeau.

— Tu me fais mal, elle râlait à la fin. Allez, les petits, vite au lit, il est affreusement tard.

— Mais reste, mon Minou, enfin, j'arrive juste.

Elle se levait comme un orage, le bousculant de son gros ventre (le huitième), arrachant Marie-Lise et Guillaume à leurs tabourets pour s'engouffrer avec eux dans la salle de bains.

— Ah ! tu sais, toi, t'es pas marrante, il pleurnichait, toujours en manteau, à demi penché sur le vide, la trouée que trois petits bisous innocents avaient suffi à provoquer.

— Assieds-toi, papa, on disait. On va dire à Thérèse que t'es là.

Mais souvent Thérèse l'avait entendu rentrer et déjà elle lui installait un couvert, entre nous, juste en face des trois places vides.

— Une bonne soupe chaude, monsieur le baron, avec des petits légumes, comme vous l'aimez.

Et elle lui versait trois louches, en lui souriant de côté, avec ses yeux pleins de paille. Et puis elle s'éclipsait parce que maman allait revenir s'asseoir.

Nous, on aurait bien aimé s'en aller aussi, mais à la moindre tentative Toto s'insurgeait :

— Restez, merde ! Vous allez pas me laisser bouffer tout seul tout de même ? J't'assure vous êtes pas des marrants, tous autant que vous êtes...

On savait bien qu'il s'en fichait de dîner sans nous. Quand maman était au Cénacle, il buvait sa soupe dans la cuisine, avec Thérèse, et on passait même pas lui dire bonsoir. La vérité, c'est qu'il voulait pas rester tout seul avec maman.

— Tes leçons, William ? elle demandait, à peine rassise.

— Ça y est, maman, je disais. Si tu veux, je peux te les réciter.

Dans ce cas-là Toto se mettait à laper sa soupe à un rythme infernal. Parce que tout de même ça le gênait que je mente comme ça. Le jour où les abbés nous avaient mis dehors, je n'avais que mon livre de géographie dans mon cartable. Alors évidemment, chaque fois que maman s'avisait de contrôler mes leçons, je lui récitais de la géographie. Toto, ça le faisait glousser cette histoire, quand je la racontais dans la journée, pour la centième fois, entre deux boulangeries. Mais le soir ça l'amusait moins. Tout le temps que je récitais les monts du Vivarais, les riants coteaux de je ne sais où, il restait en vol stationnaire à très basse altitude, au-dessus de son plat de légumes.

Et puis maman se remettait à chasser les miettes, et nous, on cherchait de quoi on pourrait bien parler. Seul Toto poursuivait la conversation avec son supplément de poireaux :

— Hum c'est bon... délicieux... miam-miam-miam... Tiens, Frédéric, sois chic, passe-moi le sel, tu veux ?...

Et soudain la question fusait, toujours la même :

— Tu as vu Bouchet-Borin ?

— Mais, mon petit, je t'ai expliqué hier soir qu'il avait promis de me rappeler.

— Comment ? Enfin, Toto, tu m'as dit dimanche que vous deviez signer cet après-midi !...

— Mais pas du tout. Je t'ai dit que Bouchet-Borin devait — éventuellement — signer pour nous un compromis aujourd'hui.

— Oh ! Toto ne mens pas ! Je t'en prie ! Tu m'as dit que vous aviez rendez-vous dans ce salon de thé du Trocadéro...

— Mais c'était la semaine dernière, mon petit. Oui, je t'ai dit qu'on s'était vus la semaine dernière et qu'il avait promis de me rappeler...

— Enfin tu dis n'importe quoi ! Comment veux-tu que je te croie ?...

— Tu es tout de même formidable, ma chérie, je ne vais pas enquiquiner ce type jour et nuit alors qu'il se met en quatre pour nous sortir du pétrin !

— Mais puisque tu m'as dit que vous deviez signer aujourd'hui ?

— Je ne t'ai jamais dit ça ! Tu n'écoutes pas ce que je te dis et tu...

— Alors tu attends qu'il te rappelle ?

— Mais évidemment, je ne vais pas passer mon temps à lui courir après !

— Bon, en somme on n'a plus qu'à attendre, quoi ! On est pieds et poings liés dans les mains de ce type qui... qui...

— C'est un type épatant, Minou. Si tu le connaissais...

— Oui, et en attendant on doit vivre dans ce taudis, avec ces péquenots ! T'en fais pas, ça ne doit pas l'empêcher de dormir, ton type épatant...

— Écoute, mon Minou, c'est encore l'affaire de quelques semaines. Sois patiente et tu vas voir que tout va s'arranger.

— Sois patiente, sois patiente, tu n'as que ces

mots à la bouche. Mais est-ce que tu réalises dans quel taudis tu me fais vivre! Mon Dieu, si mon père voyait ça!...

— Ton père, ton père, il a pas fait huit gosses, ton père...

— Oh! je t'en prie, Toto! Il n'a peut-être pas eu huit enfants mais il a trimé toute sa vie pour faire vivre sa femme décemment.

— Que veux-tu, ma chérie, je fais ce que je peux, selon mes moyens, j'en conviens. Ton père avait un courage que je n'ai pas, une volonté...

Et bla-bla-bla, et bla-bla-bla... Il m'exaspérait quand il jouait au minable.

— Oh! ne commence pas! sifflait maman. Je t'en prie, hein...

C'était une bonne période. Ça se terminait généralement sans larmes, grâce à la rue des Belles-Feuilles et au bal à tout casser.


Et le lendemain matin on repartait pour l'école buissonnière dans la 203. C'est comme ça qu'un jour Toto nous a présenté un grand type maigre qu'on aller trimbaler avec nous désormais, pour lui apprendre le métier. Il s'appelait François Georges. Il arrivait d'Algérie.

— Vous avez fait combien de temps là-bas? a demandé Toto.

— Trois ans.

— Dans l'infanterie? Dans les chasseurs?

— Dans les parachutistes.

— Fichtre! Vous avez dû en baver des rondelles de saucisson, dites donc!...

— J'ai été blessé deux fois, oui. Tout ça pour qu'aujourd'hui on nous tire dans le dos.

— Ah! le grand Charles! Celui-là... Je vous avoue que lui et moi on n'a pas la même conception de la

France, a dit Toto en fronçant son nez pour faire le dégoûté.

François Georges l'a regardé avec un vrai sourire et il a dit :

— J'ai l'impression qu'on est du même bord. Vous êtes Algérie française, non ?

— Mais enfin, c'est le bon sens ! s'est exclamé Toto en claquant son volant. C'est une aberration cette histoire d'indépendance. Une monstrueuse a-be-rra... La Garenne-Colombes, La Garenne-Colombes, oui. Pont de Puteaux, troisième à droite... Non, il faut se battre pour conserver l'Algérie. Enfin, on n'a pas le droit de laisser faire des choses pareilles ! Vous ne trouvez pas ? Vous n'êtes pas de mon avis ? Je vous choque peut-être, remarquez ?

— Mais pas du tout, je vous disais justement... Enfin, non, rien. C'est réconfortant d'entendre des gens comme vous, en métropole je veux dire.

Avec Toto, on en parlait souvent des Arabes parce qu'ils assassinaient sans arrêt des Français. Il disait que c'étaient les bolcheviques qui leur passaient les bombes. Mais on l'avait encore jamais entendu dire qu'il fallait se battre pour conserver l'Algérie. D'ailleurs, on savait pas du tout qu'il était question de s'en séparer.

Le soir, on a déposé l'ancien parachutiste dans sa rue et aussitôt après Toto a dit :

— C'est un type à conviction, ce Georges. Droit comme un I. J'aime bien sa poignée de main.

Nous, on aimait déjà tout en lui. Ses cheveux châtains coiffés en arrière, ses joues creuses, ses yeux pâles qu'on aurait dit fiévreux, ses cigarettes — des Pall-Mall sans filtre — qu'il tapait sur son verre de montre et qu'il oubliait d'allumer, son imperméable bourré de pattes, de revers, de boutons, son cartable, une drôle de mallette en aluminium, peinte en kaki, qu'il avait dû rapporter de la guerre.

Le matin, avant d'aller le chercher, Toto disait :

— Tiens, on va prendre *l'Aurore*, il faut tout de même se tenir au courant.

Il parcourait les manchettes et c'était tout. Georges nous attendait en bas de chez lui, il faisait comme un salut militaire avec juste deux doigts en nous apercevant, et il montait devant en pliant très vite son grand corps.

— Tout va bien ? il demandait.

— Oui, si on veut, encore trois attentats, répondait Toto en rechignant du bonnet. Tenez, vous voulez jeter un coup d'œil ? Et il lui tendait le journal. On l'observait en train de lire depuis la banquette arrière, et Toto aussi lui lançait des coups d'œil. Mais Georges faisait rarement de commentaires. Une fois il avait dit, en parlant d'un colonel ou d'un général :

— Ce gars-là, je me suis battu sous ses ordres. Enfin battu... On se demandait si on était là pour faire la guerre ou la charité.

— Comment ça ? avait bondi Toto.

— Oh, c'était le genre qui nous faisait réparer le toit de l'école pendant que les autres nous canardaient depuis la montagne.

— C'est impensable ce que vous dites là ! s'était exclamé Toto. C'est in-con-ce-vable ! Mais vous savez mon vieux, que c'est passionnant de vous entendre, parce qu'ici, on se doute pas de ces choses-là. On se laisse mener en bateau la bouche ouverte et je t'en fous, pendant qu'on est là à dire merci mon Dieu, ouste, barka, fissa, ces types en profitent. C'est à vous dégoûter de croire à quoi que ce soit. Vous ne trouvez pas ? Vous n'êtes pas de mon avis ?

On sentait que Toto aurait été partant pour l'écouter, des heures durant, dénoncer les traîtres, les mauvais soldats, les coups fourrés. Mais Georges semblait revenu de tout ça. Comme s'il n'était plus temps de remâcher des évidences, de se scandaliser. On l'avait bien vu une autre fois quand il nous avait raconté comment, après huit jours d'une traque épuisante, ils avaient retrouvé deux fellaghas poseurs de bombes cachés chez un prêtre français.

— Oooh! mon pauvre vieux, avait soupiré Toto, se tassant soudain sur son siège comme écrasé par le malheur.

Puis, après un silence, il était entré dans une sombre méditation:

— C'est tout de même un monde! il avait dit. Même l'Église perd la boule. Ces malheureux prêtres ne réalisent pas qu'ils sont la proie des bolcheviques. Sous prétexte de protéger un pauvre bougre, ils renient deux mille ans de civilisation chrétienne. Je me demande où tout ça va nous mener... Bah! Bah! Bah! il avait fait en se tenant le menton. Moi, je dis: casse-cou. Le monde est en train de devenir fou et quelles voix s'élèveront quand nous pleurerons des larmes de sang, comme nous l'a prédit le Christ? Quelles voix? La vôtre? La mienne? Et puis quoi? On ne peut pas laisser faire ça, mon vieux! C'est clair, net et précis comme deux et deux font quatre: on-n'en-a-pas-le-droit! Ils sont bien gentils tous, mais ils ne m'empêcheront pas de parler, c'est une question de vie ou de mort, que diable! On n'a plus le droit de se taire, mon vieux! Parce que si on se tait, vous, moi, qui avons la chance d'être informés, cette chance inouïe de savoir, au sens philosophique du terme, savoir, *sapiere*, qui reprendra le flambeau? Je vous le demande? Vous devez parler, Georges, dire ce que vous avez vu à des types comme moi, qui sont prêts à y aller, à foncer! Foutre merde! On est encore quelques-uns à croire en un idéal sur cette bonne vieille terre! Non? Ou alors autant crever tout de suite la bouche ouverte et pleine de mouches. Vous n'êtes pas de mon avis ? Vous me trouvez peut-être excessif, hein ? Mais je crois que dans la vie il faut avoir quelques convictions et s'y tenir.

— Écoutez, monsieur de Repeygnac, avait dit Georges, et c'était la première fois qu'il lui donnait cette marque de respect, de distance aussi peut-être, je ne peux pas vous en dire plus mais sachez que pour moi la guerre continue, même en civil.

Ça l'avait laissé sans voix, Toto. Après un long silence, il avait dit :

— Bien... Bien... Vous êtes majeur et vacciné, mon vieux, et je crois qu'il y a des moments comme ça dans l'existence où il faut savoir prendre ses responsabilités. C'est pas toujours facile, d'accord, mais c'est comme ça... Tiens, j'y pense, vous n'auriez pas embarqué le carnet de commandes dans votre mallette, par hasard ?

C'était nouveau cette gêne qui m'avait effleuré en l'écoutant parler, parler, pendant que François Georges, qui lui revenait de la guerre, se taisait. Tout ce temps-là je l'avais observé de profil, Georges, et j'avais espéré qu'il dirait : « T'as raison, mon vieux Toto », comme aurait dit Périne. On voyait bien que Georges il était d'accord avec papa, ça oui, pourtant c'était pas la même chose qu'avec Périne : on n'avait pas cette impression de former une bande, une bande de types plus malins que tous les autres réunis. Georges avait une vie secrète — c'est certainement ce qu'il avait voulu nous faire comprendre en disant que pour lui, la guerre continuait — et cette vie secrète, il était pas prêt à nous la faire partager.

— Peut-être qu'il nous fait pas confiance, j'avais dit à Frédéric.

— Mais non, crétin, il s'était énervé, il est pas idiot, Georges, il voit bien que Toto a d'autres soucis que l'Algérie, avec ses sept marmots et l'autre andouille qui ne rêve que d'une chose, c'est de donner un bal pour épater sa famille d'abrutis.

On en était là quand, un jour, François Georges a dit à Toto :

— Je ne veux pas me mêler de ce qui ne me regarde pas, mais je pense que si vos fils sont là au lieu d'être à l'école, ou même chez vous, c'est que vous avez des problèmes. Alors si ça peut vous aider, je vous offre mon appartement. Il n'y a personne dans la journée et je crois qu'ils y seraient peut-être mieux qu'ici...

— C'est très sympathique, avait répondu Toto. En tout cas je suis sensible à votre... à votre attention, mon vieux. Qu'est-ce que vous en pensez, Frédéric ? William ?

— On veut pas vous déranger, monsieur, on avait dit. On peut très bien rester dans la 203.

— Comme vous voulez. Réfléchissez. Mais si ça vous tente c'est sans problème. Okay ? Il y a même un pick-up, des disques, quelques livres...

— Alors on veut bien, avait dit brusquement Frédéric.

— D'accord, demain matin je vous montrerai tout ça.


Il y avait juste une grande pièce comme salon, une chambre avec un grand lit défait sur lequel se tortillait une paire de bas noirs, une cuisine, et sans doute une salle de bains derrière la porte qu'il n'avait pas ouverte. Mais Frédéric et moi on n'avait eu d'yeux que pour cette photo encadrée, posée sur la cheminée. On le reconnaissait bien François Georges, en tenue léopard, recevant une décoration d'un type habillé comme lui, mais beaucoup plus petit, avec un ventre qui débordait du ceinturon.

117

— On vous a décoré pendant la guerre ? a demandé Frédéric.

— Oui, tu vois. Deux fois. Je n'ai gardé que cette photo, parce que le colonel que tu aperçois là, c'est un type... formidable.

— Et vous, vous étiez quoi ? Lieutenant ?

— Non, sergent. Seulement sergent. Mais il faut que je file, votre père va s'impatienter. La musique est là, il y a quelques livres sur l'étagère, d'autres dans l'entrée, enfin ce ne sont pas des livres d'enfants, hein ? Et puis dans le frigo il y a de quoi tenir un siège. Passez une bonne journée.

La porte a claqué et aussitôt j'ai ressenti une sorte de vertige. Comme si on était entrés ici par effraction. Comme si... Oui, voilà, comme si le monde des adultes m'était livré brusquement, sans interdits, sans défense, tout entier ramassé dans cet appartement chargé d'odeurs qui me traversaient, qui me bouleversaient, que j'aurais voulu retenir. C'était un fulgurant désir de mêler mon corps à ces parfums, de violer l'intimité qui se cachait là, de voler l'odeur secrète d'un linge, d'emporter l'image d'un instant de la vie dans ces murs, de pouvoir caresser des yeux, des doigts, de la bouche, des choses qu'ils croyaient n'être qu'à eux. Tout ça remontait du fond de mon ventre comme les bulles d'un cloaque tiède, et j'en étais bouleversé physiquement.

Frédéric s'était assis en tailleur contre un drôle de fauteuil rouge avec des accoudoirs en bois verni et il avait déjà pris sur lui la pile de disques. Je l'ai rejoint. Je me suis allongé à plat ventre sur la moquette et j'ai demandé :

— Tu vas mettre de la musique ?

Il a dit :

— Oui, regarde les disques qu'il a, c'est rien que des marches militaires.

118

Le saphir a grésillé un tout petit instant et puis des voix d'hommes se sont élevées. Des voix d'hommes sans musique, soufflées par des poitrines qu'on entendait se gonfler. Elles surgissaient du silence, elles montaient, gravement, elles occupaient tout l'espace et brutalement elles retombaient, puisant dans un nouveau silence la force d'un nouvel envol. Elles allaient selon un rythme infiniment lent, suivant un mystérieux balancier, mais on devinait que ni la fatigue ni les obus ne pouvaient les faire taire. Elles disaient : « De Timimoun jusqu'à Tébessa. Dans les coups durs ils sont toujours là. Salut les filles, direction la bagarre. »

Et brusquement je me suis souvenu des bas noirs qui se tortillaient sur le grand lit. J'ai bondi dans la chambre. D'abord j'ai détesté leur contact électrique et je les ai laissés glisser entre mes doigts. Et puis des deux mains j'en ai fait une boule que j'ai pressée contre mon nez. Alors j'ai reconnu un des parfums qui parmi beaucoup d'autres m'avaient fait tressaillir en entrant. Non, pas en entrant, maintenant je me rappelais. Tout était parti de ces bas. Ce n'est qu'après les avoir vus que, fébrilement, je m'étais mis à guetter les odeurs, à éprouver du désir pour cet endroit. Pourtant, sur le moment, je les avais vus les bas, mais sans les remarquer. C'est à présent seulement que me sautait aux yeux cette évidence : François Georges ne vivait pas seul. Et c'est l'invisible nuage abandonné là par la femme qui venait de dormir dans son lit qui m'avait jeté dans ce trouble.

Je suis revenu un instant écouter chanter les parachutistes, mais j'ai pas pu tenir plus de trente secondes. Je suis retourné dans leur chambre, j'ai touché la poignée de la porte qu'il n'avait pas ouverte, et si... non, c'était idiot, il nous l'aurait dit si elle avait été là. Oui, bon, je l'ai bien serrée au creux de ma main et j'ai tourné doucement, tout doucement. Une légère odeur de moisi s'est échappée de la pièce. Les serviettes de bain étaient encore humides et du linge séchait au-dessus de la baignoire. Alors je l'ai vue. Sa chemise de nuit, je veux dire. Elle avait dû la retirer par le haut et la jeter sur la chaise machinalement, parce qu'elle était encore retroussée et toute ramassée sur elle-même. J'ai fourré mon nez dedans mais j'ai même pas eu le temps de respirer. Mon cœur soufflait comme un diesel et tout le reste autour vibrait à l'unisson. Si les parachutistes s'étaient arrêtés de chanter, Frédéric aurait certainement entendu le bruit de mes os. En fuyant, j'ai eu le temps d'apercevoir une petite savonnette bleue sur le bidet.

— Tu la connais, papa, la femme de François Georges ? j'ai demandé le soir.

— Georges est célibataire, fiston. On en a déjà parlé ensemble, il m'a dit qu'il n'était pas pressé de se marier.

— En tout cas il habite avec une femme, j'ai dit.

— Ça, mon petit vieux, c'est ses oignons, a répondu Toto.

Mais presque aussitôt il a ajouté :

— De toi à moi je t'avoue que, si c'est exact, ça me déçoit de la part d'un type comme lui. C'est pas bien, c'est moche..., il a fait en fronçant son nez.

— Qu'est-ce qui est moche, tu trouves ?

— Eh bien, je pense, si tu veux, que dans la vie, il y a un respect du prochain qui exige qu'on s'engage, qu'on se donne à lui. C'est ça qui fait toute la beauté, toute la force du sacrement du mariage. Tu n'es pas de mon avis ?

— Mais peut-être qu'ils s'aiment quand même tous les deux. Même plus que des mariés...

— Ça, mon vieux, tu me permettras d'en douter. Je suppose que s'il vit à la colle avec cette saute-relle, c'est qu'il l'a dans la peau. Mais de là à l'aimer... C'est une autre affaire. Tu es un peu jeune pour saisir la différence qu'il y a entre avoir des rapports charnels avec une femme et l'aimer. L'aimer d'amour. Ta mère et moi, et Dieu sait si parfois elle me bassine la pauvre vieille...

— Peut-être qu'ils se marieront plus tard, j'ai dit très vite, pour l'interrompre, parce que surtout, surtout, je ne voulais pas qu'il me parle d'eux à ce moment-là.

— Oui... Oui... d'accord, peut-être, il a opiné. Après tout, maintenant que le mal est fait, c'est encore ce qui peut lui arriver de mieux. Mais si tu veux, j'estime que c'est pas correct, c'est pas honnête. Le mariage, c'est un tout. Je ne suis pas d'accord pour le vider de sa substance charnelle. Après tout merde, c'est trop facile : tu me plais, je te prends, tu ne me plais plus, je te quitte. Où on va comme ça si chacun n'obéit plus qu'à ses instincts ? Mais tu as bien fait de m'en parler, au fond. A l'occasion, je me prendrai mon Georges entre quat'z-yeux et...

— T'es fou papa, il va dire qu'on l'espionne !

— Il dira rien du tout, fais-moi confiance. Et j'estime qu'à mon âge je n'ai pas le droit de laisser un type jeune faire des conneries, sous prétexte que je ne suis pas son père. Georges est encore un gamin qui a besoin comme tout le monde d'un bon coup de pied au derrière de temps en temps. Fichtre non, je ne me tairai pas. Se taire, se taire, toujours se taire. On en crèvera de se taire...

Le lendemain matin j'ai attendu que Frédéric s'installe dans le fauteuil rouge, avec un livre plein de photos sur la guerre d'Indochine, pour retourner dans la salle de bains. Je m'étais endormi la veille avec la petite savonnette bleue au creux de la tête et je l'y avais retrouvée en me réveillant, par bonheur intacte, toujours aussi chargée d'images à vous couper le souffle, à vous précipiter dans des gouffres d'extases, même si elles restaient bien floues ces images. Mais, Seigneur, comment avais-je pu ne lui jeter qu'un coup d'œil éperdu à ce savon, alors que parmi tous les témoins de son corps il était le mieux renseigné, le plus intime. Certainement qu'en le regardant, qu'en l'embrassant, il me raconterait. C'était inconcevable qu'ayant vu tout ce qu'il avait vu, qu'ayant caressé tout ce qu'il avait caressé, il demeure totalement muet.

C'était inconcevable mais il l'a fait. Il a osé le faire. Je l'ai regardé longtemps, longtemps, je l'ai caressé, du bout des doigts, et malgré cela il s'est tu, il a continué de se taire. Je n'ai rien su de ses secrets. Rien deviné que je n'imaginais déjà. Et si mal. De dépit, j'ai cherché autre chose qui pourrait me parler d'elle. Alors j'ai vu sa brosse. Ça ne pouvait être que la sienne puisque de longs cheveux y étaient restés prisonniers. De longs cheveux bruns. Elle était donc brune ?

— Tu veux un chocolat, William ? a crié soudain Frédéric.

— Volontiers, dit le cochon, je me suis entendu répondre en sursautant et j'ai refermé la porte sur la petite savonnette bleue qui, ce soir encore, serait bien là tandis qu'elle se déshabillerait, qui ce soir encore l'aiderait à se laver.

On a bu le chocolat, Frédéric a refait chanter les parachutistes, et moi, sur l'air du type qui s'ennuie, j'ai inspecté l'armoire, puis les tiroirs de la commode, puis ceux des tables de nuit. Sous ses chemises à lui, dans le second tiroir de la commode, j'ai trouvé un revolver que je n'ai pas touché. Mais je n'ai rien trouvé d'elle si ce n'est des culottes et des soutiens-gorge qui sentaient la lessive, comme ceux de Christine. D'ailleurs, qu'est-ce que j'espérais trouver ? Je l'ai su quelques jours plus tard tandis qu'une fois de plus je revenais déçu d'une séance d'inhalation au creux de son lit (où grâce à ses cheveux sur l'oreiller j'avais détecté de quel côté elle dormait). Je revenais déçu quand, passant au large de l'armoire, j'ai aperçu le coin d'une caisse qu'on avait casée là-haut, derrière la corniche qui coiffait le meuble.

J'ai décroché l'escabeau de la cuisine, j'ai soulevé les abattants de la caisse.

— Frédéric, Frédéric, viens vite ! C'est des photos de lui en soldat, j'ai crié.

— Où ça ? il a demandé.

— Là, dans la chambre, viens m'aider, vite !

Tout de suite j'avais compris que c'était ça que je cherchais. Aujourd'hui, je sais que dans toutes les maisons il y a un endroit où on remise le reste des années. Et aussitôt qu'on me laisse seul, c'est cet endroit que je cherche. Parce que là survit l'âme des gens de la maison.

On s'est mis à deux pour descendre cette caisse qu'on a portée sur la table de la cuisine. Les photos n'occupaient que le dessus, fourrées en vrac dans une grande enveloppe en papier cristal. Dessous, c'étaient des cahiers, un sous-main, deux porte-feuilles, une montre-oignon avec sa chaîne d'argent, un ceinturon. On verrait tout à l'heure.

J'ai secoué l'enveloppe sur un coin de table et très vite je les ai vus, tous les deux. Ils étaient assis sur un parapet avec la mer en toile de fond. Il la tenait par les épaules. Lui regardait l'objectif mais elle, plus petite, lui souriait par en dessous. Si bien qu'on la voyait de profil. Elle n'avait pas un visage de femme, non, mais plutôt les traits d'un adolescent. C'étaient les cheveux courts, coiffés d'une raie sur le côté, qui ne cachaient ni la courbe du front ni le galbe de la nuque. C'étaient aussi l'oreille à nu, le dessin de la mâchoire sous la peau tendue, l'ourlet charnu de la lèvre supérieure. Seule la finesse du nez, celle aussi des sourcils incitaient à pencher pour la femme. Puis, en descendant, on devinait ses seins, petits, sous un chemisier d'été.

— T'as vu sa... sa copine ? j'ai dit.

— Ouais, regarde.

Frédéric l'avait sur une autre photo, assise dans les cailloux, le menton entre les genoux, le regard plutôt triste, ou peut-être las, on ne savait pas. Elle avait d'assez grands yeux, étonnamment ronds, et les pommettes plus saillantes qu'il n'y paraissait de profil.

— Elle est bath, hein ? il a dit.

— Oui, oui, j'ai acquiescé doucement.

Mais en réalité, j'étais bouleversé. Elle surgissait comme dans un rêve, au-devant d'un désir enfoui. Ni tout à fait femme ni tout à fait garçon, on aurait dit qu'elle avait deviné que j'étais moi aussi à mi-chemin des deux, incapable encore de me décider pour l'un ou pour l'autre, mais prêt à tomber à genoux aux pieds de celle qui saurait être les deux à la fois.

C'est une sortie à la piscine avec le collège, tout au début de l'année, qui m'avait laissé dans l'incertitude. On se déshabillait à deux par cabine et j'étais tombé avec un garçon que j'aimais suivre des yeux à la récréation. Il n'avait pas la brutalité bête des autres, ni leur disgrâce. Il avait une lumière dans le visage, oui, et une démarche qui me troublaient. Mais je n'avais surtout pas envie d'y réfléchir. C'était excitant et confusément périlleux à la fois. Et voilà qu'il s'était mis nu, contre moi, presque à me toucher. J'avais cherché son sexe des yeux, dans la pénombre, mais avant de le voir la tête m'avait tourné. Comme lorsque Christine s'était accroupie, sans culotte, derrière la serviette que je lui tenais.

J'étais bouleversé par cette femme adolescente. Et alors je me suis souvenu que les bas noirs étaient les siens, que la savonnette bleue était la sienne, que la chemise de nuit était la sienne. Mais c'était à tituber de réaliser des choses pareilles. C'était à tituber d'imaginer que dix pas seulement me séparaient de ces objets qui avaient forcément, mais forcément gardé d'infimes souvenirs de son corps. Et déjà je titubais quand j'ai vu cette photo.

Comment avait-elle pu m'échapper celle-ci ? Celle-ci justement ? Ils étaient debout tous les deux, dans une rue d'Alger. Elle, on la voyait de dos. Elle s'était pressée contre lui, elle le tenait enlacé par le cou et pour cela elle avait tiré ses bras, sa taille, tout son corps. Elle laissait pendre sa tête en arrière comme pour s'apprêter à le boire. Elle n'était plus qu'une liane, tendue, suspendue, assoiffée. Ô Seigneur, cette image !

— Je reviens tout de suite, j'ai murmuré pour Frédéric.

J'ai couru m'enfermer dans la salle de bains, j'ai enfoui mon visage dans sa chemise de nuit... Ce n'est qu'un moment plus tard, en revenant m'asseoir, que j'ai appris qu'elle s'appelait Pascale. C'était écrit au dos d'une de ses photos.


On a vécu ensemble trois semaines d'un bonheur invraisemblable, Pascale et moi. Je l'avais glissée dans ma carte de réduction famille nombreuse et chaque heure du jour et de la nuit elle demeurait comme ça, suspendue à mon cou, m'offrant sa bouche, ses yeux. Comment il avait dit déjà, Toto ? Ah oui, une sauterelle. Eh bien, certainement qu'il n'y avait que les sauterelles pour enlacer de cette façon parce que je n'avais jamais vu maman se languir ainsi sous son menton. D'ailleurs, je ne me doutais pas qu'on pouvait si simplement exprimer tant d'amour. Tout le jour j'en cherchais les signes. J'avais déjà emporté la petite savonnette bleue, quantité d'autres objets à elle, c'était même devenu un code entre nous. Je savais que les bas abandonnés sur le lit étaient pour moi ; quand elle ne voulait pas, je les retrouvais dans le petit panier d'osier, sous le lavabo. Elle s'exprimait toujours avec évidence, mais en y mettant parfois une sensualité qui me coupait le souffle. Une fois, par exemple, elle avait oublié exprès son bol de thé sur la table de la cuisine et j'avais posé ma bouche sur l'empreinte rouge de ses lèvres, puis remis le bol où je l'avais trouvé. Le lendemain, j'avais découvert son bâton de rouge sur la tablette de la salle de bains. Il était ouvert. Et on devinait encore la marque de sa bouche, là où le bout se pince.

— Pascale ! j'avais murmuré.

Une autre fois elle m'avait laissé, en évidence sur sa table de nuit, un foulard de soie qui avait gardé la forme de son cou. Elle avait dû le porter toute la nuit pour que le matin je respire un peu de son odeur. C'était inimaginable les attentions qu'elle avait.

Je vivais dans la béatitude. Les jours filaient au rythme lent des chansons paras. Parachutiste, je l'étais. Et dans le djebel, comme ils disaient. On cabriolait dans la caillasse, on rampait dans la poussière, oh ! mon Dieu qu'on avait soif ! Et toujours, Pascale était là. Sous le soleil, sous la mitraille, dans le vent brûlant qui nous dessèche, qui nous dessèche, ils répétaient les autres de leur voix si grave qu'on en percevait les vibrations jusqu'au fond du cœur. Mais moi, je n'avais qu'à me retourner et elle m'enlaçait. Oh ! que j'aimais ses cheveux courts et la lumière du soir sur son visage. Je lui caressais la nuque, sa nuque d'adolescente. Le poil dru se rebroussait sous ma main. Et elle, elle m'embrassait les yeux de ses lèvres tièdes et son souffle m'étourdissait.

Parfois, Frédéric débarquait dans ma tête sans prévenir, en pleine scène d'amour, pour me raconter des pages d'horreur de la guerre d'Indochine. Et comme je souriais malgré le sang, malgré les hurlements, malgré le fracas des hélicoptères, il disait :

— Pourquoi tu ris ? Tu crois que c'est pas vrai peut-être ? T'es un vrai con, William...

Le soir, je souriais encore quand maman racontait la rue des Belles-Feuilles.


Un dimanche matin, je me souviens, Toto a poussé la porte de notre HLM. On était en train de lire, tous les trois en pyjama sur le lit de Frédéric. Il se mordait le gras du pouce, Toto.

— Dites, les garçons, il a dit, Georges s'est foutu en l'air. Je ne sais pas ce qui lui a pris.

— Il a eu un accident ? a demandé Frédéric.

— Mais non, qu'est-ce que tu racontes, il s'est tiré une balle dans la tête, oui. Et je te fous mon billet qu'il s'est pas raté.

— Mais... mais c'est pas possible, on a dit. Comment tu l'as su ?

— J'ai appelé chez lui, pour une bêtise, et je suis tombé sur... sur sa sauterelle, là. Je t'assure que je m'en serais bien passé. J'ai eu droit à tout, les larmes, les nausées, les sanglots, tout le bazar et son train, quoi...

Pascale, j'ai pensé. Pascale qui a sangloté au téléphone avec papa. Mais c'est pas possible, Pascale... c'est pas possible... Toi, tu dois pas pleurer, mon amour... Plein de larmes me sont venues. Et dans ce brouillard j'ai entendu Frédéric qui disait :

— Mais on peut vraiment pas le sauver, Georges ? On peut vraiment pas ? A l'hôpital ?...

— Je te dis qu'il est mort, s'est énervé Toto. Tu sais ce que ça veut dire ? Mort, là, étendu, rideau, kaput.

— Mais pourquoi il a fait ça ?

— Ça, mon petit vieux, comment veux-tu que je le sache ? Il avait dû s'embarquer dans des histoires qu'il ne maîtrisait plus. L'Algérie, ses copains de l'armée, va-t'en savoir ce qu'il avait dans la tête. Ces types-là, ils sont complètement déphasés quand ils reviennent dans le civil. En tout cas je peux te dire qu'il me fout dans une sacrée merde, le lascar, parce qu'il avait commencé à prospecter un secteur, et maintenant vas-y Toto, démerde-toi !...

— Et Pasc... et sa copine, j'ai dit, pourquoi on va pas la voir pour lui dire qu'on l'aimait bien, Georges ? Elle pleurait beaucoup au téléphone ?

— Ah ! mais, mon vieux, elle sanglotait ! Tu n'imagines pas ce que c'était, des larmes de crocodile !...

— Alors on n'a qu'à y aller tout de suite, papa, j'ai dit en me levant. On n'a qu'à y aller tout de suite.

— Elle a pas besoin de nous, mon bonhomme, te fais pas de bile, il a lancé dans mon dos. Elle avait toute sa famille chez elle ce matin. On ira à la messe d'enterrement, ce sera bien suffisant. Tiens, à propos de messe, vous feriez bien de vous habiller, maman va être prête et on va encore en voir de toutes les couleurs.


Arrivé dans l'église j'ai réalisé que j'avais gardé ma veste de pyjama comme chemise. A Neuilly, ç'aurait été impossible un truc pareil, maman nous inspectait jusqu'aux trous des oreilles avant de partir à la messe. Mais ici, pour ces péquenots, elle disait que ça n'avait aucune importance. C'était étrange comme impression : j'étais assis sur le banc, j'entendais le prêtre suer sang et eau pour mettre un peu de cohérence dans cette histoire invraisemblable de Sainte Trinité, et en même temps je l'écoutais, elle. Pascale, je veux dire. Elle m'avait fait asseoir sur son lit et dans ses larmes elle disait :

— Oh! William, comme c'est gentil d'être venu si vite. Mais... vous n'avez même pas pris le temps d'enlever votre pyjama !...

Et alors elle riait tout en pleurant et ça faisait comme un arc-en-ciel sur son visage.

— Je vais vous faire une tasse de chocolat, elle disait.

Elle se levait. Je la voyais de dos s'éloigner vers la cuisine. Si Georges était apparu à ce moment, elle se serait jetée contre sa poitrine et elle l'aurait enlacé par le cou. Comme sur la photo. Mais moi j'étais petit. Moi, si elle m'avait pris par le cou, elle aurait eu les bras en bas. Et si elle m'avait pressé contre elle, ma tête serait venue se poser entre ses seins. Ça aurait plutôt fait comme une maman. Et d'ailleurs, cette idée qu'elle avait eue d'aller me faire un chocolat, c'était un truc de mère, ça aussi. Moi, j'aurais voulu, je sais pas moi, qu'elle m'embrasse sur les yeux, sur la bouche, et que pendant ce temps-là ses mains farfouillent entre mes boutons pour me toucher la poitrine, le ventre. Mais c'était pas du tout ça qu'elle avait fait. Elle m'avait vouvoyé et elle m'avait regardé comme un petit, un très petit. Et tiens, elle s'était emmitouflée dans un col roulé et un pantalon, ça se voyait qu'elle ne voulait plus d'aucune caresse. Pour Georges, elle aurait mis une jupe et un chemisier léger, boutonné sur le devant. Pour Georges... Mais c'est dingue ce qu'il était grand, lui. Et il avait les joues creuses et... Et j'ai eu honte soudain, mais affreusement honte. Bien sûr qu'une longue fille comme elle ne pouvait pas avoir envie d'un petit joufflu, avec les cheveux gras, le pantalon plein de taches et même des boutons blancs près de la bouche. Oh ! merde ! C'était dégueulasse ce que j'avais fait. Je me voyais en train de m'endormir avec sa petite savonnette bleue, sa petite savonnette bleue délicieuse, dans mes draps crasseux... Georges et elle, ils devaient encore et encore se laver, et se parfumer, quand ils s'allongeaient l'un sur l'autre. Et le matin, au réveil, dans la lumière bleutée de leur chambre, elle devait arranger ses cheveux avec des gestes d'adolescente, fraîche et heureuse, encore émue du bonheur qu'il lui avait donné. Et ses premiers mots devaient être :

— Je te prépare du thé, mon chéri ?

Ça n'avait rien à voir avec mes contorsions dégoûtantes au fond du lit.

Je ne l'ai pas fait revenir de la cuisine avec mon chocolat. A quoi bon ?

Ça, c'était au sermon. Mais à la consécration j'avais repris espoir. On avait déjà vu des maîtresses amoureuses de leurs élèves. Maman, une fois, avait raconté qu'avant la guerre ça avait même fait un gros scandale à Poitiers. Oui, tout se jouerait à l'enterrement. Je lui dirais, en lui gardant la main :

— Georges, enfin François, avait dû vous parler de nous, n'est-ce pas ? Vous savez, c'est moi qui ai vécu tous ces jours dans votre appartement, avec mon frère...

— William ! elle dirait. Bien sûr, je vous aurais reconnu sans que vous vous présentiez. François m'avait tant de fois parlé de vous...

Elle rougirait peut-être, à cause des bas, du rouge à lèvres, de toutes ces choses qu'elle m'avait laissées pour me dire son amour. Son amour impossible.

Je lui dirais:

— Puis-je passer vous voir demain, dans l'après-midi?

— Ô William, elle sourirait dans ses larmes, à n'importe quelle heure du jour ou de la nuit je vous attendrai.

Les premiers jours on ne ferait rien, par respect pour Georges. Mais un soir que je la sentirais mélancolique, je m'approcherais et elle me laisserait faire. Je l'embrasserais d'abord au coin de la bouche, puis carrément dessus. Elle entrouvrirait ses lèvres. Ça la ferait soupirer mon baiser, et en s'abandonnant elle fermerait les yeux. Alors très simplement je lui dirais à l'oreille:

— Pascale, je suis encore un enfant, il faut tout m'apprendre.

Elle me sourirait dans son nirvāna. Elle se lèverait toute langoureuse, elle m'entraînerait et là, devant moi, elle se déshabillerait. Elle garderait juste sa culotte blanche. Je verrais ses seins balancer doucement sous mon nez pendant que ses doigts déferaient un à un les boutons de ma chemise. Elle ferait semblant de jouer pour me pousser vers le grand lit et elle me l'enlèverait ma chemise. Puis, comme pour me chatouiller, elle m'embrasserait très fort le ventre en riant. Et comme pour me mesurer — est-ce qu'elle me trouverait toujours trop petit? — elle continuerait à me caresser partout, des pieds à la tête sans rien oublier, sans rien oublier du tout.

Bien sûr elle m'aurait déshabillé complètement, elle se serait allongée à côté de moi, elle m'aurait pris la main et elle m'aurait conduit entre ses cuisses à elle. Ô Seigneur, comment c'était exactement? Sous les doigts, je veux dire. Les poils? Ça devait être soyeux. Mais en dessous? Qu'est-ce qu'il fallait donc toucher, presser, pour qu'elle se cambre,

131

pour qu'elle se pâme, pour qu'elle m'appelle ? C'est ça que j'ignorais. Elle conduirait mes doigts et elle dirait :

— Là, là, oui, comme ça, plus doucement William, plus doucement. Oui, comme ça, continue, continue, mon amour... Oh William ! Oui, continue...

Seulement moi, à ce moment-là, je m'évanouirais peut-être, comme quand on n'avait pas mangé avant la messe pour pouvoir communier.


— William, enfin, à quoi penses-tu ?

Ça, c'était maman. La messe était finie. J'étais écrasé sur mon banc, la tête dans les mains, et elle me secouait par la manche pour que je dégage le passage.

— C'est fini ? j'ai demandé. Mais je suis pas allé communier !

— Tu as ta conscience pour toi, William. Lève-toi s'il te plaît que je puisse passer !


J'ai attendu cet enterrement dans un demi-coma. Deux jours de délire sur la banquette arrière de la 203 à répéter la première scène, celle dont tout le reste allait dépendre :

— Pascale, François avait dû vous parler de nous...

Le regard, la voix, la poignée de main, tout cela compterait, bien plus que les vêtements qu'elle remarquerait à peine, c'était évident, sous l'effet de l'émotion. Depuis combien de temps l'espérait-on cette rencontre ? Trois semaines, au moins. Ne pas la décevoir surtout, c'était ça l'essentiel. Georges avait dû lui dire que j'avais le visage sombre d'un petit Mexicain. Mais qu'avait-elle imaginé ? Et si elle se mettait à rire à cause de mon épi ? De mes boutons ? Non, j'étais quand même assez mignon. Devant la glace je me plaisais. Je me plaisais même beaucoup. Non, elle allait pas rire. Elle penserait : « Ces yeux qu'il a cet enfant ! Comment peut-on, si jeune, brûler d'une telle passion ? » C'est ça qu'elle penserait Pascale. Et une telle passion la bouleverserait. Et on se reverrait. Et elle aurait envie de se donner. Et ce serait exactement comme j'imaginais.


Le jour est venu, enfin. On est partis comme tous les matins, avec nos cartables vides, pour une tournée des boulangeries-pâtisseries de la banlieue est. A midi Toto a dit :

— Fichtre ! J'allais oublier cet enterrement. Avec un peu de pot ça va être à l'autre bout de Paris et ça va nous foutre en l'air tout l'après-midi.

Il a cherché son calepin en sifflant son truc qui n'avait aucun sens. Mais non, ça allait, c'était à 3 heures, à l'église du Pré-Saint-Gervais.

— J't'assure, y a un petit Jésus pour les représentants, il a dit. On aurait voulu le faire exprès qu'on n'aurait pas pu trouver mieux. Allez, roule, Titine, on a encore le temps de faire un saut à Romainville et d'avaler un sandwich.

J'ai pas voulu d'un jambon-beurre. J'avais la gorge gonflée, je pouvais presque plus avaler. J'étais pressé qu'on y aille. Elle devait nous attendre parmi les premiers et Toto m'exaspérait à ruminer son truc fourré aux cornichons. Il répétait : « Tu as tort de ne rien prendre William, y a rien de meilleur qu'un bon sandwich », en mastiquant comme un cheval, miam-miam-miam. Et moi je faisais l'aller et retour entre le zinc et les toilettes.

On est arrivés en retard. Il y avait peut-être vingt personnes, c'est tout, qui n'occupaient pas plus des quatre premiers rangs derrière le cercueil. On les a rejointes sur la pointe des pieds. J'ai d'abord cherché sa nuque, et puis j'ai réalisé qu'il n'y avait que trois femmes, l'une coiffée d'un chapeau, les deux autres de foulards. La première devait être sa maman mais aucune des deux autres n'avait l'étroitesse de ses épaules. J'ai pensé qu'elle avait peut-être grossi et j'ai décidé que c'était elle, celle qui avait un long imperméable blanc dont le col était relevé. Elle gardait son visage dans ses mains, comme pour cacher ses larmes.

Quand le prêtre a parlé, qu'il a dit que François Georges avait succombé à un sens du devoir, de l'honneur, peut-être excessif, quelque chose comme ça, elle a relevé la tête. J'ai cherché son profil en me penchant. Je n'ai vu que sa joue et je n'ai pas reconnu le grain de sa peau.

Mais c'était bien elle, la copine de Georges. C'est elle la première qui a fait volte-face pour suivre le cercueil et alors j'ai fait « oh ! », très fort, et Toto a murmuré :

— Qu'est-ce qui t'arrive, William ?

Mais j'étais horrifié, sans voix. C'était une brune au visage fin, au nez un peu fort. Elle avait le genre des femmes d'Espagne, oui, elle n'était pas laide mais c'était pas Pascale. C'était pas du tout Pascale. Alors j'ai repensé à la brosse à cheveux toute pleine de longs cheveux bruns, et d'un seul coup tout mon sang a afflué entre mes oreilles.

Ô mon Dieu, comment j'avais pu ? Les cheveux de Pascale, la nuque de Pascale et la masse brune de cette... de cette dame quoi. Mais comment j'avais pu ne pas réaliser ?

Au bout du chemin pour gagner le cimetière, j'ai observé ses chevilles, massives, dans une paire de bas noirs. L'odeur de ses jambes, de ses cuisses... et soudain j'ai dû grimacer de dégoût. Mais comment Toto pouvait-il appeler ça une sauterelle ?

Comment c'était possible de se tromper à ce point ? Elle n'était pas loin d'avoir l'âge de maman. Brusquement, j'ai repensé à la petite savonnette bleue du bidet que j'avais embrassée, quelques heures, peut-être une heure seulement après qu'elle se fut lavée... Un jet de bile m'a explosé dans la bouche. J'ai vomi mon ventre dans le caniveau.

— Dis donc, mon petit vieux, ça a pas l'air d'aller, décidément, a dit Toto.

— Non, j'ai envie de rentrer à la voiture.

Il m'a passé les clés et j'ai trottiné en crachant jusqu'à la 203. Je me suis blotti contre le siège arrière et j'ai grelotté comme ça jusqu'au soir.

# 5

Je n'avais pas vu venir le printemps. J'avais quitté toute la famille pour mon histoire avec Pascale, c'était encore l'hiver, et je revenais, tous les arbres étaient en fleurs. Autrefois, le vent sifflait sur la 203 quand on parcourait la campagne avec Toto, mais là, on aurait dit qu'il la caressait. Toto roulait à présent en laissant pendre son bras à la portière, et moi, je pouvais passer la journée agrippé au dossier de son siège, à boire le vent. Je fermais les yeux, je rejetais ma tête en arrière pour chasser les cheveux et je le laissais s'engouffrer dans ma bouche, dans mon nez. Quand Toto fonçait, fonçait, je guettais le moment où la force de l'air me couperait le souffle. Alors j'avalais ma salive comme un noyé, des larmes giclaient de dessous mes paupières. J'étais en perdition dans le cockpit arraché d'un Messerschmitt, ivre et aveugle, suivant à la lettre les instructions de la tour de contrôle pour ramener mon zinc, pour sauver ma peau.

— Un jour, tu vas te prendre une guêpe en plein gosier et ça va te faire tout drôle, criait Toto dans la tourmente.

— T'es con, William, on peut en mourir, tu sais, ajoutait Frédéric.

Il avait repris sa place devant, à côté de Toto, comme avant la venue de Georges. Ils parlaient métier tous les deux. Toto avait cette idée de devenir assureur et il disait que dans deux ou trois ans, quand Frédéric aurait seize ans à peu près, il pourrait très bien être son bras droit.

— A nous deux, mon petit vieux, on abattrait un turbin du feu de Dieu !

— Oui, mais qu'est-ce que c'est ce métier ? demandait Frédéric. On assure les gens mais quand ils sont tous assurés, on a plus rien à faire alors ?...

— Ils ne sont jamais tous assurés. Ils déménagent, ils changent de voiture, leurs enfants s'installent... Et puis je vais te dire, il avait ajouté un jour : dans un an, peut-être plus, peut-être moins, les pieds-noirs vont rappliquer d'Algérie, je le sens, il avait fait en reniflant de-ci, de-là son tableau de bord. Alors je te fous mon billet que le type bien équipé et qui en veut, il se fera des couilles en or massif. Tu verras ce que je te dis...

Ce printemps-là, on ne voyait pas les journées passer. On aurait été incapables de se souvenir de l'une d'entre elles en particulier. Elles étaient toutes pareilles et pourtant on les commençait chaque matin avec le même bonheur. On déposait Christine et Nicolas devant leurs écoles, on les regardait se mêler aux autres dans la cour derrière les grilles, on tremblait un instant en s'imaginant à leur place tout en éprouvant le moelleux des sièges de la 203, et ces sentiments contraires nous donnaient chaque fois un frisson délicieux dans le bas-ventre. On fermait les cuisses de bien-être. Quand Toto redémarrait, c'était même impossible de retenir un sourire. Alors on ouvrait grandes les fenêtres et l'un d'entre nous demandait :

— Où on va aujourd'hui, papa ?

— Senlis, mon bonhomme. Tiens, sois chic, passe-moi la carte que je me repère.

Sur les petites routes, Frédéric prenait parfois le volant. Et devant les boulangeries c'était fini de rester transis derrière les vitres embuées. Toto se garait n'importe comment en nous laissant les clés. Frédéric apprenait les créneaux et, quand on en avait assez, on fermait la voiture et on allait s'asseoir au soleil, sur un banc, ou s'accroupir contre les maisons. Si on voyait encore la 203, on parlait toujours un peu d'elle parce que Périne avait promis de nous refaire l'avant et qu'on se demandait bien comment il allait s'y prendre pour défroisser tout ça. Après, on restait longtemps, longtemps, sans penser à rien.

A présent c'était certain : on ne retournerait plus au collège avant l'été. C'était un gros souci en moins. Autrefois, on se disait que chaque jour passé dans la 203 pouvait être le dernier parce que sans arrêt Toto répétait : « Fichtre ! Faut aussi que je règle ce problème d'école. » C'était « une affaire de cent mille francs », il avait dit. On attendait « d'un moment à l'autre » qu'un type nous les prête les cent mille francs. Puis le type avait eu un « revers » et Toto nous avait annoncé qu'il explorait « une nouvelle piste ». Elle pouvait « déboucher du jour au lendemain ». Mais elle avait dû, elle aussi, capoter, parce qu'un matin Toto avait lancé :

— Après tout, merde ! C'est pas quelques semaines d'école en plus ou en moins qui vont empêcher la terre de tourner.

Alors on avait compris qu'il n'y avait plus rien à craindre jusqu'aux grandes vacances.

A l'heure du sandwich, Toto mettait de l'ordre dans son calepin. Il rayait des trucs avec son Bic, il en écrivait d'autres entre les rayures, parfois une goutte de beurre venait s'écraser sur ses pâtés, il la repoussait du petit doigt, elle s'étalait, il disait : « ah j't'assure quand on a la poisse », il sortait son mouchoir, il la pompait, dessous le papier était devenu transparent, exactement comme du papier-calque, il tournait la page sur plein de miettes qui étaient restées et il recommençait sur la suivante. Quand il avait fini son sandwich il demandait un café-filtre, et neuf fois sur dix le type venait lui expliquer que ça se faisait plus les cafés-filtre. Alors il disait :

— Ah bon ! Vous aussi vous vous êtes mis au cafe-cito italiano...

— C'est tellement plus rapide ! s'exclamait le gars. Et c'est aussi bon, notez.

— Ben oui, d'accord, chicanait Toto, mais enfin c'est comme ça que les traditions fichent le camp...

Souvent le type discutait. Alors on sentait que ça lui tenait à cœur cette histoire de café. Il disait c'est une autre méthode, les Italiens ont vingt ans d'avance sur nous, la vapeur, monsieur, c'est ça qu'il lui faut au café, mais faites l'expérience, je vous en supplie. Il donnait des chiffres, des dates, des noms, c'était imparable son affaire. Toto l'écoutait en prenant sa tête de débile léger, la bouche entrouverte, les yeux à hauteur du nez, et à la fin il disait :

— Au fond, vous avez parfaitement raison. C'est toujours pareil quand on ne sait pas, on s'entête, on s'entête, et on ne fait que des conneries. Ça m'a passionné ce que vous m'avez dit là. C'est tout de même malheureux que tout ça ne soit pas dit, écrit, je ne sais pas, moi... Je vous assure qu'un bon bouquin là-dessus, les gens se l'arracheraient. Enfin, c'est l'évidence même !

Mais quand par hasard il tombait sur un café-filtre, il s'exclamait :

— Ah ! enfin un vrai café ! Vous ne pouvez pas savoir, monsieur, le plaisir que vous me faites...

— C'est sans problème, disait l'autre.

— Non, parce que de vous à moi, la bibine italienne qu'ils vous servent aujourd'hui, ça n'a plus rien à voir avec du café. Vous n'êtes pas de mon avis ?

— C'est une question de goût, monsieur. Nous avons les deux, le client choisit.

Après ça, Toto passait un quart d'heure à pousser l'eau de son filtre avec la paume de la main parce que fichtre ! tout ça c'était bien joli mais on n'était pas en avance, mon vieux votre café était délicieux, vingt centimes ça vous arrange, vous n'avez pas une carte de visite par hasard parce que, si vous voulez, je trouve normal de faire de la publicité à des types comme vous qui se donnent du mal et patati et patata...

Vers 4 heures on lui disait :

— Maintenant il faut y aller, papa, sans ça les autres vont nous attendre.

Mais il y avait toujours des tas de gens à appeler depuis la poste, ou un zèbre à relancer qui ne lui avait plus donné signe de vie depuis sa dernière visite j't'assure ces lascars ! Alors on faisait le crochet par chez le zèbre et quand on arrivait à BAROCLEM - pont de Neuilly, Christine et Nicolas nous y attendaient depuis près de deux heures.

Ils n'étaient pas de mauvaise humeur : à présent il faisait encore bien jour à 7 heures du soir, et même sans manteau ils n'avaient pas froid sur le banc. Frédéric laissait sa place devant à Christine et on se retrouvait tous les trois sur la banquette arrière.

— Où vous êtes allés aujourd'hui ? demandait Nicolas.

— Très loin, j'ai répondu ce soir-là, à Pissenlit, un truc comme ça...

— Pissenlit! a hurlé Frédéric. Mais qu'il est con ce William, Pissenlit c'est pas une ville. A Senlis, Sen-lis on est allés. T'as compris ?

— Oui bon, c'est pas bien grave. Et toi, Nicolas, tu t'es pas trop fait chier ?

Il a haussé les épaules. Il haussait toujours les épaules quand on lui posait ce genre de questions. Il racontait jamais ce qu'il faisait dans son école. Au début, Toto nous avait fait croire qu'il l'avait mis là à cause de son pied bousillé par le char d'assaut. Mais en réalité c'était une école technique et Nicolas on lui apprenait à réparer les moteurs, à souder, à peindre au pistolet, des choses comme ça, avec juste du calcul et de l'orthographe en plus. On savait pas si ça lui plaisait. Il était toujours dernier ou avant-dernier, et quand Toto lui disait :

— Dis donc, mon petit vieux, tu te casses pas le bourrichon ! Ça t'intéresse pas ce que vous faites à l'école ?

— Je sais pas, il répondait.

— Comment ça tu sais pas ? Va bien falloir que tu t'intéresses à quelque chose dans la vie. Tu crois pas ?

Il haussait les épaules et on en restait là. Toto avait besoin de toute sa tête pour contourner les embouteillages à l'entrée de Nanterre. Et Nicolas voulait toujours être ferrailleur mais il n'en parlait plus puisqu'on lui avait dit que c'était pas un métier, ferrailleur.

Ce jour-là, il a attendu que Toto et Christine parlent ensemble pour nous dire tout bas :

— Eh! les mecs, pour la fête des mères ils nous ont dit de fabriquer ce qu'on voulait. Vous savez ce que j'ai fait, moi ?

— Non, on a dit.

— Une lampe. Une lampe avec une porte de quatre-chevaux.

— Mais comment t'as fait ?

— Eh ben, j'ai découpé la porte avec le chalumeau et j'ai soudé des bouts, comme ça, comme ça, voilà. Elle est presque finie.

— Et tu vas la donner à maman ? j'ai demandé.

— T'es fou, elle en voudra pas. Je la laisserai à l'école.

— Si tu veux, j'ai dit, tu pourras me la donner. Moi, j'ai pas de lampe à côté de mon lit.

— T'en as vraiment besoin ? il a demandé.

— Tu vois bien que j'ai pas de lampe.

— Bon alors d'accord, il a dit. Dès qu'elle sera finie je te la donnerai.

On arrivait au Bois-Brûlé, il faisait encore jour. Maman était presque tout le temps de bonne humeur parce que ça y était : à la rentrée on habiterait rue des Belles-Feuilles. Toto montait même avec nous, « pour l'embrasser », il disait. Mais en réalité il n'y arrivait presque jamais. Elle nous embrassait nous, et tout en le faisant elle demandait :

— Tu as vu Bouchet-Borin ?

Alors Toto poussait la porte des cabinets qui étaient juste dans l'entrée ça tombait bien et tout en faisant des grands bruits d'eau il criait des choses qui nous arrivaient en miettes :

— Tout... rangé... mon... nou... pas... d'bile.

Quand il sortait en se reboutonnant, il répétait :

— Te fais pas de bile, mon Minou, tout est arrangé. Bon, je file.

Et on l'entendait descendre l'escalier en faisant sauter des pièces de monnaie dans ses poches.

— Bonjour, monsieur Kérivel, il disait parfois, comment ça va votre femme ?

Il était le seul à parler aux voisins. Surtout celui du dessous, M. Kérivel, qui se plaignait beaucoup du bruit.

— Qu'est-ce que tu as besoin d'adresser la parole à ces péquenots ? disait maman.

Mais là-dessus, Toto n'en faisait qu'à sa tête. Et en ce moment il se faisait du souci pour Mme Kérivel qui avait des choses dans le ventre qui n'allaient pas du tout.

— Je crois qu'ils vont lui faire la totale, répétait chaque fois le voisin.

Il en avait l'air tout retourné. Le week-end, il lavait tout seul sa Dauphine. On voyait bien qu'il y prenait plus le même plaisir qu'avant, quand sa femme lui portait les seaux d'eau.

— Ferme la porte ! ordonnait maman aussitôt qu'elle les entendait dans l'escalier. Ce qu'il peut m'exaspérer à parler à n'importe qui !

Mais au fond je crois que déjà elle souriait intérieurement de cette habitude. Comme on se moque des vieux malheurs quand le temps les tourne en dérision. Elle n'avait plus que le corps au Bois-Brûlé, maman, son âme habitait déjà rue des Belles-Feuilles, un cinquième étage sur balcon avec ascenseur, à mi-chemin de l'avenue Foch et du Trocadéro. Pour ne pas être prise de court, elle passait l'essentiel de ses journées à préparer des caisses. C'est que tout allait arriver en même temps : le bébé, le départ en vacances, le déménagement. Il fallait remiser tous nos habits d'hiver qu'on ferait porter directement là-bas, dans le XVIe arrondissement, il fallait s'assurer que chacun ait de quoi s'habiller tout de suite, et pour tout l'été, en vêtements légers, il fallait ressortir le berceau, la table à langer, le panier où on fourrait le talc, l'eau de rose, les cotons-bâtons pour les oreilles du bébé et je ne sais plus quoi encore pour son cordon ou son zizi. Tout ça créait un mouvement permanent, une excitation, qu'on était contents de retrouver le soir. Maman faisait la débordée mais elle était heureuse, ça se voyait. Elle disait:

— Ah! William, viens ici s'il te plaît, essayer ces frusques.

On allait tous dans sa chambre. Le grand lit croulait sous des piles de linge. Je me déshabillais et j'enfilais le sweater et le short que portait Nicolas l'été dernier à Luc-sur-Mer. Les deux grands idiots gloussaient parce que le short m'arrivait sous les genoux. Maman disait:

— Bon sang! Ça serait trop facile.

Christine disait:

— Passez-le-moi, Minette, je vais lui faire un ourlet, ça ira très bien comme ça.

On se retrouvait tous habillés comme à la plage, on sentait le coton et le soleil et maman aussi sentait le coton et le soleil avec ses robes de femme enceinte bleu passé, ocre rouge, blanche tachée de rouille. On les aurait dites taillées dans les voiles des bateaux de Pierre Loti. Elles avaient été cent fois lavées, frottées, battues, séchées. Elles en étaient au neuvième enfant, comme le ventre de maman, même si on ne serait bientôt que huit. Petit frère qui est mort priez pour nous.

A présent, à l'heure du dîner, elle voulait bien lever le store, maman, ouvrir grande la baie vitrée. Elle s'en fichait qu'on la voie, elle riait même de leurs accoutrements à ces péquenots, des bigoudis de celle-ci, des rouflaquettes de celui-là. Elle riait de leurs enfants qui se balançaient sous nos fenêtres, dans la douceur du soir. Elle riait de la jupe à Martine, de la casquette à Jean-Luc. Elle imitait la maman de la petite qui chaque jour à la même heure « glapissait » de sa fenêtre :

— Jocelyne, viens manger ton potage! Jocelyne, viens manger ton potage!

Elle riait de dégoût quand, un peu plus tard, un couple venait s'enlacer sur l'un des bancs, autour du bac à sable.

— Non mais je te jure, faut pas se gêner!

Elle riait de mépris quand la dame du dessus s'en venait faire pisser son caniche, en robe de chambre à ramages.

— Quelle dondon celle-là! Regarde-moi ces bourrelets. C'est à vomir.

Elle riait, elle riait. Aucun ne trouvait grâce à ses yeux. Je crois qu'on aurait pu les tuer, elle n'aurait pas cessé de rire. C'est qu'ils n'étaient pas vraiment des hommes, c'est qu'ils n'étaient pas vraiment des enfants. Ils étaient quelque chose d'intermédiaire entre les bêtes et nous. Et on riait avec elle parce qu'on sentait confusément cela, qu'ils devaient être d'une autre race. Que ces gens-là, on pouvait bien les observer comme on observe les chiens en train de s'accoupler, et puis leur cracher dessus quand on était fatigués d'en rire. Et aujourd'hui je pleure en me rappelant.

Allons, c'était fini, on ne les verrait plus.

— Quand je pense qu'on aura vécu un an et demi dans ce taudis, elle disait en se levant de table.

On se couchait tard. On allait et venait entre les appartements comme si c'était demain à l'aube le déménagement. Les portes du palier battaient en permanence, on ne ressentait plus ce besoin d'aller se réfugier chez nous. Et même on traînait dans la salle à manger en écoutant maman trier le linge. Juste pour l'écouter, peut-être. C'est qu'elle s'était remise à chantonner, comme certains dimanches à Neuilly quand elle rangeait nos chemises et nos culottes qu'avait repassées la bonne. On traînait

146

jusqu'au retour de Toto tu as vu Bouchet-Borin oui mon Minou mais puisque tu m'as dit je ne t'ai jamais dit enfin Toto ne mens pas tu es tout de même pas marrante, et alors seulement on s'éclipsait en claquant les deux portes l'une sur l'autre. Mais on aurait pu rester. On n'avait plus vraiment peur. On sentait bien qu'elle faisait ça parce qu'elle était comme une enfant qui crève d'envie de sourire après une très longue bouderie mais qui se sentirait déshonorée de le faire trop tôt. Elle avait obtenu ce qu'elle voulait, il l'avait sauvée, mais elle ne voulait pas s'avouer heureuse. S'avouer heureuse enfin. Devant lui surtout.

Alors elle feignait de croire qu'il restait encore deux ou trois petites incertitudes. Je t'assure que non, disait Toto. Alors montre-moi le bail. Je l'aurai demain, Bouchet-Borin ceci, Bouchet-Borin cela. Enfin Toto...

On ne se sentait même pas coupables vis-à-vis de Toto, de l'abandonner pour son dîner, je veux dire. Parce qu'on savait bien qu'au bout de dix minutes il arriverait à s'approcher d'elle, par-derrière, à l'embrasser dans le cou et qu'elle se laisserait faire. Ça lui facilitait plutôt les choses qu'on s'en aille.

Chez nous aussi, on avait entrepris de plier le camp. Chaque nuit on démontait un bout de train électrique. C'était éternel comme chantier et ça entretenait l'excitation du départ : il fallait décrasser chaque rail avant de le ranger, et pendant qu'on faisait ça, Nicolas et moi, Frédéric démontait les deux locos, la 2D2 et l'autre à vapeur, pour récurer les rotors, graisser les bougies, huiler les caténaires. On travaillait en silence, assis en tailleur sur un molleton de poussière. Et soudain Frédéric disait :

— Tu as vu Bouchet-Borin ?

— Oui, mon Minou, je répondais.

Alors c'était parti. On connaissait toutes les répliques par cœur mais on attendait la fin pour éclater de rire.

— Qu'est-ce qu'elle nous aura fait chier, disait Frédéric.

Ça semblait loin déjà. Comme une histoire qu'on se raconterait. Comme volontiers, dit le cochon, et il sauta dans la benne du camion. Comme dormir, dormir, dormir, y a que ça qui la retapera la pauvre vieille. Il paraît que rue des Belles-Feuilles on ne sera que deux par chambre, sauf Christine qui en aura une grande pour elle toute seule. Il paraît que rue des Belles-Feuilles... C'est maman qui racontait tout ça. Toto, lui, n'avait pas l'air d'en savoir tant. Quand on lui demandait dans la 203 :

— Combien il y a de chambres dans l'appartement de la rue des Belles-Feuilles ?

Il répondait :

— Rue des Belles-Feuilles, rue des Belles-Feuilles, j'espère bien qu'on y sera un jour, rue des Belles-Feuilles.

Et c'était tout.

Maman accoucherait vers la fin du mois, et huit jours plus tard on partirait pour La Baule. Elle n'avait plus voulu de Luc-sur-Mer, plus près de Paris mais tellement « commun », la plage paraît-il était constellée de Jean-Luc et de Martine, c'était devenu épouvantable Luc, d'un seul coup on ne savait plus où se mettre, à quoi bon quitter le Bois-Brûlé si c'était pour retrouver les mêmes péquenots, enfin Toto ne fais pas cette tête, tu m'exaspères, tu ne veux tout de même pas que tes enfants fréquentent n'importe qui ? Non bien sûr mon Minou mais si tu veux de toi à moi...

Enfin il avait reçu mission de trouver une location n'importe où je m'en fous mais pas à Luc tu as bien compris Toto ? Mais l'instant d'après elle s'était souvenue que sa mère étant enfant allait en vacances à La Baule. Alors au fond mon Minou tu as raison. La Baule c'est une excellente idée. Et voilà, huit jours après l'accouchement donc, on partirait pour La Baule. Sans Thérèse, qui irait prendre ses vacances à Pleine-Fougère.

C'était une villa tout en hauteur, dont les volets rouillés ne fermaient plus, dont les tuyauteries grelottaient ou vrombissaient selon qu'on voulait un bain ou simplement se laver les dents, dont le buffet dégageait un parfum de reblochon, dont l'escalier de bois craquait furieusement, mais tout de même moins que les sommiers qui, eux, n'avaient pas résisté à l'occupant boche. Le propriétaire nous avait prévenus. Le vieil homme avait été relégué dans sa cave par l'occupant exécré et, depuis, chaque été, il rejoignait son gourbi en sous-sol, remplaçant le Chleuh par l'estivant qu'il supportait à peine mieux. Cette maison décatie prenait le jour en lisière d'une allée sablonneuse, plantée de pins, bordée de grilles ou de murets au-delà desquels on devinait des jardins pleins d'enfants, de papas en short jouant au football, de mamans en chapeau de paille prenant le soleil en maillot de bain sur des transatlantiques fanés. Nous n'étions pas là depuis trois jours que déjà maman avait repéré la famille d'en face.

— Des gens d'un excellent milieu, elle avait dit, ça se voit tout de suite.

Nous aussi, on les avait repérés. Depuis la fenêtre de notre chambre. Au troisième étage sous le toit on dominait leur jardin, et même, le soir, on pouvait les suivre à table pour peu qu'ils pensent à relever le store. Ils étaient très nombreux eux aussi, peut-être six ou sept, mais à part le dernier qui était un garçon, c'était une famille de filles. Les deux plus grandes avaient déjà des seins, gros comme ceux de Christine à peu près, ceux de la troisième démarraient tout juste, ça lui faisait comme deux clous sous son maillot. C'était ma préférée celle-ci, parce qu'elle avait de Pascale les cheveux courts qu'elle portait en broussaille, la cambrure des reins et les jambes incroyablement hautes. Frédéric et Nicolas la trouvaient mignonne aussi, mais ils préféraient la seconde qui avait souvent ce geste de glisser deux doigts sous son maillot comme pour se remettre en place le bout des seins, ou se le caresser à la sauvette peut-être.

— C'est incroyable ce qu'elle est bandante, celle-là, avait dit Frédéric.

On cherchait vaguement à établir le contact. Le cinquième jour, Guillaume l'a amorcé en percutant le portail avec son vélo sans freins. Sous le choc, un des battants s'est ouvert et Guillaume a roulé dans leur jardin, la lèvre supérieure éclatée. On était en observation au troisième quand c'est arrivé. Le temps de descendre, la maman et la fille aînée étaient dans notre jardin, avec Guillaume dans les bras qui hurlait, tout barbouillé de sang déjà.

— Qu'est-ce qui s'est passé encore ? a crié maman en surgissant de la cuisine.

— Un petit accident, madame, je ne crois pas que ce soit très grave, a dit doucement la voisine.

— Oh! excusez-moi, bonjour malâme, a souri maman soudain transfigurée.

Christine a embarqué Guillaume et elles ont commencé à roucouler toutes les deux.

— Vraiment je suis confuse, je ne sais comment vous remercier, a dit maman en détachant discrètement son tablier.

— Ne me remerciez pas, je sais ce que c'est ma pauvre, a dit l'autre en lui posant trois doigts sur l'avant-bras. J'ai sept enfants...

— Mais c'est formidable! J'en ai huit, figurez-vous.

— Mon Dieu! Et quel âge a le dernier?

— Trois semaines, a dit maman. C'est une petite fille, Cécile.

— Eh bien, je vous admire. Déjà debout... Et votre époux a aussi ses affaires, je suppose?...

— Pensez, il a un travail fou, je ne sais même pas s'il pourra s'arrêter huit jours.

— Le mien, c'est pareil, a dit la voisine. Et même en vacances il faut encore qu'il emporte ses dossiers. Ils sont terribles, vous savez! Remarquez, son métier le passionne, c'est déjà quelque chose...

— Vous ne viendriez pas prendre le thé avec lui samedi prochain par hasard? Mon mari serait ravi.

— Pourquoi pas, a dit la voisine. Mais oui, c'est une idée. A samedi alors.

Le vendredi soir on l'a vu arriver son mari. Au volant d'une grosse Volvo noire impeccable. Il a pris le temps de vérifier chaque portière avant d'embrasser ses filles et sa femme sur le front. Le petit garçon, il lui a juste tapé sur la tête. C'était un type plutôt grand, plutôt mou, pratiquement chauve, avec des lunettes et un cartable noir qu'il portait par la poignée. Pas du tout le genre de Toto. Mais à part ça on n'aurait pas su dire à quoi il ressemblait: c'était le genre de bonhomme dont on ne parvient jamais à se rappeler l'expression. On se dit, comment il est déjà celui-là? On se souvient d'un truc blanc et flasque au-dessus d'un col cravaté, mais ça sort pas du flou, son visage je veux dire.

Toto, lui, n'est arrivé que le lendemain en fin de matinée. La 203 sortait de chez Périne. Elle avait son moteur de 403, c'était une bonne nouvelle, surtout qu'avec ça il nous avait mis un pot d'échappement d'Aston-Martin à vous arracher des sanglots dans les accélérations. L'avant seulement était encore en chantier. Il était défroissé mais plein de trous rouillés ou brûlés, on ne savait pas trop. Des phares, il ne restait plus que les orbites. Vu de devant, on aurait pu croire aux restes du sous-marin de *Vingt Mille Lieues sous les mers*.

Il était en train de nous raconter tout ça, les mains pleines de cambouis à cause des réglages de dernière minute, la chemise trempée dans le dos parce qu'à cent cinquante à l'heure, mon petit vieux, il faut une sacrée poigne pour la tenir, quand maman l'a appelé d'un joyeux cri de poule qui a dû s'entendre dans toutes les basses-cours alentour :

— Totooo !... Enfin qu'est-ce que tu fais ? elle a sifflé à peine on franchissait la porte-fenêtre. Tu te fous de moi, c'est pas possible ! Tu es là depuis exactement vingt minutes, montre en main, et...

— Ne le prends pas mal, mon Minou, les garçons m'ont cueilli.

— Tu as vu Bouchet-Borin ?

— Oui, oui, calme-toi, mon petit. Tu me laisses deux secondes pour me laver les mains, tu t'assois tranquillement et je suis à toi.

— Tu as vu Bouchet-Borin, oui ou non ? Enfin Toto, c'est tout de même invraisemblable...

— Maman, y a Cécile qui pleure. Maman quoi, y a Cécile...

— Eh bien, monte la bercer au lieu de glapir comme un imbécile.

— Oui, alors j'aurai le bail la semaine prochaine...

152

— Comment ? Enfin, Toto, tu m'avais promis...

— Je t'avais promis, je t'avais promis, je n'ai jamais fait que te répéter ce que me disait Bouchet-Borin.

— C'est ça, et finalement tu n'as rien du tout. Si ça se trouve, ce type te mène en bateau...

— Mais enfin quel intérêt aurait-il à me mener en bateau ? Dis-le-moi ? Tu es tout de même marrante : ce gars-là se met en quatre pour nous trouver un appartement, il me demande quelques jours pour donner le bail à la frappe, je ne vais pas...

— A la quoi ?

— A la frappe, ma chérie, à une secrétaire si tu préfères.

— Oui, bon... Je te signale que j'ai invité le ménage d'en face à prendre le thé.

— C'est une excellente idée.

— Tu parles comme c'est une excellente idée, elle a haussé les épaules. Ça m'assomme, oui. Comme si j'avais la tête à faire des mondanités.

— Mais pourquoi les as-tu invités alors ?

— Parce qu'il a fallu que ce petit crétin aille s'ouvrir la lèvre sur leur portail. Voilà pourquoi. Je me suis retrouvée avec ce gosse qui hurlait à la mort et cette femme plantée là, à l'entrée de cette... de cette bicoque. Je ne savais plus où me mettre !

— Mon petit, je t'adore, mais de toi à moi il n'y a aucune raison de se mettre dans cet état.

— Mais tu ne te rends pas compte que ce sont des gens d'un excellent milieu ! Enfin Toto, tu as vu cette baraque ! Il n'y a même pas un fauteuil correct pour s'asseoir, même pas une tasse qui ne soit pas ébréchée.

— Calme-toi, mon petit, on va tous s'y mettre. Allez va, te fais pas de bile !

On a tendu un drap de lit sur une table de jardin

qui était à peu près dans le même état que l'avant de la 203 et on est allés acheter quatre fauteuils de pique-nique au bazar de la plage. On a mis tout ça sous les ramages d'un pin parasol, le plus loin possible de la maison pour qu'ils ne voient pas dedans.

— Regarde, mon Minou, si c'est pas délicieux ?

— Tu ferais bien d'aller te changer au lieu de rester planter là. Tu as vu l'heure ?


Ils ont franchi notre portail en se tenant par le bras. Elle habillée d'une Lacoste blanche avec un chandail sur les épaules et une jupe bleu marine, lui habillé d'une Lacoste bleu marine avec un chandail sur les épaules et un pantalon blanc cassé.

— Bonjour, malâme ! a chanté maman en filant pleine vapeur à leur rencontre.

— Henri, mon mari, a dit l'autre en souriant au profil de son machin gélatineux.

— Je suis absolument ravie de faire votre connaissance ! Raoul ? Les Vieljeux sont là ! a claironné maman en direction de la baraque.

Toto en était encore à enfourner sa chemise propre dans son slip, le pantalon aux genoux. Frédéric lui a passé un coup de brosse dans les cheveux pendant qu'il bouclait sa ceinture au niveau du sternum. Puis on l'a accompagné jusque sous le pin parasol.

— C'est roulant ! disait maman quand on est arrivés. Ah ! Toto ! Mon mari, M. et Mme Vieljeux. Dis donc, Toto, figure-toi que Madeleine était en train de m'expliquer qu'une année ils ont loué notre maison...

— Ça c'est amusant, par exemple, a dit Toto.

— Oui, a dit Madeleine, c'était avant que mes beaux-parents nous cèdent celle-ci. Elle était déjà en bien piteux état, cette villa, si j'ai bonne mémoire.

— Oui, mais alors là, c'est un choix, a tranché maman. Les gosses arrivent de Paris, ils sont déjà crevés par leur année scolaire, nous voulons qu'au moins pendant les vacances ils ne se sentent aucune obligation. Ils entrent, ils sortent, les chaussures mouillées, les pieds pleins de sable, je-m'en-fiche ! N'est-ce pas, Toto ?

— Absolument. Nous souhaitons, si vous voulez, a renchéri Toto se calant dans son fauteuil comme s'il allait tenter de nous résumer en trois phrases la *Critique de la raison pure*, que les enfants puissent aller et venir en toute tranquillité comment dirais-je, en toute quiétude, voilà. Et de vous à moi c'est bien plus leur maison que la nôtre, ah ! ah ! ah !

— Eh bien, vous avez tout à fait raison ! a dit Madeleine s'emparant soudain du bras de son mari. Tu entends, Henri ? Je trouve que mon époux est beaucoup trop dur avec ses filles, surtout pendant les vacances.

— Mââdeleine, Mââdeleine, a grogné Henri dont les lèvres épaisses restaient en permanence reliées par un gros fil de gruyère fondu.

— Depuis combien de temps venez-vous à La Baule ? s'est prestement enquise maman.

— Oh ! ma pauvre, douze ans !

— Et vous habitez Paris, je suppose, a cru bon d'ajouter Toto.

— Non, Châââtres, a dit le grand mou avec comme plein de béchamel entre les dents. Mon bureau est à Pââris, n'est-ce pââs. Mais nous préférons pour les ônfants habiter la province.

— Pour une question d'études ? de fréquentations ? a hasardé Toto en se mordant le gras du pouce.

— Les deux en vérité. Mais il est exact qu'elles

suivent à Châââârtres, chez les sœurs, un enseignement remarquââââble.

— Les nôtres aussi sont en institutions religieuses, et ça j'avoue que c'est formidable ! a dit maman
en se croisant les bras.

— A Paris ? a demandé Madeleine.

— Non, à Neuilly, a encore dit maman. Les filles
chez les sœurs, les garçons chez les prêtres. Nous
avions hésité au début, enfin mon mari avait hésité
pour l'aînée, Christine, entre l'enseignement laïc et
l'enseignement confessionnel. Si, si, Toto, souviens-
toi. Eh bien, je vous assure qu'on ne regrette pas
notre choix.

— Oui ? a laissé tomber Madeleine, ne sachant
trop que dire.

— Ah oui ! vraiment ! Ces prêtres et ces sœurs
sont extraordinaires.

Là-dessus, tout le monde s'est tu un instant et on
a vu surgir la seconde, le buste moulé dans son maillot de bain vert amande, le bas flottant dans une
minijupe à plis, immaculée.

— Olivia, notre seconde, l'a présentée sa mère.

— Maman, nous partons au tennis, a dit la fille
après avoir serré les mains en regardant ailleurs.

— Amusez-vous bien, mes enfants.

Elle ne s'était pas éloignée de dix mètres que Toto
a murmuré, la suivant des yeux :

— Mon vieux ! ce sont de belles plantes, vos
filles...

— Enfin Toto ! a gloussé maman, mi-figue mi-
raisin, cherchant d'urgence le regard de Madeleine.

— C'est vrai qu'elles sont assez jolies, l'a rassurée celle-ci. C'est d'ailleurs bien ce qui inquiète mon
époux...

— Mon mari n'a aucun sens des convenances,
s'est excusée maman derrière un sourire citron
pressé. Il est parfois d'une sincérité... désarmante !

— C'était un compliment, madame, je suis tout à fait désolé si je vous ai offensée, a minaudé Toto.

— Mais non, a souri Madeleine, bien sûr que non voyons.

Maman servait le thé, ses mains tremblaient, les petites cuillères chahutaient et de nouveau on se taisait.

— Dans quelle branche travaillez-vous, cher ami ? a soudain demandé Toto, en se massant la cheville gauche qu'il venait de poser sur sa cuisse droite.

— Je suis mâââgistrat, a dit l'autre en mastiquant sa béchamel. Enfin président de...

— Ah ! mais dites-moi, c'est un métier passionnant ça ! a bondi Toto, se malaxant furieusement la cheville, tendant le cou comme un type tout à fait captivé en effet.

— C'est un métier inté-re-ssant, ouiii. Mais je crouas que le public ne mesure pââs à quel point nous sommes é-crââ-sés de responsabilités. C'est une tâââche très lourde, n'est-ce pââs ?...

Toto avait pris l'air affreusement soucieux pour montrer qu'il compatissait mais on sentait qu'il guettait la fin de la phrase comme un chasseur embusqué.

— Mais vous êtes juge d'enfants, juge d'instruction, enfin... comment dirais-je ?... quelle est votre spécialité si j'ose dire ?... il a lancé dès que possible.

— J'allâis vous le diiire, n'est-ce pââs, mais vous m'avez interrompuuu. Je suis président de chaaambre, ouii, ouiii, et voyez-vous nous siégeons prââtiquement tous les âââprês-midi. J'ai deux assesseurs, certes, mais vous n'imâââginez pââs le travail que celâââ représente...

C'était éternel son histoire. J'avais le temps d'avaler deux tranches de cake — William, mon chéri, tu aurais tout de même pu te laver les mains — qu'il en était encore à la même phrase. Les dames d'ailleurs ne l'écoutaient plus.

— Rue des Belles-Feuilles, disait maman, à trois pas du Bois de Boulogne. Oh! c'est formidable pour les enfants...

— ... parce que tous les mââtins, poursuivait l'autre, nous nous ââstreignons à rédiger ces jugements que le justiciâââble, n'est-ce pâââs...

— Mais qui jugez-vous finalement ? l'a encore coupé Toto, comme n'y tenant plus. Des petits malfrats ? Des gangsters ? Des voyous ?

— Ah! nan, nan, nan, a répété Henri, reprenant lentement ses esprits. Nan, nan, nan, notre chambre n'est-ce pâââs, est spé-cia-li-sée dans les délits financiers, voyez-vous, fi-nan-ciers...

Mais là Toto ne l'écoutait plus. Il s'était réadossé à son fauteuil comme brusquement soulagé, et maintenant il tentait de s'immiscer discrètement dans la conversation des dames.

— Excuse-moi, Minou, ce n'est pas tout à fait exact ce que tu dis là. Nous avions obtenu l'appartement de Neuilly grâce au colonel G. dont la nièce travaillait à la Caisse des dépôts. De toi à moi je crois que l'abbé F. n'aurait pas eu un poids suffisant...

— Oui, enfin peu importe, cet appartement était devenu beaucoup trop petit, a poursuivi maman, le timbre exaspéré brusquement. Les enfants se plaignaient de ne pas pouvoir recevoir leurs amis, c'était devenu in-te-na-ble ! Mais nous ne voulions pas quitter le Bois. Ah! ça non! A au-cun prix !

— Si vous saviez comme je vous comprends, a souri Madeleine.

— ... nan, nan, nan, les deux assesseurs n'ont pâââs tout à fait le même rôle, poursuivait Henri, les paupières mi-closes, la béchamel lui bavouillant aux coins des lèvres.

— ... d'autant plus que mon mari adore emmener les garçons pédaler le dimanche matin. N'est-ce pas, Toto ?

— Excuse-moi, mon Minou, j'étais avec M. Vieljeux qui...

— Non, je disais que le dimanche matin vous partiez tous pédaler au Bois...

— Ah oui ! absolument, pardonne-moi, mon petit. Mais vous savez, madame, qu'il faut être complètement tordu pour ne pas en profiter. Les Parisiens sont tout de même marrants, vous n'en croisez pas un, mon vieux ! Pas un ! C'est pourtant d'une beauté le matin, les oiseaux, la rosée, la légèreté de l'air, et surtout ce silence quand vous pénétrez dans les sous-bois. Je ne sais pas, moi, ça vous prend aux tripes cette histoire, c'est poignant...

J'avais le souvenir lointain d'une promenade à bicyclette, oui, en effet, à Neuilly, un dimanche matin. Toto nous précédait sur son Solex, sifflant à tue-tête, et en fait de légèreté de l'air il me semble qu'on avait surtout respiré ses gaz d'échappement. Mais c'était un bon souvenir. Tiens, c'est vrai. Et pourtant on n'avait jamais recommencé. Peut-être qu'après il ne l'avait plus eu son Solex.

— ... en tout cas, à la rentrée, promettez-moi de venir dîner à la maison, disait maman, saisissant la main de Madeleine.

C'était fini donc. Ils étaient déjà debout tous les quatre.

— Bien sûr, a gentiment souri Madeleine, mais d'ici là nous avons tout le temps de nous voir sur la plage.

— C'est vrai, que je suis bête !

— Mais non, tu es adorable, mon Minou. Au revoir, cher ami, votre conversation m'a passionné.

Les parents se sont rassis, le temps de les regarder franchir notre portail, comme si chez les Guidon on était tous superdécontractés, du soir au matin, comme si des thés comme ça on en donnait trois fois par jour. Mais dès qu'on ne les a plus vus les Vieljeux, maman a explosé :

— Enfin, Toto, qu'est-ce qui t'a pris ? Tu es devenu fou ou quoi ? Aller faire cette réflexion de... de... de plombier sur la fille de ces gens-là ! Mais qu'est-ce que j'ai fait au Seigneur ?...

— Voyons, Minou, ne te mets pas dans cet état. Ça m'a échappé, c'est vrai, mais c'était bien innocent.

— Bien innocent ! Mais tu ne te rends pas compte à la fin. Tu n'as pas vu la tête qu'elle a faite. Elle était horrifiée ! Tu penses, cette femme qui est pincée comme je ne sais pas quoi... Oh ! non, je ne savais plus où me mettre. Et de quoi j'ai l'air maintenant ? Ils ont dû nous prendre pour des gens impossibles...

Driling, bling, bling. Tout en parlant elle empilait la vaisselle ébréchée et les petites cuillères sur un plateau. Dès qu'elle a disparu à son tour, Toto a dit :

— Mon vieux ! Elle est pas marrante la reine mère. (Et presque aussitôt il a ajouté :) Dites, les garçons, pendant que je vous tiens, soyez gentils dans les semaines à venir de me ramasser mon courrier avant que maman ne tombe dessus.

— T'as des emmerdements ? a demandé Frédéric.

— Comme tu dis, oui. Ce malheureux Périne m'a foutu sans le vouloir dans un merdier inextricable.

— Avec la 203 ? j'ai demandé.

— Non, avec cette histoire de 403 et cette fille qu'on avait poursuivie au diable vauvert. Je sais pas ce qu'elle lui avait fait au lit cette sauterelle, mais j't'assure qu'il la voulait. Mon vieux ! Il en crachait ses poumons, l'ami Périne.

— Et vous l'aviez pas rattrapée, j'ai dit.

— Non. Mais aujourd'hui je me retrouve inculpé pour tentative de séquestration, coups et blessures, tout le bazar et son train, sans rien comprendre, mon petit vieux. On n'est pas sortis de l'auberge.

— Oh ! merde ! a dit Frédéric.

— Eh ben, j'ai pensé brusquement, tu peux pas demander à M. Vieljeux de t'aider puisqu'il est juge ?

— Je vais rien lui demander du tout, oui. T'es cinglé ou quoi ? T'as vu la tête qu'il a ce zèbre ? J'ai déjà cru un moment que j'allais tomber sur lui au tribunal, avec le pot que j'ai ça m'aurait pas vraiment surpris, eh bien, je peux te dire que ça suffit comme émotion. Sois chic, laisse Vieljeux là où il est et contente-toi avec tes frères de ramasser mon courrier. Okay ? Ça me rendra un bien plus grand service.


Presque tous les après-midi Madeleine et maman se retrouvaient sur la plage. Elles tricotaient pendant que nous, les grands, on jouait au volley-ball cinquante mètres plus loin. C'est d'abord Christine qui était devenue amie avec Catherine Vieljeux, l'aînée. Un jour, vers midi, elles étaient remontées ensemble de la plage, et ensuite elles étaient restées à parler toutes les deux au moins une heure, adossées au muret de notre jardin.

— T'es copine avec la grande Vieljeux ? on lui avait demandé.

— Elle a l'air vraiment gentille, elle avait dit. Mais elle est très timide. Si j'avais pas fait le premier pas, elle n'aurait pas dit un mot.

Après ça elles nous avaient invités à une surprise-partie, les filles Vieljeux. On avait passé tout l'après-midi dans la cave de leur grande maison, d'abord assis par terre sur des coussins, à écouter de la musique, et puis on avait dansé. Juste des slows, parce qu'on ne savait pas danser autre chose. Et là il m'avait épaté Nicolas : pendant que Béatrice, la troisième, ma préférée, me racontait qu'à la cantine de son école tout était toujours trop cuit, les lentilles, les nouilles, les haricots, et que les sœurs avaient supprimé le beurre à table, on se demandait bien pourquoi, oui, on se le demandait, eh bien, Nicolas il avait serré Olivia contre lui et il lui avait raconté des trucs à l'oreille qui l'avaient fait rire. J'avais aussi dansé avec Béatrice mais elle avait continué à me parler fort en pleine figure comme si elle était pas du tout émue d'être dans mes bras.

Et maintenant, tous les jours après le déjeuner on se retrouvait au volley-ball. On ratait deux balles sur trois, les filles se moquaient de nous, mais là aussi Nicolas avait un secret : au lieu de rougir ou de répondre bêtement, il haussait les épaules, sans rien dire, sans même bouger un cil. On sentait bien qu'Olivia ça la troublait, ce truc. Elle riait et ensuite elle le regardait sans arrêt en cachette. C'est vrai aussi qu'il était plus beau que nous, Nicolas.

Toto ne venait qu'un week-end sur deux. Le reste du temps, comme on n'avait pas le téléphone à la maison, on n'avait plus aucune nouvelle de lui. Une fois, je crois qu'il en avait profité, il nous avait laissés sans argent et on était passés très près de la crise de nerfs. Maman était partie pour la poste sur le coup de midi, espérant le joindre à son bureau, mais elle ne nous avait pas dit ce qu'elle lui voulait. C'est au retour qu'on l'avait trouvée en train de sangloter dans la cuisine.

— Vous n'avez pas eu papa ? avait demandé Christine.

— Oh ! le salaud ! Le salaud ! elle avait bafouillé sans cesser d'éplucher les pommes de terre. Il disparaît et il me laisse sans un sou. Mais qu'est-ce qu'on va devenir ? Je n'ai même plus de quoi acheter le lait pour Cécile.

— Ne vous mettez pas dans cet état, maman. On ira l'appeler cet après-midi avec les garçons.

Mais on ne l'avait eu que le lendemain matin et il avait dit :

— Soyez chics, demandez au propriétaire de vous avancer cent francs jusqu'au week-end. D'accord, Christine ? Mais dis donc, ma cocotte, arrange-toi pour que maman ne vous voie pas. La pauvre vieille, elle en a suffisamment sur le dos comme ça.

On avait attendu qu'elle soit à la plage pour aller frapper à la tanière du vieux. Seulement c'était un coup fourré son histoire à Toto. Le vieux, ça faisait déjà deux mois qu'il réclamait son début de location. Il avait cru qu'on se foutait de lui. Il avait dit :

— C'est votre père qui vous envoie ?

— Oui, monsieur, on avait répondu.

— Et il vous a pas dit qu'il me doit de l'argent ?

— Ah ! non, monsieur, on savait pas.

— Alors c'est le monde à l'envers, bon Dieu ! Il faudrait que ça soit moi qui vous en passe pendant que vous occupez ma maison sans payer. Ma parole, vous êtes pires que les Boches, vous autres !

— Ça fait rien, monsieur, on va se débrouiller, avait dit Christine.

On avait battu en retraite, à moitié en marche arrière, sous son regard vitreux de vieux fou.

— Y a plus que Madeleine, on avait dit.

Christine était allée la trouver, le soir. Elle lui

avait raconté que Toto aurait dû venir le week-end passé nous porter de l'argent mais qu'il avait eu un gros ennui. Qu'il la remerciait beaucoup de nous prêter cent francs pour trois jours, juste pour trois jours, parce que maman, qui était très très très fragile, risquait de s'inquiéter, vous comprenez, madame Vieljeux ? Elle avait très bien compris Madeleine et le lendemain matin Christine avait dit à maman que le facteur avait apporté un mandat.

C'était le week-end du 15 août. Toto arrivait de Paris. Il avait bondi de la 203, il avait marché vers maman les bras en avant, il avait crié, enfin presque crié :

— Ça y est, mon petit, j'ai le bail !

Et il l'avait pressée contre lui. Son long corps à elle tout contre le sien. Et pendant un temps infini on les avait vus tous les deux, l'un contre l'autre, au milieu du jardin. L'un contre l'autre enlacés, ne se disant plus rien.

L'après-midi ils nous avaient laissé les petits et ils étaient partis se promener ensemble dans l'arrière-pays. Alors on avait ressenti ces sentiments mêlés de soulagement et de trahison, comme chaque fois qu'on les surprenait en train de s'aimer. Soulagement d'être renvoyés chez les enfants, mais amertume d'être trahis par Toto qui pouvait ainsi, sans un mot pour nous, s'en aller comploter avec elle après nous avoir demandé de comploter contre elle.

Le soir en mettant le couvert, il lui avait caressé les fesses et elle s'était encore laissé faire. On avait reparlé pendant le dîner de ce bal pour les seize ans de Christine. Elle avait redit tout le mal qu'elle pensait des cousins de Poitiers, et plus elle les vomissait, plus elle les vouait au diable, plus il semblait urgent de leur expédier un carton d'invitation.

— Tiens la tante Gertrude, celle-là, faudra pas la rater. Mon Dieu, quand je pense au pognon qu'elle a! Quelle garce je te jure. Du jour au lendemain, plus un mot, rien...

— Mon Minou, avait essayé Toto, les gens ne sont pas si méchants que tu le crois. Ils préfèrent parfois se taire par pudeur, par...

— Gertrude pudique! Enfin, Toto, ne raconte pas n'importe quoi! Elle a failli être tondue à la Libération, tout l'état-major allemand lui est passé dessus. C'est une garce, oui!...

— Après tout tu as peut-être raison, miam-miam-miam, je peux fort bien me tromper, miam-miam-miam, c'est vrai que pendant la guerre, de toi à moi, miam-miam-miam...

Ils avaient manifestement réglé dans l'après-midi tous les détails du déménagement. Ça se passerait dans la première quinzaine de septembre, de telle façon qu'on démarre l'année scolaire rue des Belles-Feuilles.

— Tu diras bien aux déménageurs de veiller à la commode de ma mère. Mon Dieu! Elle y tenait comme à la prunelle de ses yeux.

— Te fais pas de bile, Minou, je les surveillerai comme... comme le lait sur le feu. Là, tu es contente?

— Est-ce que Bouchet-Borin t'a dit si la cave était bien sèche?

— Euh... non.

— Alors, fais-moi le plaisir de lui poser la question. Et la taille du salon?

— Il est prévenu. J'aurai le renseignement la semaine prochaine.

— Enfin, Toto, ça fait exactement un mois que tu me réponds ça. Tu te fous de moi!

— Écoute, je fais ce que je peux. Chaque chose en son temps. Tu as ton appartement, dans un mois tes meubles seront dedans, ce n'est déjà pas si mal, non ?

— Tu as demandé à Bouchet-Borin s'il y avait une hotte dans la cuisine ?

— Je vais le faire. Il doit aussi me donner la hauteur des fenêtres pour les rideaux. Tu auras tout ça dans quinze jours. Tu vois que je ne suis pas si distrait que j'en ai l'air. Ah mais ! Guillaume, mange tes épinards. Bonté divine ! C'est quand même invraisemblable, ces drôles. Mon vieux, moi si j'avais pas fini mon assiette en même temps que mon père je filais au lit sans dessert. Et barka ! Miam-miam-miam. Ça t'a plu, Minou, notre balade, cet après-midi ?

Au milieu de la nuit, mais peut-être qu'après tout il n'était pas si tard que ça, la tuyauterie du bidet m'a littéralement jeté au bas de mon lit. Dans mon rêve j'avais pris les trépidations de la flotte pour des coups frappés aux volets. Et puisque j'étais debout je suis descendu pisser. Ils étaient dans la salle de bains tous les deux, à secouer la robinetterie.

— Je te pose tes cachets là, mon petit, fais-moi plaisir, prends-les, il a dit à un moment au milieu du vacarme.

J'ai tiré la chasse d'eau pour leur rappeler qu'ils n'étaient pas seuls dans la baraque et je suis remonté me fourrer au lit.


Le lendemain matin on a retrouvé les Vieljeux à la messe de 11 heures. Ils venaient de s'installer sur un banc de droite. On s'est casés sur la gauche et on s'est fait des sourires. Tiens le gros Henri était là aussi, entre Madeleine et ses filles. Il avait dû arriver hier soir. On l'avait pas entendu. Est-ce qu'eux aussi ils avaient joué au bidet, dans la nuit ? C'était tout plein d'hommes avec leur femme aujourd'hui. Toute la semaine, on voyait que des mamans traînant des grappes d'enfants, et là, d'un seul coup, les types étaient avec elles. Toute la semaine, on avait l'impression qu'elles étaient fortes, les mamans, à se démerder toutes seules, comme ça, du soir au matin, et là, d'un seul coup, elles étaient attendrissantes. Eh bien, oui, tiens, c'est parce que le samedi soir, après avoir couché les enfants, elles devaient enfin penser à elles. Leurs types étaient arrivés dans la journée, et elles, de les voir, de ne plus se sentir seules à porter toute la maison, ça les avait rendues toutes molles. Comme une envie soudaine de se blottir, de se faire câliner. Et ça tombait bien parce que eux, les hommes, ils avaient justement très envie de les câliner les mamans. Et alors cette nuit de samedi à dimanche c'était forcément une nuit d'amour. Tous ceux-là, devant, derrière, sur les côtés, les Vieljeux, les Guidon, ceux-là aussi là-bas, derrière le pilier, tous sans exception ils s'étaient serrés nus l'un contre l'autre.

Diling, diling, diling, ah! c'était la consécration.

Et les mamans s'étaient laissé faire, parce que c'était exactement ça qu'elles voulaient, c'était exactement ça dont elles avaient besoin: s'abandonner, s'abandonner enfin. Et les papas leur avaient laissé quelques instants de grâce où, petites filles, elles avaient pu pleurnicher, minauder. Quelques instants de grâce seulement avant de les mordiller ici ou là, avant de les caresser au creux des cuisses. Avant de les rendre femmes, quoi.

« Mon Dieu, je ne suis pas digne de vous recevoir mais dites seulement une parole et je serai guéri... »

Et alors tous, mais tous tous tous et presque à la

même heure, ils s'étaient pénétrés l'un l'autre, en gémissant, les cheveux dans les yeux, la gorge en feu et tout le reste par terre : les lunettes, les habits, les bijoux. Tiens, est-ce qu'ils se souvenaient de ce moment-là en allant communier ? Les mamans devant, les papas derrière. Toujours ! Pourquoi ? Moi je crois que les papas devaient observer secrètement les mamans tendre la langue au prêtre. Elles étaient si belles à cet instant, agenouillées, les yeux clos, la bouche offerte. Pour vous manger, Seigneur. Oui, pour vous manger. Mais moi je crois que les papas, et les mamans aussi d'ailleurs, pouvaient à cet instant se souvenir d'un autre goût. C'était si proche. C'était il y a quelques heures seulement. Peut-être même s'étaient-elles agenouillées de cette façon sur le grand lit. Peut-être même s'étaient-elles d'abord données comme ça, tendant la langue, fermant les yeux. Mais c'était à moi soudain. J'ai fermé les yeux et j'ai tendu ma langue.

Ce soir-là on a tous accompagné Toto à la 203. Je veux dire que maman aussi était là. Encore toute câline, tout étourdie de s'être laissée aller. Toto aurait pu en faire ce qu'il aurait voulu. Il a jeté ses bagages sur le siège, il s'est retourné et il te l'a serrée contre lui, mon vieux, t'aurais dit Humphrey Bogart dans *Casablanca*. Elle s'est blottie dans son cou, elle a plus bougé et nous, on a fait semblant d'inspecter la 203 qu'on connaissait déjà très bien, pour pas les gêner, pour pas qu'ils se sentent pressés d'écourter. Tout de même, à la fin, elle a murmuré :

— Tu n'oublies pas Bouchet-Borin ?

— Oui, mon Minou, il a dit, les mains sur le volant déjà, avec un sourire de dessous les paupières à vous provoquer une chute de tension.

Et puis il a mis en route l'Aston-Martin et pendant quelques secondes inoubliables on l'a entendue hurler dans l'arrière-pays.

On est restés sans nouvelles de lui peut-être trois semaines, avec juste un télégramme : « Trop à faire — impossible de venir week-end — vous embrasse. » Et soudain, un mercredi ou un jeudi, enfin un soir en pleine semaine, alors qu'on était en train de dîner, on a entendu venir de très très loin le vrombissement d'une auto de course.

— On dirait la 203, a dit Frédéric.

On s'est tous levés de table. On a couru dans le jardin jusqu'à la grille. Le soir tombait. Maman est restée debout sur les deux marches de la porte-fenêtre. Elle a croisé les bras. On a franchi la grille. Alors on a vu s'engager dans l'allée une monumentale araignée, vibrant de toutes ses tôles, soulevant un nuage de sable. Et tout de suite on a reconnu la Bugatti d'André Périne.

Il portait comme un passe-montagne blanc, avec des lunettes de pilote d'avion. Il a sauté à terre, il s'est arraché tout ça, il s'est frotté un bon coup la figure avec les deux mains et il a dit en regardant sa montre :

— A peine 9 heures. Ben mon vieux, j'ai pas traîné. Comment ça va, les garçons ?

— On va bien. T'es venu sans papa ? j'ai demandé.

— Il arrive après-demain. La reine mère est là ?

— Oui, on a dit.

On s'est retournés pour la lui montrer dans la porte-fenêtre mais elle n'y était plus.


C'était pas difficile d'imaginer comment ça s'était passé. Toto devait être très embêté parce que rue des Belles-Feuilles, eh bien, il y avait encore un problème de dernière minute, voilà. Pas grand-chose, sans doute, mais un truc suffisamment grave tout de même pour empêcher qu'on déménage dans trois ou quatre jours comme prévu. Alors Périne avait dû lui dire :

— Écoute, Toto, elle veut pas retourner au Bois-Brûlé ta bourgeoise ? C'est bien ça ? Bon, eh bien, moi, je te dégage trois ou quatre chambres dans l'hôtel de ma mère et vous venez habiter là en attendant. C'est pas plus compliqué que ça.

— Tu rêves, mon pauvre vieux, elle voudra jamais, tu la connais pas encore, avait dû pleurnicher Toto.

— Comment ça ! Mais c'est toi qui rêves. Elle sera en plein Paris, à deux cents mètres des Galeries Lafayette, à trois cents mètres de la Madeleine. Qu'est-ce que tu veux de mieux ?

— Après tout c'est vrai, pourquoi pas ? Eh bien, tu sais pas ? Tu vas aller lui proposer cette histoire toi-même. Peut-être que venant de toi elle trouvera ça formidable.

Et Périne avait dû sauter dans sa Bugatti. Et maintenant, il redescendait l'escalier de la maison en se frottant la nuque. Il n'avait pas tenu plus de cinq minutes dans la chambre de maman. On l'avait entendu lui parler tout bas et puis brusquement elle avait hurlé :

— Foutez-moi le camp ! Vous entendez ? Foutez-moi le camp !

A présent, elle, on l'entendait sangloter sur son lit, et lui, il continuait à se masser la nuque comme un type tout à fait démonté.

— On peut pas la laisser comme ça, il a fini par dire. Bon, je vais rentrer à Paris tout de suite prévenir Toto, et vous, vous veillerez à ce qu'elle fasse pas de conneries, d'accord, les enfants ?

170

Des conneries ? Pourquoi elle ferait des conneries, maman ? Pourquoi... Et brusquement je l'ai revue, tellement présente soudain, se roulant par terre à côté de l'huile noire, griffant furieusement l'espace de ses quatre membres, les jambes en l'air... Oh ! maman non. Pas ça s'il te plaît. Ça, c'était pas possible. Ça, j'en mourrais. J'ai dû me mettre à trembler. J'ai eu très envie de courir aux cabinets pour chier et vomir en même temps. Mais Périne fermait son blouson. Alors j'ai dit :

— Tu m'emmènes, Périne ? Je reviendrai demain avec papa.

— Je peux pas, mon bonhomme, il a dit. Y a même pas de pare-brise pour le passager. Tu serais mort avant d'arriver à Paris. Et puis t'as vu la tête que t'as ? T'es tout blanc. Tu ferais mieux d'aller te coucher, tiens.

— S'il te plaît, Périne...

— Vous n'avez même pas dîné, a dit Christine.

— J'ai pas faim, ma p'tite poule, j'ai pas faim. T'en fais pas.

Il est parti comme ça. Il m'entendait même plus avec son passe-montagne et ses lunettes. Les vitres du salon ont tremblé quand il a fait demi-tour dans l'allée, on a bientôt plus vu que son petit feu rouge qui s'affolait dans les accélérations. Et puis plus rien.


Le lendemain matin Madeleine et ses filles sont venues nous dire au revoir. Elles repartaient pour Chartres. Elles s'étaient toutes rhabillées déjà en vêtements de ville. Même Béatrice on aurait dit une dame. C'était injuste. Nous, on était encore en short, pieds nus. On avait l'air d'enfants, d'un seul coup, à côté d'elles. Et moi je grelottais, j'avais mal au ventre, les cheveux collés même pas coiffés. Elle m'a pas embrassé, elle m'a souri de loin. Forcément, même moi je me dégoûtais, le matin dans la glace, quand j'avais cette tête.

— Votre maman n'est pas là, peut-être ? a demandé Madeleine.

— Si, si, a dit Christine, mais elle est au lit encore. Elle n'est pas très bien.

— Ce n'est pas grave au moins ? s'est inquiétée Madeleine.

— Non, non, c'est... On attend papa, il doit arriver tout à l'heure. Nous aussi, nous allons rentrer à Paris de toute façon. Dès demain peut-être.

— Bon, eh bien, faites mes amitiés à votre maman. J'espère qu'elle va bien vite se rétablir. Et à l'année prochaine, j'espère...

— Au revoir, oui, bien sûr, on a bredouillé, sans pouvoir même les regarder dans les yeux, toutes, tellement elles étaient élancées, lumineuses, et nous petits, affreusement noirauds.

— Oh ! j'y pense, a enfin dit Madeleine, plus bas, s'emparant du poignet de Christine : rappelez à votre père qu'il me poste les... les cent francs, n'est-ce pas ? Voici notre adresse à Chartres. Allez, au revoir les enfants, et bon retour sur Paris !


Toto est arrivé en milieu d'après-midi. De le voir enfin ça nous a soulagés. Ça faisait des heures qu'on l'attendait, recroquevillés dans les fauteuils à fleurs du salon, guettant les bruits de sa chambre, juste au-dessus. Mon Dieu, pourvu qu'elle descende pas, mon Dieu faites qu'elle s'endorme. Quand le plancher craquait on perdait le souffle, on avait la peau des cuisses qui se hérissait et puis les robinets du bidet cognaient, c'était juste qu'elle avait dû faire pipi. Oui, voilà, maintenant le lit grinçait, elle allait pas descendre.

Pas tout de suite. Alors on tendait l'oreille vers les bruits de la campagne. La 203. C'était pas elle, là ? Non, ça, c'était le bruit d'une Mobylette. Et là Frédéric, là, écoute bien. T'es chiant, William, je te dis que c'est un hélicoptère. Bon, mais cette fois-ci c'est lui.

Oui, c'était lui.

Mais livide, tout plein de tics. Le mauvais Toto. Pas celui des cafés-filtre, ni celui des virées avec Périne, pas celui non plus de BAROCLEM, ni bien sûr le Toto réfugié, bonasse, des dimanches après-midi au train électrique. Non, le sale petit Toto, seulement soucieux de sauver sa peau. C'était rare qu'il soit comme ça, mais alors il fallait s'en méfier. Une fois, à Neuilly, en plein typhon, alors qu'elle lui vomissait dessus toutes les saloperies de la terre, alors qu'elle essayait de l'écraser sous son talon comme un glaviot, ce Toto-là m'avait brusquement expédié une gifle d'une force invraisemblable, à m'assommer, parce que, en cherchant le bouton de la lumière, j'avais mis mon doigt gras sur la peinture blanche, à côté du bouton. Et ça, maman ne supportait pas. Petit Toto pétochard lui avait offert cette baffe magistrale en échange peut-être d'un instant de répit. Ou pour lui prouver qu'il valait tout de même plus qu'un glaviot. Je sais pas.

— Où est maman ? il a demandé sans même dire bonjour.

— Dans sa chambre, on a dit.

— Qu'est-ce que c'est que toutes ces assiettes par terre ? Vous n'avez pas déjeuné à table ? Elle n'est pas descendue ?

— Non, on s'est juste fait des nouilles.

— Foutre merde ! Vous n'êtes pas des marrants tous, j't'assure...

Il tournait quasiment sur place, entre les fauteuils et la table de salle à manger, claquant des paupières, croquant le vide, dressant les oreilles. Et soudain il s'est mis à empiler les assiettes sales.

— Enfin, papa, laissez! vous arrivez de Paris..., a dit Christine.

— Eh bien, faites-le alors! Qu'est-ce que vous attendez?

— Vous feriez mieux d'aller trouver maman, a encore dit Christine.

— Oui, au fond tu as raison.

Il a encore tourné un peu, essuyant le dessus du buffet du plat de la main, roulant la toile cirée, picorant trois miettes oubliées sur un accoudoir, pendant que de notre côté on se mettait au ménage. Et puis on l'a entendu grimper.

— Toc-toc-toc, mon Minou? C'est moi. Ouvre, tu veux?

— ...

— Suzanne, enfin, sois raisonnable, c'est moi!

Clong, clong, clong. A présent il secouait la porte.

— Écoute, mon petit, on ne va pas rester comme ça, c'est tout de même aberrant.

— ...

— Et puis merde, tiens!

Il est redescendu. On l'a vu s'engouffrer dans l'appentis, on a entendu des bruits de casserole et il en est ressorti traînant une échelle. Un moment plus tard il enjambait le balcon de leur chambre.

— Attention, les mecs, ça va chauffer! a murmuré Frédéric.

Mais pendant peut-être un quart d'heure on a juste perçu le chuintement de sa voix à lui. Puis progressivement on l'a entendue, elle. Ça faisait comme une suite de gémissements ininterrompus. Très vite c'est devenu des sanglots, des sanglots en cascade entrecoupés de hurlements. Et bientôt ces cris-là ont occupé tout l'espace, les sanglots sont devenus énormes et alors on s'est tous immobilisés parce que c'était impossible de faire quoi que ce soit avec cette chose terrifiante dans les oreilles.

Elle a trépigné ensuite. Ça aussi on l'a entendu. Et puis elle a frappé les murs, de ses poings, de ses pieds. Et puis elle a dû frapper Toto aussi parce qu'on a perçu comme des plaintes. Et soudain, dans cette folie, la porte a claqué et on a pu croire une seconde, peut-être deux, que c'était elle qui venait. Mais il n'y a pas de mots pour dire cette peur. Parce qu'à cette seconde-là on voudrait mourir. Pour que d'un seul coup plus rien ne bouge autour de soi. Pour être certain que ça n'arrivera pas. Qu'il n'y a plus de futur, voilà. Plus de futur. Juste l'instant, indéfiniment prolongé. Et la nuit, pour toujours.

Mais c'était lui qui venait. Les joues griffées, la lèvre fendue, un filet de sang sur le menton.

— Merde, tu saignes, papa !

— C'est rien, c'est rien, t'affole pas.

Il s'est foutu la tête sous le robinet de la cuisine, il a dit sois chic, vieux, blup-blup-blup, va me chercher une serviette, tu veux ? Et pendant qu'il se tamponnait la lèvre il a ajouté :

— Bon, vous allez me donner un coup de main. On va vider la maison, charger la voiture... De façon à décoller demain à la première heure.

— On retourne au Bois-Brûlé finalement ?

— Ça, mon petit vieux, ça dépend de maman. J'ai toujours pas compris ce qu'elle voulait faire.


Pourquoi ça m'a donné envie de pleurer, comme elle nous a accueillis, Mme Périne ? Maintenant je sais. C'est parce qu'elle nous a reçus comme des réfugiés. Comme dans ce film que nous avait passé mère Rivière, un jeudi matin au Cénacle, où on voyait des familles françaises ouvrir leur porte à des pauvres gens de Budapest. Elle avait fait exactement comme les mamans du film: elle avait ouvert les bras, elle avait dit mon Dieu quelle belle famille, elle s'était penchée pour nous embrasser, elle avait retiré Cécile des bras de maman et elle avait encore dit venez vite, vous devez être fatigués après un si long voyage, je vous ai fait préparer une bonne soupe. Et pour la première fois depuis La Baule, maman avait souri. Mais un sourire épouvantable, juste une grimace de la bouche sous des yeux lugubres. Et Toto qui fermait la marche nous avait poussés par la nuque en bredouillant des mots sans suite, exactement comme les papas de là-bas qui avaient les lèvres sans cesse en mouvement mais qui ne disaient rien, qui ne faisaient rien, à part toujours pousser leur famille devant eux, comme ils avaient dû le faire pendant des semaines, les comptant, les recomptant, dans la peur sans doute d'en perdre un, ou une, en chemin.

C'était toute cette pitié qu'elle avait pour nous Mme Périne qui donnait envie de pleurer. Pour qu'elle en rajoute, pour qu'elle nous dorlote. C'était douillet d'être malheureux avec des gens comme elle. On avait brusquement envie de le rester. On avait envie de ne plus répondre que par monosyllabes en ouvrant de grands yeux tristes. Parce que alors elle nous caressait la tête, elle nous embrassait. Et on se sentait rétrécir sous ses câlins, on devenait petit petit petit, peut-être même qu'à la fin on aurait été capables de dire arreu dans un moment d'inattention.

Et puis ces lits qu'elle avait dû faire chercher dans le grenier, pour en mettre trois ou quatre par chambre. Des trucs énormes, en fer torsadé, avec des pommeaux en cuivre jaune. Mon Dieu ces lits ! C'était exactement les mêmes qu'au château de tante Alixe, où on allait en vacances, enfants, avant que tante Alixe ne meure et que son gendre fasse savoir à maman qu'il ne voulait plus de nous au château. Je me souviens de sa lettre et de comment maman l'avait mise en boule. « Ce culot ! elle avait dit. Comme si on lui avait demandé la charité à ce parvenu. » Un type impossible, ce gendre, qu'on avait prévu d'inviter avec ses deux filles au grand bal de Christine. Oui, mais ces lits alors ! Eh bien, dedans, on se sentait protégés par quatre tours, et aussi par Coulala la cuisinière qui nous serrait dans ses bras et dont les yeux se remplissaient de larmes tellement elle nous aimait, par Joseph le chauffeur qui nous promenait en traction dans le parc les jours de pluie, par Jean-Baptiste le jardinier qui cachait les œufs de Pâques avec maman dans le petit bois derrière.

On a dormi comme des enfants la première nuit. Mais pas les suivantes. Parce que sans le vouloir on guettait le retour de Toto. Ils dormaient dans la chambre à côté, tous les deux. Toto rentrait de plus en plus tard mais jamais maman n'éteignait avant qu'il n'arrive. On entendait ses pas dans le couloir, il ouvrait la porte précautionneusement comme si malgré tout il avait un espoir... mais non, elle devait être là, bien réveillée, en chien de fusil sur son lit, tout habillée, son mouchoir en boule contre son nez, ses yeux décolorés d'avoir trop pleuré, comme on la voyait parfois quand à 11 heures, à minuit, on devait traverser sa chambre, flageolant de trouille, pour aller pisser. Alors il chuchotait :

— Tu ne dors pas encore, mon petit ! Comment s'est passée la journée ?

— Tu as vu Bouchet-Borin ?

Et toujours ça se prolongeait dans la salle de bains. Entre la fureur du bidet et le fracas de la chasse d'eau on l'entendait, elle, qui s'envolait brusquement dans les aigus :

— Mais enfin, Toto, tu te rends compte dans quoi tu me fais vivre ! Oh j'en peux plus, j'en peux plus...

Alors ses sanglots se confondaient avec les bruits d'eau. Elle devait se ratatiner sur le tabouret, en loques, peut-être même qu'elle se laissait couler sur le carrelage, parce qu'on l'entendait, lui, qui soufflait, qui peinait, pour la ramener sur le grand lit. Elle devait le griffer dans cet effort. Il disait tu me fais mal, mon petit, laisse-moi, Suzanne, reprends-toi, je t'en supplie, des choses comme ça.

Quand ils étaient dans le lit enfin, c'était encore pire. Il éteignait, elle rallumait presque aussitôt. Il disait :

— Mais qu'est-ce que tu fais ? Il faut dormir, voyons.

— Fiche-moi la paix, tu es un monstre, Toto ! Tu es un monstre !

— Calme-toi, ma chérie.

— Ne me touche pas !

Elle se levait.

— Où tu vas maintenant ? Reviens, il faut dormir.

Elle marchait de la fenêtre au lit. Pour faire la folle, pour lui faire peur. Alors il se relevait :

— Allez, viens te coucher, ça suffit, Suzanne, je t'en conjure !

— Laisse-moi, tu me fais mal, elle criait presque.

— Bon, eh bien, fais ce que tu veux. Après tout merde.

Il éteignait. Elle allumait dans la salle de bains. Elle ouvrait en grand tous les robinets.

— Mais tu deviens folle ou quoi ?

Il bondissait. Pendant qu'il coupait la flotte elle devait se laisser tomber sur le carrelage. Et ça recommençait. On l'entendait peiner, ahaner, pour la ramener sur le lit. Un quart d'heure plus tard elle avait tout rallumé et elle tournait, elle tournait, entre la fenêtre et le lit.

On s'endormait avant la fin. Ça n'avait pas de fin d'ailleurs puisque ça se poursuivait d'une nuit sur l'autre. Quand on se levait le matin, on entrebâillait la porte : il était déjà parti et elle, elle dormait, en boule, au milieu du grand lit.


Combien de temps a-t-on vécu dans cet hôtel ? Trois mois peut-être. On avait raté la rentrée scolaire et on était encore en tenue de plage quand les premiers froids de l'hiver nous y ont surpris. On traversait à ce moment-là une brève accalmie ; la première de notre séjour au Saint-Lazare-Pasquier. Elle avait débuté un soir où Toto était rentré beaucoup plus tôt que d'habitude, l'air bouleversé et heureux en même temps.

— Minou, il avait dit en la saisissant par les épaules, j'ai enfin compris ce qui coince : l'appartement de la rue des Belles-Feuilles...

— Oui, eh bien, parle, qu'est-ce qu'il y a encore ?...

— Il est occupé, ma pauvre vieille, par des gens sans le sou qui refusent de partir...

— C'est pas vrai ! elle avait crié. Mais enfin, mais... mais... Comment l'as-tu su ?

— Bouchet-Borin. Il n'osait pas me le dire. Il est effondré le malheureux.

— Mais enfin c'est dingue ! elle avait hurlé. C'est dingue ! Il n'a qu'à les foutre dehors...

— Il voudrait éviter. Tu sais comme il est. C'est

un type très... très arrangeant. Il va se décarcasser pour leur trouver autre chose.

— Mais Toto, c'est impossible ! Enfin qu'est-ce qu'on va devenir ?

— C'est l'affaire d'une dizaine de jours, ma chérie. Il me l'a promis.

Pendant ces dix jours Toto est rentré presque normalement, à l'heure du dîner. Chaque soir, il nous rapportait des détails inédits sur la famille qui habitait chez nous. Ils étaient cinq enfants, le père était dans la confection, la concierge assurait que l'immeuble tout entier les détestait, c'était bon signe, des gosses mal élevés, bruyants, sans-gêne, la mère souillon comme tout...

— Enfin c'est invraisemblable, pourquoi ne préviens-tu pas la police ? disait maman.

— Je te répète, mon petit, que Bouchet-Borin veut agir en douceur.

— Alors ces gens-là ne paient plus un sou de loyer et tout le monde s'en fout ? Tu me la copieras celle-là !

Maman ne décolérait plus contre ces minables. Quand on est marchand de tissus qu'est-ce qu'on a besoin d'habiter le XVIe ? Non mais où ça va se nicher, je te le demande un peu ? A présent c'est eux qui ramassaient tout et Toto pouvait de nouveau l'embrasser dans le cou, lui passer la main sur les fesses.

Un soir enfin il est arrivé surexcité. On aurait dit un adolescent qui venait de surprendre la petite bonne avec son amoureux dans les fourrés, quelque chose comme ça quoi.

— Des juifs, ma petite vieille, il a minaudé. Comme je te le dis.

— Non ! elle a fait. Comment le sais-tu ?

— Nahum !

— Eh bien, quoi Nahum ? C'est juif Nahum ?

— Enfin mon petit, Nahum, Nathan, il n'y a pas plus juif voyons...

— Ouuuh! Tu vois ce que disait mon père? Ils sont partout! Mais c'est une catastrophe, Toto! Tu peux être sûr que le commissaire de police est juif aussi. C'est pire qu'une mafia ces gens-là. Tu ne peux pas en toucher un sans avoir tous les autres sur le dos. Et ils s'entraident, il n'y en a que pour eux...

— Te fais pas de bile, ils n'en ont plus que pour trois jours.

C'est nous qui n'en avions plus que pour trois jours. Le lundi suivant, je l'ai vu Bouchet-Borin. On venait d'écumer toutes les boulangeries de la ceinture de Melun et la nuit nous avait surpris sur le chemin du retour. Je crois que je somnolais derrière quand Toto s'est garé à quelques pas d'un café éblouissant. Il a dit:

— Ne bougez pas, les enfants, je reviens.

On l'a vu entrer dans le café et en ressortir presque aussitôt comme poussé par un homme encore plus petit que lui. Tous les deux se sont immobilisés sur le seuil et aussitôt le petit homme a été pris d'une crise d'hystérie. Il se tapait sur la poitrine d'une main, se cognait le front de l'autre, tirait son cou comme pour en extraire une bestiole immonde, feignait de s'arracher les quelques cheveux qui lui restaient. A un moment on l'a même vu taper du pied. Puis brusquement il a regardé sa montre, rajusté son veston et il est retourné dans le café sans serrer la main de papa. Toto avait souri tout le temps qu'avait duré la scène. Mais maintenant, il ne souriait plus. Il regardait dans la direction de l'homme en laissant pendre sa bouche, avec ce visage de noyé qu'il avait eu le jour où il avait reçu cette lettre lui annonçant qu'il ne vendrait plus de Tornado 2000, qu'on ne voulait plus de lui dans les aspirateurs. Il s'est rassis dans la voiture et il a eu ce geste de frapper son menton de son poing. Et en se frappant il disait :

— Oh ! Oh ! Oh !

On aurait dit qu'il se débattait contre une douleur fulgurante. Sur le moment je n'ai pas su pourquoi je m'étais mis à pleurer en le voyant faire ça. Seulement ça. Mais avec le temps j'ai compris qu'à cet instant-là Toto était vaincu. On venait de l'écraser et il n'avait plus la force de faire semblant.

Ça n'a pas duré plus de quelques minutes. On longeait la Seine quand il s'est redressé de dessous son volant :

— Frédéric, il a dit, il faut ménager ta mère. Tu vas lui dire qu'on a parlé à Bouchet-Borin, qu'il faut renoncer à la rue des Belles-Feuilles mais qu'il a en vue pour nous un appartement en rotonde sur les berges de Seine. Tiens, un peu comme celui-là, tu vois ?

Frédéric a demandé :

— Comme le gros immeuble, là ?

Mais déjà on arrivait place de la Madeleine et au lieu de nous conduire jusqu'à l'hôtel Toto a pilé net.

— Allez-y, les enfants, il a dit, moi j'ai un turbin monstre, je file à Ivry.

On est descendus derrière Frédéric et Toto a démarré en lançant un petit coup de klaxon.

Il paraît que maman n'a pas regardé Frédéric tout le temps qu'il a parlé. A la fin seulement elle s'est mise à sangloter au-dessus des petits qui barbotaient dans le tub. Plus tard non plus elle n'a rien dit. Elle avait dû guetter Toto par la fenêtre. Quand il a poussé la porte de leur chambre elle s'est jetée sur lui et elle l'a frappé, frappé, frappé jusqu'à ce qu'il se laisse couler contre le mur le cou cassé, les joues griffées, avec des yeux de mort. C'est Frédéric qui nous l'a raconté, le lendemain. Il avait tout vu par la porte entrouverte.

— La salope, on a dit, elle va finir par le tuer.

Mais le lundi suivant Toto nous a rassurés. Il appelait ça « faire l'évanoui ». C'était un truc que Périne lui avait appris. Un truc de prisonnier pour reprendre des forces.

## 6

On est repartis pour le Bois-Brûlé.

Tous nos vêtements d'hiver étaient en caisse et toutes les caisses étaient encore là, comme on les avait laissées au printemps, empilées dans la salle à manger. C'était une chance, aucune n'était partie pour la rue des Belles-Feuilles. Toto avait menti.

On a traîné les caisses chez nous, de l'autre côté du palier, pendant que Christine consolait maman sur le grand lit et que papa installait les petits. On a déballé tout ça dans le désordre pour trouver très vite des pulls, des chaussettes, parce qu'il faisait vraiment froid à présent en habits de plage.

L'après-midi même Toto est parti télégraphier à Thérèse de revenir d'urgence, qu'on avait très besoin d'elle. Le surlendemain elle était là et le même jour Toto nous annonçait qu'on allait reprendre le collège. Il avait trouvé une partie de l'argent, les abbés avaient accepté de nous inscrire à condition qu'on redouble. Frédéric s'est retenu de pleurer. Il avait dit que jamais il redoublerait. Moi, je m'en fichais.

Ils avaient dû l'engueuler, Toto, même peut-être le menacer de ne pas nous garder si les retards recommençaient parce que maintenant c'est lui qui nous houspillait le matin. Et on arrivait à tenir, en partant franchement avant le jour pour éviter les bouchons de Nanterre. On se retrouvait le soir à BAROCLEM-pont de Neuilly mais alors là Toto s'en fichait. On grelottait souvent deux heures, trois heures avant de pouvoir se réfugier dans la 203.

Le soir, Frédéric travaillait, jusqu'à minuit quelquefois. Il était content que Croule-Cul nous embête plus, qu'on se moque plus de nous. Il avait un plan pour avoir le prix d'honneur ou quelque chose comme ça, à la fin de l'année, et après seulement deux jours de collège il avait entrepris de se construire un bureau dans mon garde-meuble. On avait poussé l'armoire à linge où Thérèse empilait les draps de lit, on avait mieux encastré les guéridons Louis XVI, arrimé à la verticale le boudin des tapis, et dans l'espace gagné il s'était installé une planche entre deux piles de caisses. Je l'apercevais de mon lit, penché sur ses versions latines, éclairé par la lampe de travail du père de Toto, le héros de Cambrai. Tout ce temps-là je pouvais lire, au chaud contre mon oreiller, grâce à la lampe que j'avais eue pour la fête des mères. On était bien tous les deux.

Toto s'en est très vite aperçu qu'on avait réussi à se faire un coin tranquille, et après quelques semaines il a pris l'habitude de venir après son dîner s'asseoir un peu sur mon lit, pour bavarder.

— Comment ça va, les garçons ? il chuchotait pour pas réveiller Nicolas, Christine et Anne-Sophie qui dormaient dans les chambres à côté. Vous êtes comme des coqs en pâte ici, dites donc...

— Et toi, t'as bien travaillé ?

— Ça va, mon bonhomme. Tu sais, Frédéric, que je suis de plus en plus résolu à me lancer dans les assurances. C'est formidable, mon vieux ! J'ai croisé l'autre jour...

Et alors il avait que des histoires de types qui avaient fait fortune en six mois.

— Elle te fait pas trop chier en ce moment ? on demandait.

— Ah ! mon vieux, c'est simple, y a pas moyen de dormir ! Elle tourne, elle vire, elle soupire, elle pleurniche, t'en sors pas. Mais qu'est-ce que tu veux que je fasse ? Je vais pas la tuer tout de même...

— Pourquoi tu la remets pas au Cénacle ? on demandait.

— Mais vous êtes marrants, elles me la prendraient pas les sœurs. L'hiver dernier c'était exceptionnel, on va pas leur imposer ce cirque tous les ans.

Thérèse pointait son nez avant d'aller se fourrer au lit dans sa chambre-cuisine.

— Dormez bien, monsieur le baron, elle disait avec son sourire fraise des bois.

On l'entendait se laver devant l'évier.

— Celle-là mon vieux, c'est la Providence qui nous l'a envoyée, disait Toto. Je ne sais vraiment pas où on en serait si on l'avait pas.

Toto n'avait plus de secrets pour Thérèse. Elle en savait même plus que nous sur tout l'argent qu'il devait, sur les types qui le harcelaient pour récupérer leur blé. Elle ramassait le courrier, elle prenait les lettres recommandées, elle emmenait les huissiers dans notre appartement pour pas que maman les voie. C'est elle aussi qui allait trouver l'épicier de la cité quand il voulait plus nous servir. Elle donnait un peu de son argent et il disait bon, six litres de lait mais rien d'autre. Elle prenait le mercredi pour se reposer et ce jour-là elle partait avec nous, à l'aube, et je crois qu'elle passait la journée avec Toto puisqu'on la retrouvait le soir, à BAROCLEM, dans la 203.

Mais un jour elle a rien pu faire pour nous, Thérèse. Un jour, les types de l'électricité et du gaz sont arrivés en même temps pour tout couper. Elle était en train de les bloquer sur le palier, de leur expliquer qu'on était huit enfants, que Cécile avait six mois seulement, quand maman est sortie de sa chambre. Elle a crié :

— Mais qu'est-ce que c'est ? en les découvrant tous les trois sur le palier.

Et déjà elle tremblait.

— Les services vous ont expédié trois rappels, a dit le plus vieux des deux en montrant ses papiers. On a la consigne de vous couper, on peut pas faire autrement, madame.

— Mais enfin, vous êtes fous ! elle a encore crié. J'ai une gosse de six mois, des petits, comment voulez-vous qu'on mange, qu'on vive ? Oh non, non, non...

Et elle s'est mise à sangloter, le front contre le mur de l'escalier.

— On peut pas faire autrement, madame, ils répétaient, les deux idiots.

Maman a couru dans sa chambre se jeter sur son lit. Thérèse est partie pleurer dans la cuisine et pendant ce temps-là ils ont emporté nos compteurs.

Elles pleuraient encore toutes les deux quand on est rentrés le soir. Elles pleuraient dans la nuit. Et tout de suite on n'a pas compris. On est restés au moins dix minutes à taper les commutateurs, à se cogner dans les meubles. Toto a dit :

— Oh ! bonté divine ! Bonté divine ! Merde, merde, merde...

J'ai deviné dans le noir que Thérèse pleurait contre sa poitrine. Qu'il la serrait dans ses bras.

Peu à peu on est tous revenus sur le palier, parce que c'était le seul espace lumineux au débouché des deux tunnels.

188

— Je vais voir maman une seconde, il a dit. En attendant, qu'un de vous file chez l'épicier prendre des bougies. Et vite, vite, il est presque 8 heures.

Thérèse est partie en reniflant nous chercher de l'argent et on a rapporté deux boîtes de bougies.

Les petits pleuraient. Ils avaient faim, ils auraient bien voulu toucher aux bougies mais c'était trop dangereux le feu, alors ils marchaient à tâtons et ils se cognaient dans les encadrements des portes, ils tombaient assis, ils pleuraient encore plus. Mais on pouvait pas les consoler. On était avec Thérèse dans la cuisine à essayer de mettre en route un dîner. On cherchait les nouilles, le sel, le beurre, on cherchait tout, on ne trouvait rien. Les bougies nous coulaient sur les doigts, sur les souliers, on se bousculait, on se gênait, on disait fais gaffe au papier des étagères, Frédéric, mais qu'est-ce qui brûle là ? ça pue, merde mes cheveux, oh ! non Marie-Lise, attends un peu pour faire caca, tout à l'heure, je t'accompagnerai. On avait envie de rire et de pleurer en même temps. Quand enfin on a pu mettre la main sur les spaghettis, sur la boîte de sauce tomate, Christine a rempli une grande casserole d'eau, elle l'a posée sur la cuisinière et il nous a fallu encore quelques minutes pour réaliser. On craquait des allumettes, des allumettes, et rien ne venait.

— Mais ils ont aussi coupé le gaz, je parie ! a hurlé Christine.

Alors Thérèse a carrément sangloté et on a entendu qu'elle bafouillait :

— Je me souviens... oui, oui... le gaz aussi.

Quand Toto est ressorti de chez maman il a dit :

— Bon, j'essaierai d'arranger ça demain. Pour ce soir, tâchez de vous débrouiller avec les moyens du bord, je file en clientèle.

On a fait tiédir le biberon de Cécile dans l'eau du

lavabo et pour tout le monde on a ouvert trois grosses boîtes de thon à l'huile. Et puis on s'est couchés à tâtons, sans faire de toilette, sauf Frédéric qui a collé au moins huit bougies sur sa table pour quand même faire sa version latine.

Le lendemain, dans la cour de récréation, je me suis ouvert le genou contre le mur des urinoirs. Et c'est une fois devant la glace de l'infirmerie que j'ai compris pourquoi ce crétin de Henard m'avait dit le matin : « Tu pourrais te laver quelquefois, Repeygnac. » Plein de cheveux de ma frange avaient cramé et j'avais comme une virgule en charbon sur le front. De l'huile de bougie, j'en avais partout, sur le pull, sur les cuisses, sur le bout des souliers. La grosse tache sur la poche, c'était plutôt de l'huile de thon, ça.

— Essayez d'enlever votre culotte, a dit la dame.

Elle m'a regardé me contorsionner, elle a vu les taches, elle a vu mon slip qui n'avait plus d'élastiques aux cuisses, mon zizi et mes couilles qui se baladaient, elle a vu mes pieds, mes chaussettes. Elle a demandé :

— Où habitez-vous, mon garçon ?

— Très loin, j'ai dit, après Nanterre.

— Je vous trouve bien peu soigné. Votre maman est absente en ce moment ?

— Non, elle est morte, j'ai fait en regardant droit devant moi.

Elle s'est excusée, l'andouille. Elle était agenouillée devant moi, j'ai vu son front rosir. Pendant tout le pansement elle n'a plus pipé. Et elle a arrêté de prendre cet air dégoûté devant mon slip qu'elle avait sous le nez. Je m'en foutais. Même si elle prévenait les abbés, je leur dirais, à eux aussi, qu'elle était morte. Et je demanderais à Frédéric de faire pareil. Merde, y avait pas de raison qu'on ait jamais un truc bien qui nous arrive pour faire passer le reste.

Toto est venu très tôt nous chercher ce soir-là à BAROCLEM. Il a dit que les gens du gaz et de l'électricité ne voulaient rien entendre. Qu'on allait se débrouiller autrement. Arrivés au Bois-Brûlé, on les a encore trouvées dans la nuit toutes les deux. Maman s'était installée sur une chaise pour raccommoder nos chaussettes à la lueur d'une bougie. Elle s'est mise à pleurer en nous voyant. Ou peut-être qu'elle pleurait déjà. Mais c'était qu'un ruissellement silencieux. On aurait dit qu'elle n'avait plus la force de sangloter comme avant. Toto est allé l'embrasser sur la tempe, elle a gémi, tout son visage s'est brusquement fripé comme une éponge qu'on presse, mais elle l'a pas repoussé, elle a pas crié. Il est resté un instant à la regarder se diluer, l'air emmerdé, sans trouver les mots pour la consoler cette fois-ci. Et puis il est parti pour la cuisine. Thérèse était occupée à éplucher les pommes de terre, près d'une paire de bougies. Une casserole d'eau chauffait sur un camping-gaz tout neuf. Il l'a prise par la nuque comme il nous faisait et en la secouant gentiment il a dit :

— T'es une fille formidable ! T'as trouvé tout ça là-haut, à l'épicerie ?

— Oui, monsieur le baron, elle a souri sans lever le nez de ses patates.

— Bon, vous venez les garçons ? il a enchaîné. On va tenter un bricolage. Avec un peu de pot on y verra aussi bien qu'avant et pour beaucoup moins cher.

On l'a suivi à la cave. De tout notre fatras il a sorti un rouleau de fil électrique et une poignée de tournevis. Avec le plus gros il a ouvert une sorte de

191

placard qui n'avait pas de poignée, près du local des poubelles, et on s'est retrouvés devant une batterie de compteurs électriques. Il a tripoté des plombs pour découvrir celui de notre cage d'escalier, et alors il a branché le fil électrique sur cette grosse prise-là.

— C'est pas plus compliqué que ça, il a dit.

Après, on a fait grimper le fil le long des rambardes de l'escalier et dix minutes plus tard on avait une vraie grosse lampe, suspendue à un crochet au-dessus de la table de salle à manger.

— Tu vois, mon Minou, on va s'en sortir, il a souri en sautant de la table.

On souriait aussi. On n'en revenait pas. C'était vraiment magique son histoire à Toto. Mais elle, elle a même pas levé la tête. Elle a continué de ruisseler sur nos chaussettes en gémissant tout doucement. C'était plus qu'une fontaine.

Presque aussitôt ça s'est éteint.

— Ben qu'est-ce qui se passe ? on a glapi.

— La minuterie, a dit Toto, c'est rien. Il suffit de coller un chatterton sur n'importe quel commutateur de la cave et on aura la paix.

C'est ça qu'on a fait et ce soir-là on a pu dîner à la lumière électrique. Une drôle de lumière qui s'éteignait toutes les trois minutes à peu près pour se rallumer presque aussitôt.


C'est le lendemain soir seulement, très tard, que M. Kérivel est monté cogner à notre porte. Toto était en train de manger des petits pois et nous on lui tenait compagnie, sous la lampe. Maman était déjà partie se coucher.

— Ah ! comment ça va ? a chanté papa. Mme Kérivel s'est bien remise de son intervention ?

— Dites voir, vous seriez pas en train de voler l'électricité de la cage d'escalier des fois ?

— J'ai... Comment dirais-je ? J'ai connecté une petite ampoule, oui, en effet. Le temps de me dépanner. Mais c'est vrai que j'aurais dû vous prévenir, monsieur Kérivel. C'est pas chic de ma part, ah ! ah ! ah ! Autant pour moi...

Ça n'avait pas l'air de le faire rire du tout M. Kérivel.

— Vous savez que c'est interdit ce que vous faites là ? Si je préviens le gardien...

— Soyez gentil, ne le faites pas, c'est l'affaire de quelques jours.

— Alors vous allez me faire le plaisir d'enlever tout ça ! a brusquement aboyé le voisin. Sans ça c'est pas le gardien, c'est la police que je vais prévenir. Non mais ! vous croyez que c'est le Père Noël qui paie l'électricité de la cage ?

— Bon, bon, c'était pour me dépanner mais si ça vous dérange vous faites bien de me le dire, a bredouillé Toto en faisant calmez-vous calmez-vous avec ses mains.

— Une famille de voleurs, oui, c'est tout ce que vous êtes, a encore éructé le voisin en reprenant lentement le chemin de son premier étage. Ça porte un nom long comme ça et c'est que d'la racaille...

On a enlevé le fil. Toto a dit j't'assure c'est pas des marrants. Il a rien dit d'autre et puis il est remonté finir ses petits pois devant une bougie que lui a installée Thérèse. Elle s'est assise avec nous, autour de la table, elle a enfoui son nez dans ses poings et elle l'a regardé manger. Il avait sa tête de noyé. Les yeux pleins d'eau. Il avait plus de force ce soir-là vieux Toto. Plus de force.

Bien sûr, tout le monde l'a su dans la cité qu'on n'avait plus d'électricité. Les deux trous noirs, le soir, comme deux orbites vides au milieu de l'immeuble tout lumineux, c'était chez nous. L'épicier ne faisait rentrer des bougies et des recharges de camping-gaz que pour nous pratiquement. Mais à présent, il refusait tout à fait de nous faire crédit, il ne voulait plus que de l'argent liquide. Toto l'avait roulé deux fois en lui faisant des chèques très supérieurs au prix des courses pour qu'il lui donne de l'argent liquide en échange. Et les deux fois c'étaient des chèques sans provision. Alors maintenant on remplissait le cabas avec tout ce qu'il nous fallait mais au moment de payer il fallait toujours rendre des choses parce qu'on n'avait pas assez d'argent pour tout emporter. Et l'épicier soupirait en faisant les soustractions, et si j'enlève encore les trois boîtes de sardines, ça ira ? Donne voir... oui, ça ira, il te restera même deux francs trente-cinq, bon alors je reprends une boîte de sardines, une seule, d'accord ? Si tu veux, mais bon sang, j'ai pas que ça à faire, tu vois pas le monde qui attend ?... Les gens riaient ou nous regardaient comme on regardait les Arabes, autrefois, à Neuilly.

Et puis un jour qu'on était tous à la maison, ça devait être un jeudi, un jour où Thérèse avait voulu nous faire des frites, eh bien on a mis le feu dans la cuisine. Alors les pompiers sont venus, ils ont inondé l'appartement et, derrière eux, plein de voisins sont entrés chez nous, sous prétexte d'apporter des serpillières, des seaux, mais en réalité pour voir dans quoi on pouvait bien vivre. .

Ce feu, c'était à cause du camping-gaz. Il était bien trop petit pour la friteuse. Elle était tombée la première sur le sol en plastique de la cuisine. Il avait basculé à son tour et l'huile s'était enflammée, puis le plastique du sol, puis les placards, puis le Ripolin des murs et du plafond. Maman avait hurlé, Thérèse était descendue appeler les pompiers de chez Mme Kérivel, et tout le temps où ils avaient arrosé chez nous, on était restés dehors, avec maman, et les gens de la cité autour de nous. Ils étaient accourus bien sûr. Ils nous dévoraient des

194

yeux. Mais c'était surtout maman qui devait les intéresser. D'habitude elle se cachait et là, pensez !... à
la rue, grelottante la baronne, les cheveux défaits,
en larmes. La bête était offerte, presque nue.


Ce Noël, on l'avait également fêté au Cénacle, avec
mère Rivière et ses cadeaux d'occasion. Le matin
même de Noël une messe avait été célébrée spécialement à notre intention et on avait entendu le prêtre
supplier le Seigneur de se pencher enfin sur une
famille de huit enfants qui depuis de longs mois
vivait dans l'épreuve. Ça les souciait, les sœurs,
qu'on s'en sorte pas. Surtout que bientôt ça ferait
deux ans que tous les jours, tous les jours, elles
priaient pour nous. Mère Rivière commençait à
nous regarder drôlement, comme si on le faisait
exprès ou qu'on lui cachait des choses qui auraient
pu expliquer que ça dure, que ça empire même.
Peut-être que si on lui avait dit qu'on ne priait plus
du tout, elle aurait dit :
— Ah ! alors je comprends.
Enfin là c'était toute une église qui avait prié pour
nous et un mois plus tard on attendait toujours un
signe du Seigneur. Petit frère qui est mort, pourquoi
nous avez-vous abandonnés ?
Toto perdait pied, perdait pied, ça se voyait. On
partait à la nuit le matin, après avoir avalé un chocolat tiède, debout autour de quelques trognons de
bougies que nous avait allumés Thérèse. Il s'en
fichait plein sur le menton, il enfilait son manteau
qui n'avait plus qu'un bouton sur le devant, tout en
bas, on courait à la 203, on la poussait pour démarrer, on cavalait pour sauter dedans. Et après, tout
le voyage on se taisait. On savait plus quoi lui dire.
On lui parlait, il répondait pas. Ou très longtemps
après, un truc idiot. Il était gris, avec du violet sous

les yeux et plein de tics qui lui tiraient la peau du visage dans tous les sens. Des nuits entières elle l'empêchait de dormir, elle le griffait, elle le giflait, dès que sa tête roulait sur l'oreiller elle criait tu es un monstre ! tu es un monstre ! et alors il rouvrait les yeux et elle était au-dessus de lui, avec une bougie, à lui cracher des injures. On n'osait même plus lui dire de la remettre au Cénacle et on n'avait aucune autre idée pour se débarrasser d'elle. Alors on se taisait, oui. Arrivés au collège, il faisait encore nuit. On le laissait dans cette nuit qui n'en finissait pas et on le retrouvait, le soir à BAROCLEM, dans la nuit encore. On aurait dit qu'il n'avait pas quitté son manteau de la journée. Il était un peu plus gris, un peu plus sale, les yeux pleins de fièvre ou d'un délire d'urgence, de panique, qui lui brouillait les contours du monde. Il devait toujours aller plus vite, il dépassait n'importe où, il montait sur les trottoirs, il attendait pas aux feux rouges, comme s'il fallait gagner un peu de temps, à tout prix, pour s'en sortir. Mais c'était toujours la nuit, devant, derrière, à la maison, partout, quoi qu'il fasse.

A présent souvent, le soir, il était avec Périne quand il nous ramassait à BAROCLEM. Ils nous disaient à peine bonjour tous les deux. Je crois qu'ils essayaient de monter un coup qui devait remettre Toto à flot. Il s'agissait de voitures d'occasion qu'ils allaient réussir à vendre avant de les avoir achetées. Et ça donnait encore un peu plus de souci à Toto. Il disait mais où seront-elles ces voitures ? Ah oui, tu crois, bon, bon, mais si les types demandent à les essayer ? Tu en auras une, bon, d'accord. Eh bien, vas-y vieux, vas-y, mais je t'en supplie ne me refous pas dans le pétrin. Elle est bien gentille la petite juge mais cette fois elle me ratera pas. Il avait failli aller en prison, Toto, avec l'histoire de la fille qu'ils avaient poursuivie dans la forêt. Périne y était allé, deux mois, mais pour lui, le juge avait dit qu'à cause des huit enfants elle passerait l'éponge.

On le regardait se débattre, Toto, pour pas mourir, avec juste Périne et Thérèse pour l'aider. Plus jamais on ne lui parlait du collège ou de nos histoires. D'ailleurs, il ne nous demandait rien. Il nous trimbalait, voilà. Et c'était tout.

Un soir, je me souviens, on l'avait attendu, mais attendu comme c'était pas possible. Le vent crachait des saloperies de gouttelettes d'eau gelée qui nous déchiquetaient les oreilles. Les gens couraient pour rentrer chez eux. Nous, on s'était d'abord assis sur notre banc, devant BAROCLEM, et puis, quand on avait plus su où mettre nos mains qui étaient devenues comme des plaies, on s'était mis à dire des choses affolantes, mais pourquoi il arrive pas, mais on peut pas rester comme ça, qu'est-ce qu'on va faire, Christine ? tu te rends compte s'il vient que dans une heure ? Alors elle avait regardé dans ses poches combien elle avait d'argent et elle avait dit :

— On va entrer dans le café, on prendra juste un chocolat pour tous les quatre.

On était entrés, on avait trouvé une table libre, on s'était assis et ça allait mieux déjà. On se sentait ramollir au fond du ventre et Frédéric avait dit de se coller les mains sous les bras, à même la peau, pour mieux les réchauffer. On était comme ça, tout débraillés, écarlates, le nez plein de morve, les lèvres en carton, quand le garçon est arrivé.

— On aurait voulu juste un grand chocolat, a dit Christine.

— Pour quatre ? il a demandé.

— Oui, s'il vous plaît. J'ai juste... C'est combien un grand chocolat ?

— Ah ! non, ça c'est pas possible, je suis désolé. Vous ne pouvez pas prendre une table de quatre pour une seule consommation.

— On ne restera pas longtemps. Cinq minutes si vous voulez. Pour se réchauffer.

— Ah ! non, je ne peux pas. Une table de quatre, attendez voir...

Il était allé prévenir le patron à la caisse et aussitôt le type était venu.

— Vous n'avez pas d'argent, vous sortez, il avait dit. C'est aussi simple que ça.

— Mais on a de quoi payer un grand chocolat, avait dit Christine. Sa voix tremblait.

— Alors un chocolat, un client. Les autres sortent.

Et il avait écarté les bras, comme pour nous pousser. Alors qu'on était encore assis, la chemise déboutonnée, les cartables par terre.

Christine s'était rhabillée à toute allure. Elle avait dit :

— Vite, les garçons, on s'en va.

Et une fois dehors, elle s'était mise à pleurer, debout, sur le trottoir.

Eh bien, même ça, on lui avait pas raconté à Toto.

Quelquefois il ramenait Périne à la maison, vers 11 heures, vers minuit, et alors il venait dormir sur un matelas à côté de mon lit, Périne. Mais avant ils dînaient tous les deux. Thérèse les installait dans la cuisine qui était noire comme un fond de cheminée depuis l'incendie, et on se relevait parce que c'était un peu la fête ces nuits-là. Périne nous racontait Stalingrad ou des coups qu'il avait faits. Des histoires invraisemblables où il expédiait des pleins cars de flics dans le ravin, où les motards crevaient étouffés, le sifflet au fond du gosier, où les agents de la circulation se retrouvaient avec leur bâton planté dans le cul. Même Toto ça le faisait rire. Quand il était là, Périne, on se sentait moins vulnérables, plus forts. D'ailleurs, il disait que Toto avait eu tort d'obéir à M. Kérivel pour le fil électrique.

Que lui, le voisin, il lui aurait fait bouffer ses moustaches avant d'aller le recoucher à coups de pied au derrière. Et c'était réconfortant d'imaginer seulement que la scène aurait pu exister puisque Périne était notre ami.

Un soir, comme ça, on s'était levés précipitamment en oubliant de mettre la cale dans la porte. Et elle avait claqué, la porte. Christine et Anne-Sophie dormaient au fond. La clé aussi.

— Y a plus qu'à l'enfoncer, avait dit papa.

Il s'était jeté dessus deux fois de suite sans qu'il se passe rien.

— Laisse-moi faire, Toto, avait dit Périne.

Et du premier coup il l'avait démolie. On avait hurlé de rire. De fierté aussi. Mais depuis, la porte battait jour et nuit et de mon lit je pouvais suivre les allées et venues des voisins dans la cage d'escalier.

Et puis une nuit, oui, une nuit j'ai senti que quelqu'un entrouvrait doucement la porte. On avait pris soin de ne pas allumer sur le palier. J'étais dans mon lit, sur le dos. Il était peut-être minuit. Mon cœur s'est emballé, emballé. Sans bouger, j'ai regardé qui entrait. J'ai deviné des cheveux de femme. Et brusquement je l'ai reconnue, elle. Elle qui ne venait jamais ici. Je veux dire maman. Je l'ai vue marcher à pas de loup vers mon lit, les bras en avant, et j'ai eu peur comme je ne savais pas qu'on pouvait avoir peur. Mais après quelques pas elle a tourné sur sa gauche et c'est devant l'armoire à linge, dans ce recoin, qu'elle s'est arrêtée. Je l'ai vue l'ouvrir, en sortir un drap, l'étaler sur le plancher. Alors elle a refermé l'armoire et elle s'est allongée à plat ventre sur le drap.

Mais pourquoi ? Mais qu'est-ce qu'elle voulait ? J'étais tétanisé de trouille. Elle était couchée là, par terre, maman, par terre, à trois mètres de moi. Je pouvais percevoir sa respiration, mais moi je n'avais plus le courage de respirer, et même mes lèvres, je n'osais plus les bouger contre le drap. Je suis resté comme ça immobile, longtemps, longtemps, à la deviner à plat ventre et à guetter l'instant où mon cœur allait péter.

Enfin la cage d'escalier s'est allumée et j'ai reconnu à leurs voix Périne et Toto qui rentraient. Ils ont ouvert la porte d'en face. J'ai encore attendu. Puis brusquement ils ont bondi sur le palier, de nouveau, et l'instant d'après ils étaient contre mon lit. J'ai fermé les yeux. Papa m'a secoué.

— William, William, réveille-toi. Tu n'as pas vu maman ?

— Ah ! non, non, j'ai dit.

— Mais enfin merde, où est-elle passée ?

— Je sais pas, j'ai soufflé. Je sais pas. On n'a qu'à la chercher.

Et à toute vitesse j'ai sauté du lit, sans regarder vers l'armoire à linge, pour les suivre dans la chambre de Frédéric et Nicolas.

Mais ils l'avaient pas vue non plus, Frédéric et Nicolas, enfin eux l'avaient vraiment pas vue tandis que moi je l'avais vue bien sûr mais je pouvais pas, je pouvais pas dire : « J'ai vu maman se cacher, papa », non, ces mots-là je pouvais pas les dire. C'était, je sais pas moi, c'était indigne, quelque chose comme ça. C'était indigne d'une maman de faire ça. Alors si je les disais ces mots, eh bien, c'était un peu comme si je la tuais. J'aurais dit : « Oui, je l'ai vue se cacher là », et d'un seul coup elle serait devenue une loque, une merde. Parce qu'on n'a pas le droit de faire ça à ses enfants. De se cacher, de leur faire peur. On n'a pas le droit. Ça leur fait honte aux enfants.

On a formé des équipes, les uns avec Périne, les autres avec Toto. Je suis allé avec Périne. On a fait le grand tour du jardin avec une lampe électrique, on l'a appelée, Suzanne! maman! Suzanne! maman! j'ai fait semblant de fouiller les bosquets, de chercher sous les voitures, derrière les haies, je voulais qu'on aille aussi chercher dans le grand champ, après la cité, parce que je voulais pas qu'on rentre les premiers. Je voulais surtout pas être là quand Toto la trouverait.

Mais on est quand même revenus les premiers. Les autres, ils avaient toutes les caves à regarder. De retrouver l'appartement, la nuit de l'appartement, alors que je savais qu'elle respirait juste là, dans le recoin, ça m'a encore coupé le souffle et les jambes.

J'ai dit à Périne :

— Viens, on va voir si Thérèse a fait du chocolat.

Et on est restés avec Thérèse, dans la cuisine cramée, à boire du chocolat en les attendant.

Il avait une tête de mineur de fond quand il est remonté des caves, Toto. Les yeux très au fond des orbites, les narines pincées, un regard d'halluciné.

— Vous l'avez trouvée ? il a presque aboyé.

— Non, mon vieux. Et vous non plus à ce qui semble, a dit Périne.

— Ô sainte Providence ! il s'est exclamé Toto. Pourvu qu'elle soit pas allée faire une connerie !

— On n'a qu'à bien rechercher dans les appartements, j'ai dit. Tu crois pas, papa ?

— Si, t'as raison.

Et aussi sec il a filé chez nous.

Je l'ai suivi mais je suis resté dans l'entrée, tout près de la lumière du palier. J'ai vu qu'il contournait mon lit, qu'il soulevait les tentures sur les meubles, qu'il se mettait à quatre pattes, Ô Seigneur ! si près d'elle, j'ai encore cru que mon cœur allait péter et soudain, soudain, oui, il l'a vue.

— Suzanne ! il a crié comme un sanglot.

J'ai eu qu'à pousser la porte des cabinets. Je me suis effondré derrière et j'ai grelotté là tout le temps qu'il lui a parlé, qu'il l'a portée, qu'il l'a traînée jusqu'à leur chambre. Et même j'ai attendu d'entendre Périne installer son matelas à côté de mon lit pour sortir.

Alors j'ai enjambé son grand corps et je me suis fourré au lit. La porte du palier continuait à battre mais maintenant je m'en foutais.

# 7

Je me suis réveillé tout était blanc autour de moi. Incroyablement lumineux. La pièce était immense et le soleil y entrait par une baie vitrée qui occupait tout un pan de mur. Dans le coin, là-bas, Frédéric et Nicolas dormaient encore. J'ai cherché des choses qui me rappelleraient autrefois mais je n'ai rien trouvé. La pièce était vide. On n'avait rien accroché non plus aux murs. Alors j'ai regardé mon lit et lui je l'ai reconnu: c'était mon lit du Bois-Brûlé. Il m'a paru sale tout d'un coup, mais vraiment dégueulasse, comme un truc qu'on aurait repêché dans une décharge. Tiens, et là, derrière mon oreiller, c'était encore plein de coulures de bougies sur le tube en fer. C'est vrai qu'on avait vécu à la bougie là-bas. Tout l'hiver je crois. Oui, et la cuisine avait brûlé...

Toto m'avait ramené de chez mon parrain au milieu de la nuit. Je m'étais couché à tâtons. Je les avais quittés au Bois-Brûlé et maintenant je les retrouvais dans ce machin immaculé. Ça faisait combien de temps que j'étais parti ? Des mois. C'était encore l'hiver. Il y avait eu ce type qui m'avait ramené du collège, un matin. Toto n'avait pas dû payer. Les abbés nous remettaient dehors, Frédéric et moi, à vingt-quatre heures d'intervalle. Moi d'abord. C'était un surveillant, le jeune qui m'avait raccompagné. Laissez-moi à l'entrée de la cité, je lui avais dit. Il avait pas voulu. Alors, arrivé dans l'escalier, j'avais refusé d'avancer. Il faut pas que maman nous voie, je l'avais prévenu, sinon elle est capable de le tuer ce soir. Il avait rien voulu entendre. Il était monté sonner. Et comme bien sûr ça ne marchait pas, il avait fini par taper du poing sur la porte. Maman était venue. Alors il avait compris en la voyant. Mais c'était trop tard. Il avait dû débiter son histoire et avant la fin elle était partie en courant sangloter sur son lit. T'es content maintenant ? Pauvre con ! j'avais dit. J'aurais voulu lui déchirer la gueule à ce salaud.

Après ça, il y avait eu un huissier qui était venu faire l'inventaire de tout ce qu'on avait. Il avait rampé dans mon garde-meuble, soulevé les tissus, vidé les caisses. Quand il avait sorti les boîtes du train électrique j'avais dit non, ça, vous y touchez pas, vous y touchez pas à ça, et j'avais couru chercher Frédéric. Le train électrique il est à nous, avait dit Frédéric, il n'est pas à nos parents. L'huissier avait dit bon, ça va, j'ai entendu. Et quelques jours plus tard j'avais plus eu la force de marcher. Une fatigue monumentale brusquement. D'aller pisser ça me prenait un quart d'heure et finalement j'en vomissais d'épuisement. Toto m'a conduit à l'hôpital. J'y suis resté.

Les jours passaient, passaient. Personne ne venait me voir. J'étais même le seul à boire ma tisane sans sucre parce que en ce temps-là on demandait aux familles de fournir le sucre pour leur malade. Mais ce qui me tordait les tripes c'était pas l'absence de sucre, non, c'était d'imaginer que les autres ils devaient être en train de monter des coups désespérés avec Toto et Périne et que moi, je ratais tout. Après, j'allais être obligé de les écouter raconter. Ils crâneraient. Ils seraient complices tous les deux. Ils diraient : alors Périne a sauté dans sa Bugatti, ou : Périne a pris le mec, t'aurais vu, William... Et je me sentirais petit, trop propre. Et ce serait irrattrapable. C'est ça qui me donnait des suées dans le dos. Je passais les semaines allongé sur mon drap, dans les chemises de nuit de l'hôpital, à bouder les infirmières parce que aucune ne pouvait comprendre que c'était la guerre là-bas, chez nous, que moi je crevais d'avoir fui, de les avoir abandonnés au moment justement où toutes les digues cédaient, où Toto se battait le dos au mur.

A force de silence j'ai fini par croire, comme ça, par instants, que je les reverrais plus. Ça me réveillait la nuit cette peur. Alors soudain j'ai repensé à Colatte. L'infirmière a su trouver son téléphone et elle est venue l'après-midi même. Avec des nougats et une grenouille mécanique. Ça faisait presque un an qu'on s'était pas vus, c'était plus du tout de mon âge sa grenouille.

Ensuite, mon parrain, un commandant de la marine, m'a pris chez lui, et là, pour la première fois, j'ai revu Toto. On aurait dit presque un clochard tellement ses habits étaient usés et sales. Ou peut-être j'avais perdu l'habitude. Il avait maigri aussi. Tiens, bonjour, mon petit vieux, comment vas-tu ? il a dit entre deux portes, comme si de me croiser là, soudain, ça lui rappelait qu'on s'était bien connus, autrefois. Parce que c'était mon parrain qu'il venait voir, pas moi. Il avait besoin d'argent. C'était urgent. On allait les mettre à la porte d'un des deux appartements, et alors comment ils vivraient tous, dans un seul ? Remmène-moi, je lui avais demandé. Non, mon vieux, laisse-moi encore un mois ou deux et on sera sortis du pétrin. Il venait de se lancer dans les assurances, il rentrait beaucoup d'argent et bientôt des gens se cotiseraient pour qu'on meure pas. Des catholiques du Cénacle. Merci, Seigneur, fallait pas.


C'était l'été à présent. Le bel été. Toto avait expédié à La Baule, maman, Christine et les petits. Et avec Frédéric et Nicolas il avait entrepris de déménager. Mais seulement le matin, parce que l'après-midi et le soir il filait en grande banlieue assurer les pieds-noirs. A tous les trois, ils faisaient deux voyages par matinée à peu près, empilant les caisses sur le toit de la 203. Et l'après-midi Frédéric et Nicolas retournaient au Bois-Brûlé préparer les chargements du lendemain.

Quand ils se sont réveillés je les ai trouvés changés. Ils avaient les cheveux longs et sales, les joues creuses, les yeux fatigués. On a commencé à parler et tout de suite ils ont dit : « T'as raté la fin, William, quand ils sont venus nous foutre dehors... » Ils avaient recommencé les salauds. Comme à Neuilly. Un matin, des déménageurs étaient venus, avec le commissaire de police et un huissier. Ils avaient attrapé les meubles Louis XVI, nos lits, les caisses et ouste ! ils avaient rempilé tout ça dans la salle à manger de l'appartement des parents. Ils s'étaient retrouvés à neuf, les Guidon de Repeygnac, plus Thérèse et les meubles, dans un trois-pièces. Ils avaient dormi assis, dans la baignoire, dans la cuisine. « Remarque, si y avait pas eu Grangemarre on se serait bien marrés. Mais tu peux pas savoir ce qu'elle nous a fait chier. » Non, je pouvais juste deviner. Et tiens, ils l'appelaient Grangemarre, à présent, maman. J'ai senti que je regretterai toujours d'avoir manqué ça.

Ils dormaient tout habillés dans un duvet, maintenant, comme des soldats en état d'alerte, tandis qu'à moi ils m'avaient fait un vrai lit, avec des draps et des couvertures. J'étais devenu un petit pour eux. D'ailleurs Nicolas a dit :

— Je crois que demain tu pars à La Baule, William.

— Mais je peux très bien vous aider.

— Non, t'es trop fatigué et de toute façon Toto a dit qu'on était assez de trois.

Après ça, ils m'ont fait visiter. C'étaient encore deux appartements sur le même palier, mais deux appartements l'un contre l'autre, pas face à face comme au Bois-Brûlé, si bien qu'on allait pouvoir percer des tas de portes. C'était grand décidément, avec des couloirs qui n'en finissaient plus, des fenêtres partout et des murs tellement blancs qu'on avait envie de s'abriter les yeux, comme à la plage. En fait, on avait dormi dans le salon d'un des appartements. Dans l'autre salon ils avaient remisé en vrac une vingtaine de caisses. Les premières du déménagement.

C'est là que Toto nous a rejoints. Tout nu. Avec juste son slip remonté jusqu'au nombril. Il était tombé du lit et il nous cherchait. En se frottant le ventre comme un type de bonne humeur.

— Salut, papa, ils ont dit. T'as bien dormi ?

— Mon vieux, j'en ai écrasé un sacré coup. Vous avez bouffé déjà ?

Non, on n'avait pas bouffé. On est allés dans la cuisine tremper du pain de mie dans du chocolat. Il y avait peut-être une demi-tonne de pain de mie stockée dans un coin. Que des pains périmés. Un cadeau d'un ancien client de Toto. Quand on s'est senti le ventre bien plein, on est allés se chauffer les pieds sur les ardoises du balcon.

— Mais où on est ici ? j'ai demandé. C'est le XVI$^e$ arrondissement ?

Ils ont rigolé comme des idiots.

— Ouais, c'est la rue des Belles-Feuilles, ici, a fini

par dire Frédéric. Tu vois, tu sors et là, juste à droite derrière les arbres, t'as le Trocadéro.

En réalité c'était toujours la banlieue. Mais une banlieue plutôt chic, avec une petite forêt en lisière des immeubles.

— Et maman a bien voulu venir ? j'ai encore demandé.

— Ça, mon petit bonhomme, on lui a pas demandé son avis, a dit Toto sur le ton du gars qui va de l'avant. De toute façon, c'était ça ou crever la bouche ouverte...

Cette fois-ci, Toto n'avait pas attendu non plus Bouchet-Borin. Il avait trouvé tout seul ce grand machin. Il s'était pointé à l'agence immobilière avec un costume propre, ses deux premières fiches de paie comme assureur, et la dame n'avait rien vu venir. Ni les huissiers qui allaient bientôt se partager ses revenus, ni les huit enfants, ni les travaux pour réunir les deux appartements. C'était un joli coup. D'ailleurs, ça lui avait redonné confiance en lui, il avait moins de tics, et quand j'ai demandé qu'est-ce qu'on va faire si ça lui plaît pas à maman ? il a dit :

— Mon vieux, que ça lui plaise ou non, c'est comme ça et c'est pas autrement !

Bon, il restait peut-être deux ou trois semaines avant le retour de Grangemarre et des petits. Aujourd'hui c'était dimanche, on allait en mettre un coup. Toto est allé enfiler des vêtements de vagabond et on a pris l'ascenseur pour rejoindre la 203. En arrivant au Bois-Brûlé, on a trouvé Kérivel en train de savonner sa Dauphine. Et là, sur le trottoir, mais oui c'était bien Mme Kérivel, charriant de nouveau les seaux d'eau.

— Vous ne pouvez pas savoir le plaisir que ça me fait de vous voir tout à fait rétablie, a dit Toto en lui enfermant sa main dans la sienne et en la lui secouant à la façon d'une salade.

Comme ils nous détestaient tous les deux, les Kérivel, elle n'a pas su que répondre. Elle est restée là à grimacer un sourire stupide pendant que son mari bougonnait bonjour, sans s'interrompre.

— Pourquoi tu leur parles encore, à ces abrutis ? on a demandé à Toto une fois là-haut.

— Mon vieux, il a répondu, je crois que dans la vie on n'a jamais intérêt à se mettre les gens à dos. On se fait déjà suffisamment d'ennemis sans le vouloir, fais-moi confiance...

Eh bien, c'était finement joué son histoire, parce que le soir, pour ficeler les dernières caisses de la journée, M. Kérivel n'a pas pu nous refuser une baladeuse. Il en croyait pas ses yeux quand il nous a ouvert. Qu'on ose sonner chez lui, je veux dire. Il nous l'a quasiment jeté à la figure le fil électrique, mais la porte avait déjà claqué que Toto poursuivait son compliment : « C'est extrêmement aimable à vous, monsieur Kérivel, vous nous rendez là un service dont vous ne mesurez pas toute la portée, j'en suis bien certain et patati et patata... »


Ils ont bien voulu me garder avec eux. Je me suis mis aussitôt à dormir tout habillé et à plus me laver. Parfois, on passait tout l'après-midi au Bois-Brûlé à faire des caisses, et alors Toto nous ramassait vers minuit, parfois on restait aux Alouettes, la nouvelle cité, à déballer d'autres caisses. Mais aux Alouettes aussi, on attendait toujours le retour de Toto pour pas le laisser dîner seul. On passait la moitié de la nuit à parler. De ce qu'on allait faire l'année prochaine, de l'avenir, de choses qu'on découvrait brusquement.

— Mais dis donc, papa, pourquoi tu nous as mis

à l'école chez les curés ? on lui avait demandé un soir. Ça t'aurait rien coûté l'école publique.

— Ça, mon petit vieux, il avait dit, ta mère y tenait. Et de toi à moi je crois que vous avez reçu malgré tout chez ces braves abbés des principes, une morale, que l'école publique ne vous aurait pas donnés.

On ne savait pas encore trop quoi en penser des curés. On commençait seulement à soupçonner qu'ils étaient peut-être à l'origine de tous nos malheurs, mais comme on croyait en Dieu, comme on allait à la messe du dimanche, on n'osait pas encore formuler d'avis tranchés.

— Et pourquoi vous avez eu tous ces enfants ? on lui avait demandé une autre fois. Avec seulement deux ou trois vous vous en seriez sortis peut-être ?

— Vous êtes tout de même marrants, il avait commencé en se bourrant la bouche de pain, comme pour se donner un petit répit — miam-miam, j'ai épousé votre mère à l'église en jurant de respecter un certain nombre de principes auxquels je crois — principes que j'ai d'ailleurs cherché bien modestement à vous transmettre, et patati et patata... Bien... Où en étais-je ? Oui, je vous ai expliqué déjà que si le Seigneur a fait don à l'homme du désir de la femme, c'est pour qu'il se perpétue, qu'il se reproduise. Pour l'Église, l'acte de chair ne peut avoir que cette finalité : la procréation. C'est ce qui nous distingue des animaux. Bien. A partir de là, mon petit vieux, chacun se débrouille comme il peut. Et nous ne sommes pas de bois, ta mère et moi. Tu t'en doutes bien. Alors je ne vous dis pas qu'on a sauté de joie chaque fois qu'elle s'est retrouvée enceinte. Non, mais le Seigneur nous faisait don d'une vie et nous avions, maman et moi, le devoir de la recevoir. Tu ne tueras point ! C'est écrit noir sur blanc dans la Bible. Voilà. Bilan de l'opération, on vous a tous accueillis miam-miam, du mieux qu'on a pu. Avec les moyens du bord. Je ne vois pas ce que je pourrais vous dire de plus.

On avait dit oui oui. On avait bien vu qu'il y croyait qu'à moitié à son histoire de don du Seigneur, de principes, mais on n'avait pas eu envie de l'emmerder, vieux Toto. Il s'était remis à manger tranquillement, en regardant son assiette au fond des yeux, un peu tristement. On était passés à autre chose.

— Et toi, t'avais aimé d'autres femmes avant de connaître maman ?

— Non, mon bonhomme, ta mère est l'unique femme que j'aie jamais aimée.

— Et vous avez attendu d'être mariés pour coucher ensemble ?

— Je vais te dire : les types qui couchent avant le mariage perdent le respect de la femme. Résultat : ils sont malheureux comme des pierres les pauvres bougres. J'en ai connu, fais-moi confiance. Qu'est-ce que tu veux respecter une sauterelle qui écarte les cuisses à peine tu lui passes la main dans le dos ?

Plus tard j'ai su qu'il disait vrai : lui n'avait pas connu d'autre femme avant de se marier. Mais elle, elle avait été fiancée. Après cette histoire, l'idée de son mariage avec Toto avait beaucoup fait rire à Poitiers. « Vous ne savez pas ? Suzanne épouse Toto-facteur », on avait dit à l'époque. C'est comme ça qu'on l'appelait petit Toto, depuis l'école, parce que en fait de cartable son père lui avait passé sa musette de télégraphiste des années 14-18. Il sortait de sa soupente quand il avait connu maman, de son tub d'eau tiède et des poireaux bouillis de sa maman. Son père était mort, les laissant presque dans la misère, lui et Colatte. On rit encore à Poitiers de ses pinces à vélo, de sa coupe en brosse, de son costume, quand il venait sonner, le dimanche après-midi, à la grille de l'hôtel particulier des Grangemarre, tanneurs et importateurs de peaux d'Amérique depuis six générations. En ce temps-là il finissait péniblement une licence en droit en rédigeant des actes chez un notaire.

Maman aurait pu avoir n'importe quel gommeux de la bourgeoisie locale et voilà que c'était lui, le dégénéré, qui se l'embarquait. Là-bas, les gens racontent qu'elle lui aurait dit oui pour punir ce fiancé qui n'avait pas voulu d'elle. Moi, je crois qu'elle l'aimait un peu, Toto, parce qu'il était beau malgré tout. Je crois aussi qu'elle était heureuse de devenir en un jour baronne de Repeygnac. Ça avait une autre allure que Grangemarre de rien du tout. Mais elle n'avait aucune idée de ce que c'était d'être pauvre, c'est pourquoi longtemps Toto a fait semblant d'être riche.

De la cuisine, on filait dans la chambre où il avait fourré son lit. Tous les soirs Toto se remontait les piles de magazines que les autres locataires déposaient bien proprement dans le local des poubelles. Le sol de sa chambre en était couvert. On s'en prenait quelques-uns et on s'installait sur son grand lit pour les feuilleter. Toto aimait bien lire, le soir, et ça faisait deux ans que maman l'en empêchait. On s'arrachait les *Paris-Match* à cause des types de l'OAS qui tentaient désespérément d'assassiner de Gaulle.

— Ils ont un cran, ces gars-là, mon vieux. Chapeau ! disait chaque fois Toto.

Un soir, on était tombés sur un magazine américain plein de femmes nues. Il y en avait une justement, assise sur un tabouret très haut, qui écartait bien les cuisses. Et alors pour la première fois j'avais compris comment c'était fichu exactement, sous les poils d'une sauterelle. Toto avait dit :

— Je ne sais pas si c'est tout à fait pour votre âge ce genre de littérature...

Mais finalement on l'avait feuilleté ensemble après-tout-merde-c'est-la-nature. « Sacré châssis ! » il s'était exclamé quand on avait découvert la photo centrale où une grande fille brune somnolait nue sur une plage de sable blanc. « Sacré châssis ! »

A présent c'était décidé : Frédéric ferait encore une année d'études dans une espèce d'école de commerce, puis il s'associerait avec Toto. Nicolas voulait devenir peintre, ou sculpteur, mais en attendant il voulait bien continuer à apprendre à conduire des pelles mécaniques et des rouleaux compresseurs. Ça le dérangeait pas. Pour moi, Toto avait eu cette idée de m'inscrire dans un cours par correspondance pour m'éviter de tripler. En somme j'irai plus à l'école. J'aurai juste à expédier mes devoirs par la poste.

La veille du retour de Grangemarre et des petits on a casé les lits dans les chambres, on a déballé le linge, on a empilé la vaisselle par terre dans la cuisine et on a balancé tous les magazines. Toto avait pris le week-end pour nous les ramener. La nuit tombait quand on a entendu la 203.

Lui, on l'a à peine reconnu. Il avait naturellement retrouvé la silhouette du rongeur aux abois, le museau au ras du sol, l'œil paniqué.

— Mais bon sang ! Qu'est-ce que vous attendez pour aller décharger la voiture ? il nous a lancé à hauteur du salon, ployant sous la charge d'un ballot de linge qu'il courait déposer je ne sais où, au fond de l'appartement.

Dans la 203 c'était l'apocalypse. Tous les petits sanglotaient. Maman, couverte de vomi, tentait en jurant d'arracher Céline à son hamac, et Christine, prisonnière à l'arrière d'une portière qui coinçait, s'exaspérait au point d'en pleurer, elle aussi. On les a délivrés tous et on leur a montré le chemin. Aucun ne connaissait la nouvelle maison, même pas maman. Je ne sais pas ce que Toto lui avait raconté, mais tout de suite elle a sifflé :

— Oui, enfin, c'est une HLM, ni plus ni moins !

Et elle est partie s'enfermer dans la salle de bains.

C'est vrai que ce n'était plus qu'une HLM, ce soir-là, le bel appartement tout blanc. Ces ampoules nues au plafond qui ne nous avaient pas choqués, elles faisaient carrément sordides brusquement avec les petits qui geignaient dessous, les bagages en travers et elle qui trébuchait partout, qui se cognait aux valises, aux portes, à la recherche du biberon de Cécile, du pyjama de Guillaume, d'on ne savait quoi encore mais il fallait faire vite pour tout déballer, pour pas qu'elle s'énerve encore plus surtout. Et Toto s'activait, s'activait : « Tiens, mon Minou, là, le pyjama — oui, mon Minou, tout de suite, laisse-moi deux minutes — les draps ? on s'en occupe, te fais pas de bile. » Bientôt il y en a eu partout et on n'a plus pu faire deux mètres sans enjamber une pile d'assiettes, une colonne de serviettes-éponges, une pyramide de chaussures, la caisse à pharmacie, le panier à légumes, etc.

Vers 3 heures du matin on les a abandonnés dans ce chaos pour aller se réfugier de l'autre côté des cloisons. Ici, dans l'amoncellement silencieux des caisses du Bois-Brûlé, on pouvait encore nourrir l'illusion d'être à l'abri. Mais dès le lendemain matin ils ont débarqué tous les deux. Elle aussi peu manœuvrable qu'un menhir, et lui tressautant, surexcité, tout de tics et de courbettes. D'abord on n'a pas compris qu'il jouait son va-tout et on l'a laissé se débrouiller seul.

— Regarde, mon petit, écoute-moi, je t'en supplie, il répétait, lui virevoltant autour. Nous allons faire abattre ce mur que tu vois là, oui celui-là, et alors tu auras un salon de près de vingt mètres de long. Là, je te parle, mon Minou, ici, oui, pardonne-moi, ici nous allons supprimer la cuisine de façon à te créer un vestibule qui sera au moins aussi spacieux que celui de Neuilly. Tu auras ton entrée de service et ton entrée réception, ma chérie. Oui, les deux. Crois-moi, je t'en conjure, tu n'aurais pas eu l'équivalent rue des Belles-Feuilles...

— Enfin, Toto, tu te fous de moi ! elle avait aboyé brusquement. Ces immeubles sont infects, infects ! Il n'est pas question de rester ici plus de trois mois.

— Donne-m'en six, ma Suzanne, il avait supplié avec son sourire de débile léger. Je t'assure qu'on peut te faire ici un salon qui aura une autre allure que celui de Neuilly.

— Mais Toto, c'est une rigolade enfin ! Qui veux-tu inviter dans ce trou ?

— Mon petit, je me tue à te répéter que c'est une banlieue en pleine expansion. Les types me l'ont dit à l'agence : dans dix ans on se battra dans le XVIᵉ arrondissement pour venir vivre ici. Enfin c'est l'évidence, tu as vu cette verdure ? Cette tranquillité ?

— C'est ce que je te dis : un trou ! Alors allons vivre à la campagne si c'est ce que tu cherches. Comme ça nous n'aurons plus aucune vie mondaine, nous nous couperons de tous nos amis et le problème sera réglé...

— Mais qui te dit de vivre à la campagne ? La tour Eiffel est exactement à onze kilomètres.

— A quoi bon discuter ? Tu es buté ! Buté ! Buté ! Le jour où ta fille te ramènera un blouson noir ou un garçon boucher pour gendre, tu seras content. Bon sang ! Écoute-moi bien, Toto : j'ai le droit comme toutes les autres femmes de vivre dans mon milieu. Alors je te le dis pour la dernière fois : je ne resterai pas plus de trois mois dans ce taudis ! Tu as bien compris ?

Là, on a vu que Toto perdait pied. Il s'était laissé aller le dos au mur, les jambes molles. Il était livide, il se mordait le gras du pouce. Il n'avait plus une idée pour la convaincre. Dans moins d'une minute elle allait claquer la porte et alors ça recommencerait : la rue des Belles-Feuilles ou son équivalent, Bouchet-Borin ou son jumeau, les mon Minou j't'assure, les enfin Toto tu m'avais promis, les nuits sanglotées, les gifles, le sang, les injures. Merde, elle le crèverait à la fin. Elle nous le tuerait, vieux Toto.

— Pourquoi tu dis ça, maman ? a commencé Frédéric. T'es arrivée juste hier soir, tu sais même pas qui habite ici. Il y a des gens exactement de notre milieu. Il y a un général dans l'immeuble en face. Un magistrat au quatrième étage. Des de... je sais pas quoi là-bas. Et ils sont très bien ces immeubles. Tu devrais aller marcher dehors avec papa...

— Mais... mais je me fous de ces immeubles ! elle avait bégayé, suffoquée qu'on ose s'en mêler. Je vous dis que tant qu'à faire de vivre dans un trou, autant s'installer à la campagne.

— Non, t'as aussi dit que c'était un taudis...

— Oh ! et puis merde, tiens ! J'ai autre chose à faire...

Elle avait claqué la porte d'entrée à toute volée.

216

Une demi-seconde plus tard on avait clairement perçu un bruit de vaisselle cassée — elle avait dû percuter la pile d'assiettes dans son empressement — et presque aussitôt Cécile s'était mise à hurler. Frédéric avait fait mine de se protéger la tête contre un bombardement ennemi mais Toto n'avait pas eu la force d'en rire.

— Il faut que vous m'aidiez à la convaincre, les garçons, il avait soufflé. A tous les quatre on peut peut-être y arriver.

Et il avait filé la rejoindre.


Les premiers week-ends on les a consacrés à faire des placards. C'était le plus urgent si on voulait cesser de jouer à saute-mouton dans l'appartement des parents. Toto avait acheté tout le matériel du bricoleur : la chignole, les scies, la caisse à outils. On a passé les samedis, les dimanches, à quatre pattes, à plat ventre, ou perchés sur un escabeau à suer et à cracher nos poumons dans un brouillard de sciure de bois. L'objectif, c'était de doubler la cloison du couloir d'une penderie de vingt mètres de long. Pour dix, c'était pas exagéré. Toto avait dit que quand elle verrait cette affaire-là bouclée, elle changerait peut-être d'avis. Et puis on n'allait pas rester les deux pieds dans le même soulier, à attendre le déluge. Vous n'êtes pas de mon avis, les garçons ? Si, papa, t'as raison, faut bien ranger tout ça. Alors on a travaillé dans la frénésie, sciant, vissant, perçant, à une allure de dératé, comme si la survie de la planète dépendait de la mise en service de ces saloperies de placards.

Au bout de quelques week-ends à cabrioler dans la sciure avec Toto, on avait pris toutes ses manies. Il disait : « Oh et puis merde, le mieux... » « ... est l'ennemi du bien », on poursuivait avant qu'il ait eu le temps de finir. Et quand il disait : « Mais regarde-moi ça si c'est pas au petit poil... », on ajoutait : « Ça rentre comme papa dans maman cette histoire-là. » « Vous avez fini de vous payer ma tête, bande de loustics », il rigolait vaguement en pensant déjà à autre chose.

C'est elle qui le minait. Vingt-cinq fois par jour elle nous enjambait, en prenant un air excédé ou en bougonnant des mots sans suite « crevée... taudis... péquenots... ». Et vingt-cinq fois par jour il la suppliait, du fond du placard, à genoux dans les copeaux : « Regarde, mon petit, ça prend forme. Mais enfin arrête-toi une minute ! On se met en quatre pour te faire plaisir et... » Et vlan ! vlan ! On se prenait deux portes dans la figure et Toto murmurait : « J't'assure, elle est pas marrante tous les jours... »

C'est à ce moment-là qu'on s'est perdus. On s'est pas sentis glisser, on n'a pas perçu le péril. On aurait dû lui dire : « Papa, jusqu'à quand tu vas te laisser cracher sur la gueule ? Dis, jusqu'à quand ? » On aurait dû lui dire : « On n'est pas tes esclaves, maman. Tu nous as pas foutus sur terre pour qu'on te réinvente toute notre jeunesse la rue des Belles-Feuilles. Ton salon Louis XVI, toutes tes conneries, on n'en a rien à cirer. On a treize ans tu vois, on a quinze ans, et on veut plus que tu nous bouffes le soleil. Plus jamais. Tu comprends ça ? » On aurait dû leur dire : « Votre tombereau de merde, vous allez vous le garder. Nous, on n'est que des enfants. On n'a pas fait de péchés encore. Presque pas. Sans vous, on peut peut-être s'en tirer. Mais avec vous on est des gueux dans une société qui nous vomit. Avec vous, on était morts avant d'être nés. » Petit frère, vous le saviez bien vous, qu'on n'avait aucune chance.

On aurait dû. Mais au lieu de ça on s'est couchés.

Parce que rien que pour lui dire : « On n'est pas tes esclaves, maman », il aurait fallu la regarder dans les yeux et que ses yeux, ça faisait au moins deux ans qu'on les fuyait. Là-bas, au Bois-Brûlé, on pouvait continuer à grandir bien qu'elle existe, parce qu'on restait chacun chez soi. C'était seulement par accident qu'on la croisait. On était devenus des étrangers de part et d'autre du palier. Mais à présent qu'on se retrouvait tous à construire une maison, pour nous, pour elle, on redevenait une famille et chacun devait dire très vite la place qu'il voulait y tenir. Elle a parlé la première. Il aurait fallu se lever alors. Il aurait fallu soutenir son regard. Mais Toto s'est couché et tout de suite on l'a imité.

C'est à ce moment-là qu'on s'est perdus. A cabrioler dans la sciure avec Toto, on a pris aussi cette manie qu'il avait de la regarder en dessous comme un chien apeuré. On a dû devenir, sans y prendre garde, des chiots apeurés. Et elle, elle a pu croire que l'univers grotesque dont elle rêvait était la panacée sur terre puisque jamais personne ne la contredisait.

Quand les placards ont été finis, on s'est attaqués à l'électricité. On avait cru comprendre qu'elle n'en pouvait plus de ces ampoules au plafond. Alors on s'était agenouillés pour tirer des fils le long des plinthes et lui installer vite vite quatre bonnes prises par chambre. Viens voir, mon Minou, ça te convient comme ça ? Vlan ! vlan ! Ah j't'assure... Et soudain un dimanche soir, alors qu'on était occupés à mâchouiller nos épinards en évitant soigneusement de croiser son regard, elle nous a lâché cette phrase incroyable :

— Enfin, Toto, qu'est-ce que tu attends pour faire abattre les cloisons ?

Oui, oui, elle l'a dit comme ça. Ô divine Providence ! Ô Sainte Mère ! Nous étions récompensés de toutes nos peines : elle consentait à vivre ici.

— J'ai demandé les autorisations, mon petit, s'est empressé Toto. C'est l'affaire de quelques jours. Tu vas voir, tu ne vas plus le reconnaître, ton appartement...

C'est vrai qu'il avait demandé, mais tout de suite on lui avait dit non. Qu'il n'en serait même jamais question.

— Ils sont marrants, ces gars-là, il a dit Toto le samedi suivant quand on est partis acheter les piolets, c'est pas eux qui se la tapent la soupe à la grimace, nuit et jour.

On avait conscience que ce samedi-là resterait mémorable dans l'histoire des Guidon. Quand on est revenus à la maison on a déposé sur le plancher, au pied de la cloison, les quatre piolets, et on a commencé à tourner dans l'appartement. On aurait voulu qu'elle vienne voir, qu'elle nous regarde accomplir ce miracle. Mais on n'a pas osé lui demander. Elle était dans sa cuisine, à éplucher des patates, avec la turbine du Mystère IV qui vrombissait à tout rompre au-dessus de la cuisinière. On a fait semblant d'être venus pour se beurrer des tartines et on s'est rabattus sur les petits.

— Venez voir, on leur a dit, on va défoncer le mur et après on pourra passer de l'autre côté sans faire le tour par le palier.

— C'est vrai ? ils ont demandé. Mais comment vous allez faire ?

Ça les intéressait beaucoup, eux. Tous les trois, Anne-Sophie, Guillaume et Marie-Lise, on les a installés confortablement sur des chaises, un peu un retrait.

Pendant ce temps-là Toto tapotait la cloison avec un marteau d'horloger, pour s'assurer qu'elle sonnait bien creux. Le seul risque, il avait dit, c'est de tomber sur un conduit de cheminée. A la fin, il a tracé comme une large porte, au crayon rouge sur le mur blanc.

— Allez, on y va ! il a dit.

On a commencé à enfoncer nos piolets dans le plâtre. Au début ça n'a fait que des saignées puis peu à peu le mur s'est fissuré, des plaques sont venues s'écraser à nos pieds, de plus en plus grosses. On cognait, on cognait, les petits hurlaient, applaudissaient. C'était fabuleusement excitant. On attendait le coup de piolet magique qui ouvrirait la première brèche entre les deux salons. Et celui-là j'aurais bien voulu le donner.

— Enfin vous êtes devenus fous ! on l'a entendue hurler.

— Oh ! merde ! a dit Toto dans un silence d'après bombardement, encore tout peuplé d'échos fantômes. Mon pauvre Minou, j'ai pas réalisé que ça serait à ce point-là, pardonne-moi...

Une bruine neigeuse flottait dans la pièce. Elle avait tout nappé de blanc déjà. Et là-bas, trois minuscules vieillards nous observaient, les yeux encore brillants d'avoir beaucoup ri.

— Te fais pas de bile, mon petit, on va tout te nettoyer. Frédéric, file chercher l'aspirateur tu veux ?

C'est trop bête, j'ai pensé. Et je me suis entendu dire :

— T'en fais pas maman, c'est juste du plâtre.

Pourquoi j'ai dit ça ? Pourquoi j'ai pas dit plutôt : « Écoute, maman, on se casse le cul pour percer ce mur et en plus tu viens nous engueuler. Mais où tu te crois à la fin ? » On joue sa vie comme ça, sur presque rien. Sur une phrase qu'on aurait dû dire et qu'on n'a pas eu le courage de prononcer. Je l'aurais dite cette phrase, elle m'aurait giflé. Je l'aurais giflée à mon tour. Ce sont des gestes qui ne s'effacent plus. Elle se serait mise à sangloter, je lui aurais dit toute l'épouvante qu'elle m'avait inspirée, autrefois, avec ses sanglots, mais tout le mépris qu'elle m'inspirait à présent. A présent que je n'avais plus peur. Ce sont des mots qui ne s'oublient pas. Toto se serait interposé ; je serais parti vivre ailleurs. J'avais treize ans. C'en aurait été fini ce jour-là et je n'aurais pas traîné ma vie durant cette envie de l'anéantir.

Enfin, le soir, il était percé le mur. On a cloué quelques planches au sol pour enjamber les fils électriques, et quand Toto, encore agenouillé, a demandé : « Il n'y en a pas un d'entre vous qui veut aller chercher maman ? », j'ai bondi pour être le premier à lui porter la nouvelle. Elle est passée trois ou quatre fois à travers le grand mur. Maintenant, on pouvait deviner quelle pièce immense ce serait, prolongée aux extrémités par un balcon. Tout ce temps elle n'a rien dit et tout ce temps j'ai guetté une trace de bonheur dans ses yeux qui ne me voyaient pas. Quand elle est venue cette étincelle, j'ai eu soudain très envie de l'embrasser, maman. Toto aussi a eu ce désir. Il s'est approché par-derrière comme le chasseur. Il a posé une main sur l'épaule et elle n'a pas bronché. Sur la hanche et elle l'a laissé faire. Alors doucement, doucement, il s'est plaqué contre son dos, contre ses fesses. Il a calé son menton au creux de son cou et il fallait voir cet air béat qu'il avait à la consommer déjà de tout son corps. On n'est pas de bois, vieux Toto ! Elle ne l'était pas non plus, elle. Encore un instant elle a joué l'indifférente, le regard fixe accroché quelque part sur la brèche du mur. Mais il ne demandait qu'à basculer son regard, ça se voyait, vers des précipices intimes qu'elle se rappelait soudain. Mon Dieu, ça faisait des semaines qu'à l'imaginer seulement la nausée lui venait : le fouler, l'écraser, l'humilier, et brusquement cette envie de lui. Pouvait-elle, aussi brusquement, le regarder avec d'autres yeux ? D'autres yeux que ceux de tous les jours ? Ça, je ne l'imagine pas. Je crois qu'elle devait demander l'obscurité pour préserver ce qui lui restait d'honneur à ce moment-là.

Allons, c'était la trêve.

Oui, mais la rue des Belles-Feuilles, le grand retour des Guidon à la vie mondaine, le bal à tout casser de Christine ? Quoi ? Et au réveil, seulement cette brèche immonde entre deux pièces lugubres, éclairées chacune d'une ampoule de cent cinquante watts qui se balançait au plafond ?

— Pas une femme ne supporterait ce que tu me fais endurer, Toto. Pas une...

— Je sais, mon Minou, je sais. On t'en aura fait voir, mon pauvre petit. Mais sois encore un peu patiente, je t'en supplie.

— Enfin, Toto, regarde dans quoi tu me demandes de vivre ! Mais regarde ! Même une bête n'en voudrait pas...

— Écoute mon petit, tu sais pas ? A partir de demain je vais rester bricoler tous les matins. Comme ça tu verras ton chantier avancer. Ça te convient ?

— ...

— Et puis tiens, William me donnera un coup de main. A tous les deux on va faire une équipe du feu de Dieu !...

— Ben oui, maman, j'ai dit, ça tombe bien, j'ai presque pas de travail dans cette nouvelle école.

— Oh ! faites ce que vous voulez, tiens, j'en ai marre, marre, marre...


Avec l'automne, elle avait beaucoup perdu de son charme, la cité des Alouettes. Les premiers vents avaient plumé tous les arbres autour, et maintenant il ne restait plus de ce cocon verdoyant qu'une dizaine d'immeubles blancs et nus, presque indécents de nudité sous ce ciel toujours gris. Le petit bois en lisière avait le teint sale, et ses chemins gorgés d'eau et de feuilles mortes empestaient la pourriture. Je passais les journées derrière la fenêtre de ma chambre à guetter le facteur, à repérer les habitudes des voisines, à sursauter au crissement de ses babouches. Elle et moi on se retrouvait seuls, avec juste Cécile qui s'essayait à marcher dans son parc à l'autre extrémité de la maison. Pourquoi je sursautais ? Jamais elle n'entrait dans ma chambre, sauf une fois par semaine, mais alors accompagnée de son aspirateur. On aurait dit qu'elle n'osait pas y venir seule, dans ma chambre. Quand on se croisait, dans les dix kilomètres de couloir, on s'aplatissait tous les deux pour ne pas avoir à se toucher, à s'excuser, à se parler. Le pire, c'était le déjeuner, presque côte à côte dans la cuisine. Alors il fallait bien trouver quelques mots pour survivre pendant ces minutes-là, quelques mots pour apprivoiser ce silence peuplé d'images sordides, de tout ce qu'elle nous avait donné à voir dans son impudeur, de tout ce qu'elle savait qu'on avait vu, entendu, mais dont on n'oserait jamais parler, bien sûr.

— Tu ne regrettes pas le collège ? elle demandait parfois.

— Non, je disais en m'acharnant sur un petit gras de viande innocent, c'est mieux cette école. Je peux m'organiser comme je veux. Je perds moins de temps.

Et c'était tout. Après ça on respirait plus calmement en mangeant. On pouvait tenir jusqu'au dessert. Mais c'étaient juste des mots. Parce que le collège, elle n'avait pas su que je l'avais manqué des mois, elle n'avait rien su des retards, de Croule-Cul, de la petite table qu'on m'avait installée dans le couloir, de BAROCLEM les soirs d'hiver. Elle n'avait rien su et rien voulu savoir de notre vie. Et même à présent, si je lui avais dit que je le regrettais le collège, si je lui avais dit que je pleurais souvent d'exaspération de ne rien comprendre à ces devoirs par correspondance, eh bien, elle aurait fait une scène à Toto le soir. Elle aurait dit : « Enfin, ce gosse n'arrive à rien. Quelle idée aussi de l'avoir inscrit dans une école par correspondance !... Mais où as-tu la tête, Toto ? » Et vieux Toto m'aurait dit : « Qu'est-ce qui t'a pris, William, de lui raconter ces sornettes ? Tu trouves qu'on n'a pas assez d'emmerdements sur le dos comme ça ? » C'étaient juste des mots, quoi.

D'ailleurs, le plus souvent, elle me demandait des choses plus simples, sans conséquence aucune :

— Un peu plus de purée, William ?

— Non merci, maman, j'ai pas très faim.

— Tu ne manges rien.

— Si, si, ça va. Mais là, j'ai pas très faim.

Et ça suffisait pour respirer jusqu'au dessert.

Alors forcément ça m'a fait plaisir d'apprendre que Toto allait rester bricoler le matin.

Comme on avait deux caves, on a commencé par s'aménager dans l'une d'elles un atelier comme les aimait Toto. Une fois, à Neuilly, je l'avais entendu dire qu'il voulait être ébéniste quand il était petit. Ça m'est revenu ce truc, au moment où il a dit :

— Viens, William, on va prendre le temps de s'installer un atelier au petit poil. Ça va nous bouffer quelques matinées mais tu verras qu'on les rattrapera par la suite.

D'abord on a mis l'électricité. Après ça on a fixé sur des planches, aux murs, tous les outils, entre deux clous, comme dans les garages. Puis on s'est boulonné au sol un sacré gros établi de deux mètres de long sur lequel on a vissé l'étau, le tour à bois, la meule et même une lampe articulée. Enfin Toto a récupéré je ne sais où deux grands tabourets qu'il a mis devant l'établi; un pour chacun.

— Qu'est-ce que tu en penses ? il m'a demandé le quatrième jour.

— Je trouve ça bien, j'ai dit. Mais peut-être qu'on pourrait boucher les trous de la porte et mettre un verrou, pour quand on voudra avoir la paix.

— Si tu veux. Mais tu sais, ici, personne ne viendra nous chercher des poux dans la tête.

Peut-être, mais la veille j'avais passé tout l'après-midi là — je m'y sentais déjà beaucoup mieux que là-haut, avec elle — et j'avais entendu des pas aller et venir. Ça m'avait foutu une trouille terrible. Bon, d'accord, on a tapissé la porte avec des vieux sacs à pommes de terre, on a vissé un verrou et on s'est même mis un portemanteau. C'était presque rien ce portemanteau et pourtant d'imaginer que je pourrais y suspendre mon pull pendant qu'on brico-lerait tous les deux sur l'établi, sous la lampe, der-rière la porte close, ça m'a carrément foutu un frisson.

En fait, très vite on a pris l'habitude de se changer dans l'atelier parce que maman ne supportait pas nos salopettes dans l'appartement. Alors on a eu chacun son portemanteau. Et puis un soir Toto a ramené un rouleau de moquette qu'il avait ramassé dans une cité de pieds-noirs. C'était l'élément de confort qui manquait, cette moquette. D'un seul coup, l'atelier a pris le même aspect que celui de Gaston Lagaffe. On avait envie d'y être, voilà, et aussi le sentiment qu'ici, avec tous ces outils, ces fils électriques, les vieilles pièces de la 203, on avait les moyens, comme Gaston, de transformer un presse-purée en ventilateur ou vice versa.

On s'y retrouvait le matin, vers huit heures et demie, après le départ de tous les autres pour l'école.

— Comment ça va, mon petit vieux ? il demandait Toto.

— Ça va. Et toi, t'as bien dormi ?

— Ah ! tu sais que j'ai assuré hier soir un type passionnant, William. Un pilote de chasse. Je lui ai parlé de toi, il est prêt à te recevoir quand tu voudras.

— Il pilote des Mystère IV ?

— Tout ce que tu veux, mon vieux, des Mystère IV, des Spitfire...

— Mais non, papa, les Spitfire ça vole plus depuis longtemps.

— Ah ! tu crois ! Enfin va le voir. Je crois qu'il pourrait te mettre le pied à l'étrier.

Toto et moi, on s'était déjà croisés là-haut, bien sûr, mais juste bonjour. Des conversations comme ça, c'était impossible d'en avoir à l'appartement. Là-haut, maman vivait « un drame épouvantable qu'aucune femme n'aurait enduré ». Alors elle n'aurait pas compris qu'on parle d'autre chose. On le sentait. Quand une minute on se laissait aller à dire des conneries ou à bavarder de notre avenir, devant nos bols de chocolat, on se taisait aussitôt qu'on l'entendait venir. Ça nous paraissait aussi indécent que de parler des prochaines vacances dans la chambre d'un mort.

Les premiers jours on avait terminé d'abattre le mur, et à la fin c'est plus de vingt sacs de gravats qui s'étaient retrouvés dans la future entrée-réception de maman.

— Y a pas trente-six solutions, avait dit Toto, on va les évacuer en pleine nuit par paquets de deux et barka !

C'est ça qu'on avait fait. Chaque sac pesait cinquante kilos à peu près. On en chargeait deux sur la banquette arrière, juste après le dîner de Toto, vers minuit, et on filait chercher un coin pour les larguer. Là, on avait retrouvé le Toto des virées avec Périne, le grand Toto, capable d'arriver tous feux éteints et en roue libre le long d'une propriété, d'y vider les cent kilos de gravats sur le gazon et de filer en gloussant juste au moment où le type, réveillé en sursaut, ouvrait ses volets.

— Si Grangemarre voyait ça ! on hurlait.

— Ça, mon vieux, il y a des trucs qu'elle saura jamais faire la pauvre vieille, disait Toto chef de bande.

Maintenant, c'est sur les plafonds qu'on travaillait. Les plafonds du salon. Elle avait trouvé inconcevable, enfin-Toto-tu-veux-rire ? de les conserver comme ils étaient, blancs et lisses. Alors on avait entrepris d'y fixer toutes sortes de moulures et des angelots aux quatre coins. On passait des heures au sommet d'un escabeau, les bras en l'air, à percer le béton, à y enfiler des chevilles et à visser ces machins garnis de feuilles de laurier ou de perles tout du long. Ça lui filait des palpitations cardiaques à Toto. Il en devenait livide.

— On n'a qu'à faire la pause, je disais.

— T'as raison, vieux. Après tout, dix minutes en plus ou en moins, c'est pas ça qui empêchera la terre de tourner.

On descendait à l'atelier, je nous faisais chauffer du chocolat sur le camping-gaz et on écoutait la radio en le buvant. On était bien tous les deux. On était très bien même. Après ça, lui se reposait encore un peu et moi j'allais voir si le facteur était passé, avec mon Scotch et mon fil de fer. C'est maman qui avait la clé de la boîte mais Toto ne voulait à aucun prix qu'elle tombe sur son courrier. Alors, avec mon Scotch articulé, je pêchais toutes

les lettres et je remettais que celles pour maman.
Le risque, c'était qu'elle descende au même
moment, mais ça n'est jamais arrivé. Tous les com-
mandements d'huissiers, les papiers des impôts ou
les convocations du tribunal, Toto les empilait sur
une étagère qu'on avait fixée à droite en entrant,
juste au-dessus des portemanteaux.

Il les lisait. Il disait :

— Ah ! celui-là, il commence à me faire braire.

— Pourquoi, qu'est-ce qu'il veut ?

— Du pognon, mon vieux, ils veulent tous du
pognon.

Et hop ! il glissait l'enveloppe du type sur le dessus de la pile.

Une fois, il était tombé sur une très longue lettre,
d'au moins quatre pages, qu'il avait lue la bouche
ouverte, en haletant.

— Quelle brave fille ! il avait dit à la fin.

— Qui ça ? j'avais demandé.

— Thérèse. C'est une lettre de Thérèse, dis donc.
Pour nous annoncer qu'elle va se marier. Eh bien,
tu vois, ça me fait quelque chose.

— ...

— C'était vraiment une fille épatante...

Tiens c'est vrai, Thérèse, elle était partie sans me
dire au revoir. Elle nous avait quittés juste avant
l'été, quand Toto avait emmené maman et les petits
à La Baule pour préparer le déménagement. J'habi-
tais encore chez mon parrain à cette époque. On
n'avait plus repris de bonne derrière elle.

Après la pause, toujours on grelottait en remontant. On s'était habitués à la bonne chaleur de l'atelier, à la lumière douce ; il nous fallait quelques
minutes pour nous réacclimater à la luminosité,
aux courants d'air de maman pour chasser les
odeurs.

Elle descendait chercher le courrier vers midi.

— Il n'y a rien pour moi, mon Minou ? demandait Toto à son retour.

— Non.

— Eh bien, tant mieux. Pas de nouvelles, bonnes nouvelles, il chantait.

C'était une façon de dire à maman qu'il tenait la situation bien en main, quoi. Puisque plus aucun huissier ne nous écrivait.

Quand elle voulait bien s'arrêter un instant regarder ce qu'on lui bricolait, je disais :

— T'as vu, maman, c'est pas mal hein ?

— Moui...

— Tu sais, ma chérie, qu'on abat un boulot formidable tous les deux ? disait Toto avec un sourire de chef scout. Sans William, je ne sais vraiment pas comment je m'en serais sorti.

— Moui, elle faisait encore en me grimaçant un sourire.

Toto ne partait plus jamais en clientèle avant 4 ou 5 heures de l'après-midi. Noël approchait et il voulait qu'on ait fini les moulures du plafond à temps pour profiter des vacances afin de peindre le salon avec Frédéric et Nicolas. Quand il partait, je restais encore une heure dans l'atelier à ranger ou à feuilleter les magazines qu'on ramenait des poubelles, et puis je remontais dans ma chambre guetter les autres qui allaient rentrer de l'école. Je n'envoyais plus aucun devoir à mon école. Elle n'en réclamait pas, d'ailleurs.

Ça faisait trois mois qu'on attendait ce moment : la peinture. Parce qu'alors elle ne ferait plus moui-moui, comme à chaque mètre de moulure vissé au plafond. Non, cette fois, entre sa visite du matin et celle du soir, elle ne le reconnaîtrait carrément plus son salon. On tenait le moyen de le transfigurer à bon compte, voilà. C'est ce qu'on croyait en tout cas. Et alors elle serait bien forcée de s'extasier.

Les vacances sont arrivées. Elle avait choisi le gris parce que le blanc ça-fait-affreusement-ordinaire-enfin-Toto-tu-n'as-aucun-goût. Le blanc, on le garderait seulement pour le plafond, avec quelques touches de doré sur la mèche des angelots et aussi pour souligner les encadrements des portes et des fenêtres. Tout le reste serait gris, comme la voiture de son père, ne me dis pas Toto que tu ne t'en souviens plus ? Non, mon Minou, maintenant je m'en rappelle parfaitement, un gris très pâle, très distingué, tout à fait, mon petit.

On a passé deux bonnes heures à le traquer ce gris très distingué, en lâchant par demi-goutte une teinture noire comme l'enfer dans un fût de cinquante litres de blanc. Pour touiller cette histoire, Toto s'était bricolé une hélice, avec un ancien presse-purée tiens, justement, une hélice qu'il branchait sur sa chignole. A la fin il a dit :

— Je crois qu'on y est, les enfants. Minou, tu veux venir voir ?

Minou est venue.

— Qu'est-ce que tu en penses, mon petit ?

— Qu'est-ce que tu veux que j'en pense ? C'est gris, voilà tout.

— Oui, mais est-ce que tu as le sentiment que c'est bien le gris de ton père, ma chérie ?

— Enfin, Toto, tu la connaissais sa voiture. Pourquoi me demandes-tu mon avis ?

Et là-dessus on s'y est mis. On a peint tout le jour et pratiquement toute la nuit. Il devait être 5 heures du matin quand on est descendus à l'atelier rincer les rouleaux et les pinceaux. On est partis se coucher en laissant les baies vitrées grandes ouvertes, à cause de l'odeur. Vers 11 heures, quand on s'est levés, on était tellement fiers d'avoir bossé pendant qu'ils dormaient, tous, qu'on a rigolé en beurrant nos tartines, sans même s'occuper du silence de maman, à côté. Après, on a roulé tous les nylons de protection avec Toto et quand Christine est venue proposer qu'on aille au cinéma l'après-midi, parce qu'ils jouaient *Mon oncle* en bas de la côte, Toto a dit :

— Pourquoi pas, ma cocotte ? On l'a bien mérité.

Maman n'avait pas ouvert la bouche depuis le matin. Au déjeuner, papa lui a demandé : « Ça ne t'ennuie pas, mon petit, que j'accompagne les enfants au cinéma ? » Mais elle a continué à chasser les miettes de sous son coude, comme s'il avait rien dit. Alors après le dessert on s'est tous levés en regardant ailleurs et on y est allés au cinéma. Au retour, la nuit était tombée, et dès l'entrée de la cité on s'est doutés qu'il était arrivé quelque chose parce que notre appartement était le seul où aucune lumière ne brillait. Toto a foncé pour garer la 203. On a couru derrière lui dans l'escalier. Il a poussé la porte. Alors on a entendu comme des boules qui s'entrechoquaient. Merde, qu'est-ce que c'était ? Le sol était jonché de pommes de terre. On en devinait des centaines dans l'obscurité, jusqu'au bout du couloir vers la salle de bains. Toto a essayé de marcher. Il est tombé. On l'a vu qui se relevait, maladroitement, à quatre pattes sous son gros manteau d'hiver. Toujours dans le noir. Nous, on est restés sur le palier. On était paralysés de trouille. En tout cas moi je l'étais. Elle avait dû se cacher quelque part encore, faire l'évanouie, faire la folle. Mais pourquoi ? Pourquoi maintenant qu'il était tout repeint son salon ? Là-bas, Toto progressait comme un aveugle, les bras en avant, les chevilles engluées dans cette mer de patates. Aucun commutateur ne répondait plus.

— Suzanne ! Suzanne ! il appelait. Où es-tu, mon petit ? Réponds-moi, je t'en supplie.

— Cette conne, a soudain murmuré Frédéric, je parie qu'elle a coupé le compteur.

Il s'est avancé d'un mètre dans l'entrée, il a ouvert le placard des compteurs, et clang ! d'un seul coup, tout l'appartement s'est illuminé. Elle avait étalé les cent kilos de pommes de terre et aussi les carottes, les poireaux, les endives. Maintenant, sous la lumière, c'était sordide et grotesque tous ces légumes.

Ça y est, il l'avait trouvée. Dans la salle de bains. On a entendu des bruits d'eau, puis des sanglots entrecoupés de sa voix grave à lui. Alors on est allés relever les petits qu'elle avait couchés comme pour la nuit mais qui ne dormaient pas et on a commencé à ramasser les patates. A un moment ils nous ont enjambés tous les deux. Elle en se tamponnant les yeux et lui tout petit derrière, traînant la patte, l'air effondré. Il avait dû se faire mal en tombant tout à l'heure dans les pommes de terre. Ils se sont enfermés dans leur chambre et ils ont continué, elle à pleurer, lui à parler tout bas.

Il était peut-être 10 heures du soir quand il est sorti. Nous, en l'attendant, on s'était mis sur le lit de Christine. Je leur avais raconté que presque tous les jours Toto recevait des lettres d'huissiers. «On s'en sortira jamais, avait dit Frédéric, en prenant une mine catastrophée, je crois qu'on devrait se tirer en Australie et tout recommencer. — Ouais, mais alors sans Grangemarre, avait fait Nicolas. — Ça, c'est vrai, j'avais dit, parce qu'elle recommencera à nous faire chier exactement comme ici. » C'est à peu près à ce moment-là que Toto est arrivé.

— Qu'est-ce qu'il lui a pris ? Pourquoi elle a fait ça ? on a demandé.

— Ah ! mon vieux, elle me tue ! il a dit en se laissant tomber sur le lit. Figurez-vous qu'elle s'est fichu dans la tête que vous ne l'aimiez plus. Mes enfants ne m'aiment plus ! Mes enfants ne m'aiment plus ! C'est épouvantable...

— Elle t'a dit ça ? on a demandé.

— Oui, oui, il a fait en prenant un air excédé. Parce que vous ne lui avez pas demandé si elle voulait venir au cinéma ou Dieu sait quoi ! Et il paraît que maintenant vous ne lui dites même plus bonjour le matin, que vous l'évitez, qu'il n'y a plus moyen de vous parler... Enfin elle m'a fait tout un pataquès, vous n'imaginez pas. Et c'est évidemment de ma faute. Je vous monte contre elle, j'ai ruiné sa vie, tout le bazar et son train quoi...

— Et qu'est-ce qu'elle fait maintenant ? a demandé Christine.

— Que veux-tu qu'elle fasse ? Elle est sur son lit et elle pleure pardi ! Je l'ai rassurée, je lui ai dit que c'était une mauvaise passe, que vous en aviez bavé aussi, que tout cela allait s'aplanir, mais elle n'écoute rien...

Il s'est tu et un instant plus tard il a dit :

— De vous à moi, je crois que ça serait pas un mal si vous alliez lui dire un mot...

Il nous regardait à tour de rôle avec ses yeux bêtas, mais aucun ne bronchait. Moi, mon cœur avait accéléré brusquement et j'imaginais déjà comment j'allais me planquer derrière Christine. Comme ça, pendant qu'elle lui dirait : « Mais on vous aime tous, Minette, il faut pas vous mettre en tête des choses pareilles », eh bien j'aurais juste à dire : « Oui, oui, maman, Christine a raison, on t'aime. » J'étais dans ce rêve quand j'ai entendu Toto ajouter :

— Ah ! et puis le gris du salon ne lui plaît pas, dites donc.

— Quoi ! Va falloir tout recommencer ? a sursauté Frédéric.

— Je ne vois pas bien comment faire autrement, mon petit vieux, a laissé tomber Toto.

— Bon, allez vous coucher, vous, moi je vais parler à maman, a dit Christine. Je crois que c'est mieux comme ça, on serait ridicules à débarquer en délégation.

On l'a laissée partir sans un mot. J'étais soulagé. Je voulais bien lui repeindre quinze fois son salon pourvu qu'on m'oblige pas à aller lui dire que je l'aimais.


Le lendemain, on était déjà occupés à scotcher les nylons sur le parquet avec Toto, quand elle est venue. Le visage tout bouffi d'avoir beaucoup pleuré. On s'est relevés pour l'embrasser et tout ce temps-là Toto l'a regardée avec un sourire bonnasse-on-t'aime-tous-mon-Minou. Seulement elle, elle ne trouvait aucun mot léger à dire pour tâcher de nous mettre à l'aise. Ça se voyait qu'elle cherchait une idée, quelque chose, mais elle ne trouvait vraiment rien. Même pas un geste tendre comme aurait fait Toto, de me prendre par le cou, par exemple, et de me secouer comme un arbricotier. C'était nul mais on se forçait à rire et ça y était. Bon, comme le silence prenait peu à peu la densité du plomb, qu'à présent on n'osait même plus se remettre à genoux, qu'elle voyait tout ça bien sûr, elle a fini par dire :

— Ce gris, c'est vraiment sinistre. Tu ne trouves pas, Toto ?

— Si, si, mon petit, je suis tout à fait de ton avis. Mais ne te fais pas de bile, on va t'arranger ça.

— Ouais, tu vas voir, maman, j'ai dit, on a trouvé une teinte superbe avec papa, une espèce de vert d'eau vachement plus gai que ça.

— Et puis ce vert-là, a ajouté Frédéric, t'es sûre

que tu ne le reverras jamais ailleurs parce qu'on sait même plus nous-mêmes comment on l'a obtenu.

— Ça c'est pas malin, comment allez-vous faire si vous n'en avez pas assez ? elle a demandé, de nouveau en colère.

— Mais Frédéric plaisante, ma chérie, a bondi Toto. On t'en fera cinq cents litres d'avance si tu veux, je sais parfaitement le retrouver.

— Bon, j'ai un travail fou...

Elle avait dû nous faire un sourire avant de s'en aller et on s'était tous retrouvés à quatre pattes sur nos nylons froissés, un peu honteux, un peu gênés. Parce que tout de même le matin, en préparant un plein fût de ce vert d'eau unique, on lui en avait dit de toutes les couleurs à Grangemarre : « ... allez, encore deux gouttes de bleu et après ça, si elle est pas contente, elle se le repeindra elle-même son putain de salon... elle i-ra se fai-re voir chez les ma-ca-ques, avait chanté Toto avec l'accent marseillais, pour être drôle... T'as déjà vu une emmerdeuse pareille, toi ?... Enfin, Toto, tu réalises dans quel taudis tu nous fais vivre ?... » On s'était mis dans l'atelier et jamais encore elle n'y était venue.

Il a fallu deux couches pour oublier définitivement le gris sous-marin et rendre au salon sa luminosité. Le soir de Noël on y était encore. Mais quand maman l'a vu terminé son salon, vaste comme une salle de château, somptueux sous son plafond meringué, on aurait dit qu'une formidable envie de vivre la pressait soudain. Cette fois ça s'est vu, elle y croyait enfin qu'on pourrait donner ici le bal à tout casser de Christine, qu'ici c'était assez beau pour recevoir tous les Grangemarre du Poitou et des Charentes réunis. Oui, mais tout ce qu'il restait encore à faire ! Ce n'était qu'une pièce vide, sans éclairage, sans doubles rideaux, sans décoration et

mon Dieu Toto ces poignées de porte en aluminium
mais regarde ! Après l'instant d'enthousiasme, voilà
qu'elle s'assombrissait. Comme une panique de ne
pas y arriver on aurait dit, ou de ne pas savoir peut-
être. Toto a proposé aussitôt de rapatrier les meubles du garage où on les avait remisés. On commencerait à les mettre en place petit à petit, on
essaierait, on tâtonnerait et mon Minou verrait que
peu à peu ça prendrait forme. Qu'en pensait-il, mon
Minou ? Mais c'était grotesque, voyons ! C'était
encore de l'improvisation. N'importe quoi ! Enfin
Toto, où as-tu été élevé ? Tais-toi, tu n'y connais
rien. Non, il fallait que ça soit parfait, il fallait que
quelqu'un vienne nous conseiller comme ça se fait
dans notre milieu.

— Dusapin ! elle a crié en se tapant sur le front.
Mais évidemment, il n'y a que lui. Dusapin ! Comment n'y ai-je pas pensé plus tôt ? Seulement, est-ce
qu'il acceptera de venir de Poitiers ?

— Le vieux Dusapin ? Ah ! mon Dieu, en effet,
mon petit, c'est une excellente idée. Lui nous sortira
de ce pétrin.

— Mais ne dis pas n'importe quoi enfin !... Il est
mort si ça se trouve.

— Eh bien, on va vérifier. Et ne te fais pas de bile,
s'il est toujours de ce monde il acceptera de venir.
Il te doit bien ça, va ! Il ne t'a pas fait sauter sur
ses genoux quand tu étais gamine ?

— Ah ! tais-toi, tu m'exaspères.
Alphonse Dusapin, décorateur à Poitiers, était un
fervent de Louis XVI. Ce pourquoi maman l'était
aussi. Elle avait tout appris de lui. Il avait refait à
deux reprises, à vingt ans d'intervalle, toute la décoration intérieure de l'hôtel particulier des Grangemarre. Aussi, quand on s'était installés à Neuilly,
maman l'avait fait venir.

— Je lui expédie un mot à l'instant, a dit Toto.

Quelques jours plus tard il était là, le vieil homme. Entre-temps on avait ramené les meubles, les lampes, les appliques, les tapis, les assiettes chinoises, les glaces, le porte-parapluies, la pendule, les cruches, et on avait tout fichu en vrac au milieu du salon. Il a fait le tour du monticule, silencieusement, comme pour s'imprégner des volumes de la pièce. Il avait dû être très grand autrefois, mais avec l'âge son dos s'était cassé et maintenant on avait l'impression qu'il avait du mal à regarder en l'air. Il devait se dévisser la tête pour ça.

A priori, les amis de Grangemarre ne m'étaient pas très sympathiques, mais celui-là, quand il a dit en se contorsionnant : « Vous avez un plafond superbe, ma petite Suzanne », je l'aurais bien embrassé. Il était beau d'ailleurs, tout maigre et sec, un long nez, les yeux pâles, le visage fin et encore énormément de cheveux, couleur de neige, qu'il laissait flotter en boucles sur sa nuque.

On était tous là, silencieux aussi, à l'observer. Maintenant, il regardait chaque objet. Et brusquement, il s'est animé. Il s'est emparé d'une grosse glace qu'il a plaquée au milieu du panneau. Vite, vite on s'est précipités pour la lui tenir. Alors il a sorti deux appliques du fatras et tac ! tac ! il a fait le geste de les accrocher de part et d'autre de la glace.

— Toto, enfin, qu'est-ce que tu attends ? a sifflé maman.

Toto a bondi et avec son crayon il a fait des croix où M. Dusapin avait dit de fixer la glace et les appliques. Sous la glace, le vieux a montré du doigt qu'il fallait glisser le canapé, et de part et d'autre du canapé, un fauteuil. Il a fait le même coup dans la salle à manger : un plat de Chine au milieu, une assiette de part et d'autre, le buffet sous le plat, une

238

chaise sous chaque assiette. Après ça, on aurait pu se passer de ses conseils, sauf peut-être pour le porte-parapluies qui n'avait pas son pendant. On avait très bien compris que sous la pendule Louis XVI il allait mettre la commode et qu'on retrouverait les chauffeuses en sentinelle de chaque côté de la commode et ainsi de suite. Mais on l'a laissé faire et effectivement le soir, seul le porte-parapluies s'est retrouvé en rade au milieu du vestibule. M. Dusapin l'a bien regardé et, après un instant de réflexion, il a dit :

— Sur le palier, le porte-parapluies. Il n'a pas sa place ici.

Toto et moi on s'est précipités pour le sortir.

Maman l'a retenu à dîner, son décorateur. Une conversation assommante sur les meubles de ses parents à Poitiers. Et qu'est devenue cette charmante petite desserte ? Chez votre frère, ah ! quel dommage ! Papa y tenait beaucoup, vous savez. C'est moi qui la lui avais vendue. Mais oui, bien sûr ! maintenant je me rappelle. Papa ceci, papa cela. Votre père avait un goût ! ma petite Suzanne. Maman, ça la rajeunissait de dix ans d'entendre des trucs pareils. Entre la soupe et la tarte aux pommes ses yeux avaient changé d'expression. Là, on pouvait comprendre que papa ait eu envie de l'embrasser, autrefois. Toto, lui, avait passé le dîner à renchérir sur tout le bien que disait M. Dusapin de ses beaux-parents. Ah ! le père Grangemarre, un grand bonhomme ! Un grand grand bonhomme ! Une femme délicieuse, Henriette, absolument délicieuse miam-miam-miam. Il avait entretenu comme ça un bruit de fond jusqu'à ce que maman, profitant de ce que M. Dusapin se mouchait, lui dise de se taire, qu'on ne s'entendait plus à la fin.

Après le dîner, Alphonse — vous permettez que je vous appelle Alphonse, n'est-ce pas ? ça me fait tellement plaisir de vous revoir ! — Alphonse a choisi le tissu des rideaux. Et il était entendu au moment de se dire adieu qu'on lui expédierait par fourgonnette spéciale tous les bougeoirs et toutes les cruches à monter en lampes. Ma pauvre Suzanne, je ne travaille plus, mais je ne peux pas vous refuser ça. Laissez-moi vous embrasser, Alphonse, etc.

Sa facture est arrivée la semaine suivante. On était occupés avec Toto à réaléser des poignées Louis XVI pour les adapter aux portes et aux fenêtres quand j'ai apporté la lettre.

— Fichtre ! Il s'emmerde pas le zèbre, a sifflé Toto. Moi je mets un mois à gagner ça.

Il a lu le petit mot qui allait avec, il a eu l'air d'hésiter un moment à chiffonner la facture et le mot, et puis non, il a expédié le tout sur la pile au-dessus des portemanteaux.

Un instant après, sans cesser de limer, il a dit :

— Tu sais pas, William ? Les bougeoirs et les cruches, on va se les monter nous-mêmes. Parce qu'à ce tarif-là, mon vieux, moi, je ne peux plus suivre...

— Et tu crois que maman voudra bien ?

— On n'est pas forcés non plus d'aller le crier sur les toits. Tu ne crois pas ? Tu n'es pas de mon avis ?

— Si, d'accord. Et tu crois qu'on va savoir le faire ?

— C'est pas sorcier, fais-moi confiance.

Quelques jours plus tard on est allés acheter tout le matériel au Bazar de l'Hôtel de Ville. Il était temps. Le matin, maman s'était étonnée de n'avoir aucune nouvelle de Dusapin.

— Enfin, Toto, voilà au moins quinze jours que cette fourgonnette est partie. Et pas un mot, rien...

— Tu es rigolote, mon petit, tu as vu l'âge qu'il a ton Dusapin ? S'il travaille deux heures par jour c'est bien le bout du monde, non ? Allez, va, sois patiente, ça va venir.

Il y avait dix-huit petits bougeoirs à monter en lampes, pour toutes les tables de nuit de la maison et quelques consoles ici et là, sept cruches en imitation porcelaine de Chine et au moins six paires d'appliques pour le vestibule-réception, le salon, la salle à manger. Toto m'avait promis qu'on le ferait ensemble mais juste le matin où on s'y mettait je suis tombé sur une affichette orange dans l'entrée de l'immeuble : « 8 mars, vente aux enchères des meubles de la famille Guidon de Repeygnac... » C'était écrit comme ça, avec le nom en lettres majuscules. Notre nom, sur une affiche... J'étais en train de pêcher le courrier avec mon fil de fer et mon Scotch, le cœur à plein régime déjà de peur qu'elle me surprenne, et j'ai dû relire trois fois avant de bien comprendre. Nom de Dieu ! Nom de Dieu ! j'ai soufflé.

J'ai arraché cette saloperie et j'ai rejoint Toto, à demi syncopé.

— Merde, papa, regarde.

— Ô Sainte Providence ! il a fait en se plaquant la main sur le front. Ô Sainte Mère ! Donne-moi la pile du courrier, vite.

Il a retrouvé dedans les lettres qu'il cherchait. Il a dit :

— William, sois chic, tâche de te sortir au mieux de cette affaire de bougeoirs, moi, faut que je file.

Est-ce qu'elle l'avait vu partir ? Est-ce qu'elle avait seulement entendu la 203 ? Elle avait dû s'étonner en tout cas de le voir ou de l'entendre s'en aller en pleine matinée.

J'avais pris soin de fermer le verrou. J'étais en

train d'essayer de comprendre comment ça fonctionnait ce système de fausses bougies fichées dans le goulot des bougeoirs quand j'ai cru reconnaître, je sais pas, un crissement, oh! non! Seigneur! un crissement tout à fait comme celui de ses babouches. J'ai arrêté de respirer, j'ai guetté. Le crissement a repris. Merde! c'était elle! C'était elle, mon Dieu! Ça allait et venait. J'ai senti que si ça continuait j'allais m'évanouir. Le sang me cognait aux tempes, ça me faisait comme un voile écarlate devant les yeux. Elle cherchait. Elle était jamais venue. Elle me cherchait, moi. Elle était là, à quelques pas. On était juste tous les deux. De l'imaginer... Petit frère qui est mort faites qu'elle s'en aille, petit frère qui est mort faites qu'elle me trouve pas.

— William?

Je me suis laissé couler par terre, entre les cruches en faux Chine.

— Tu es là, William?

Elle était derrière la porte à présent. Je l'entendais respirer. Respirer fort. Elle avait dû voir l'électricité. Mais elle n'était pas tout à fait certaine encore.

— William, tu es là? Réponds!

Et alors brusquement elle a deviné... Je ne sais pas comment. Je ne sais pas à quoi. Son intuition peut-être. Brusquement, elle a deviné que je me cachais là. Alors elle s'est mise à cogner la porte, à la secouer en criant des trucs horrifiants:

— William, ouvre-moi! Oh! ça c'est trop fort! Mais vous voulez me rendre folle à la fin! Folle! Folle! Folle!...

Et elle martelait la porte de ses poings. Et maintenant ses mots n'étaient plus criés mais sanglotés.

Je me suis levé, je tremblais. J'ai dit à travers la porte:

— Attends, maman, je t'ouvre.

J'ai ouvert.

D'un seul coup elle s'est calmée. Mais presque aussitôt elle a vu ses bougeoirs, ses cruches.

— Mais... Mais qu'est-ce que c'est ?... elle a commencé sur ce ton d'hystérie.

— Dusapin n'a pas pu les faire, maman, j'ai murmuré.

— Et vous ne pouviez pas le dire ?

Elle m'a regardé avec ses yeux qui me liquéfiaient. Ensuite et très vite elle a promené son regard sur toute notre installation, et c'est à ce moment-là qu'elle est tombée sur la pile des lettres.

— Non !... Ça c'est trop fort ! elle a répété en les feuilletant.

Ses mains tremblaient. Elle avait le visage livide, avec des plaques rouges par endroits. Qu'est-ce qui allait se passer ? Mais qu'est-ce qui allait se passer maintenant ? J'étais adossé au mur, les bras croisés. J'attendais. Je suppliais que ça finisse.

— Oh ! le salaud ! Le salaud ! elle s'est soudain mise à hoqueter.

Et brusquement, elle est partie, comme ça, en emportant toutes les lettres, en sanglotant.


Quand j'ai poussé la porte de l'appartement, deux heures plus tard peut-être, je tremblais encore. Mais quand j'ai vu le tas de lettres au milieu du salon, et plein de soupe écrasée sur les murs, j'ai compris qu'elle était partie.

Cécile dormait dans son petit lit à barreaux. Je me suis assis à côté d'elle et j'ai attendu dans la nuit que les autres rentrent.

— Qu'est-ce qui s'est passé encore ? ils ont demandé.

J'ai raconté.

— Elle a dû se tirer à Poitiers, dans sa famille, ils ont dit.

Mais deux semaines plus tard elle était de retour.

Et juste avant les grandes vacances d'été, Toto nous a annoncé qu'elle était enceinte.

8

Cinq ans s'étaient écoulés. Nicolas et moi on s'était installés dans le XVIe arrondissement. Pas rue des Belles-Feuilles, non, mais dans une ruelle du vieux Passy. Au deuxième étage d'un immeuble condamné, on avait bien voulu nous louer un deux-pièces sans chauffage, avec juste un robinet d'eau froide au-dessus d'un évier. On avait tout de suite décidé qu'on dormirait ensemble dans la plus petite chambre et qu'on garderait la grande pour exposer les peintures de Nicolas. On espérait les vendre. Nicolas peignait, donc, et moi, j'étais devenu imprésario d'un imbécile qui percutait des murs de brique à plus de cent kilomètres/heure. Il se disait cascadeur et je devais convaincre les élus municipaux qu'il l'était. Si ça marchait, je touchais dix pour cent de la recette du spectacle.

Ça nous avait repris au mois de septembre cette envie de se tirer de chez les parents. L'année d'avant, à la même époque, on avait déjà failli le faire mais Toto nous avait suppliés :

— Soyez chics, ne me laissez pas seul avec elle, il avait dit, je vais en crever, moi.

On avait cédé. Une année encore on avait bloqué les huissiers sur le palier, planqué son courrier, poussé la 403 le matin, guetté son retour le soir pour pas le laisser dîner seul. Et puis il l'avait refoutue enceinte. Alors là, on s'était dit, il se moque carrément de nous, Toto, il peut pas en même temps jouer les condamnés à mort et nous faire tous les ans des petits frères et sœurs comme s'il vivait en voyage de noces. Cette fois, on était partis.

On avait rencontré Véronique quelques jours plus tard, dans un square de Passy. Nicolas s'était installé là pour peindre et moi je lisais, à côté, sur un banc. Je lisais *Dan Yack* de Blaise Cendrars. Ça deviendrait bientôt notre livre. Elle s'était approchée, avec son chien, et elle avait demandé :

— Ça représente quoi ?

— Un tas de ferraille avec des grues, avait dit Nicolas.

— Vous voyez une ferraille, vous, dans le parc ?

— Elle est dans ma tête la ferraille. Le parc, c'est juste pour prendre le soleil avec mon frangin.

Et il m'avait montré.

— Vous habitez près d'ici ? j'avais demandé en me levant.

— Oui, la maison là-bas, avec le coq sur le toit.

Un grand moment on était restés tous les trois à se taire. De trois quarts arrière elle avait une narine vraiment mignonne, qui palpitait sans arrêt. Et encore des joues d'enfant bien pleines, couvertes de duvet blond. Elle était restée bronzée des vacances, et même ses cheveux, on aurait dit qu'elle les avait pas beaucoup coiffés depuis son dernier bain. Ils étaient blonds, comme décolorés par la mer. Ils lui arrivaient aux épaules et son geste ça devait être de les coincer derrière ses oreilles, oui ça devait être ça, parce qu'en trois minutes elle l'avait bien fait cinq ou six fois. J'avais repéré aussi qu'elle était en bleu marine avec des socquettes blanches.

— C'est l'uniforme de votre école ces... ces habits ? j'avais demandé.

246

— Oui, elle avait dit, sans détacher ses yeux du tableau de Nicolas.

— Vous voulez du pain et du chocolat ?

— Non, il faut que j'y aille. Viens, Lala.

C'était son chien, Lala. Un machin plutôt jaune avec des oreilles dégueulasses qui balayaient le gravier et la peau flasque, surtout devant, tellement flasque qu'il avait plus que le bas de l'œil en face du trou ce chien.

Un soir, on les a encore croisées, toutes les deux, rue de Passy. C'était bien l'automne cette fois-ci. La nuit venait dès 5 heures. Les gens recommençaient à courir, les voitures à klaxonner, à s'emboutiller. Nous, on revenait du grand magasin Inno avec des seaux de peinture blanche. On était excités comme des types qui ne comptent plus sur personne pour diriger leur vie. On les emmerdait tous, ces mecs avec leurs bagnoles rutilantes, ces vieilles avec leurs Caddies et même l'automne qu'on haïssait autrefois, on l'emmerdait, tiens. On allait repeindre la grande pièce, accrocher les tableaux de Nicolas et inviter tout le quartier à venir voir. Ça leur remuerait les tripes les tas de ferraille. Ils avaient pas fini de nous entendre.

— On foutra des affiches dans tous les magasins, d'accord, William ?

— Ouais. Ils voudront bien les commerçants, ils nous aiment bien.

Et juste à ce moment-là on les a vues, elle et Lala.

— Tiens, bonjour, où vous allez ? on a demandé.

— Chez le traiteur.

— Nous, on va peindre toute la nuit, j'ai dit. Vous voulez venir voir comment c'est chez nous ?

— Vous m'attendez alors. J'achète des blinis et je vous accompagne.

C'était soûlant cette impression d'en faire ce qu'on voulait de notre vie, Nicolas et moi. Quand on était ensemble le monde autour n'offrait plus aucune résistance. On pouvait décider de peindre toute la nuit, commander des jambons-beurre à 4 heures de l'après-midi, aller en stop à la cinémathèque, rentrer à pied à minuit, boire du thé jusqu'à l'aube en lisant Cendrars. Tout paraissait possible. Et personne ne nous demandait quoi que ce soit. La boulangère avait même parfois un sourire tendre quand on sautait du lit jusque chez elle, vers midi. On était comme irrésistibles, voilà.

On l'a attendue devant le charcutier-traiteur, en parlant fort.

— On cherche des projecteurs pour notre exposition, vous n'en auriez pas à nous prêter ? je lui ai demandé quand elle nous a rejoints.

— Je peux demander à papa si vous voulez, elle a dit.

On a poussé la porte. La première pièce à droite c'était le robinet d'eau, la seconde notre chambre qui donnait sur un petit jardin avec juste un marronnier dedans. A gauche, la grande pièce ouvrait par deux fenêtres sur la rue. Sans allumer, on y a déposé la peinture et Nicolas a dit :

— Venez, si vous voulez on va boire du thé dans la piaule.

On avait réussi à y caser nos lits, deux tables et au milieu une vieille malle sur laquelle on avait mis le camping-gaz, la théière, les biscuits, la confiture. Comme ça, des lits, des tables, on pouvait manger ou boire à n'importe quelle heure sans se déranger.

Elle s'est assise sur mon lit. Elle a regardé un moment deux tableaux de Nicolas suspendus juste en face, qui représentaient des monceaux de voitures encastrées avec des grues jaunes au-dessus.

— Vous peignez toujours la même chose ?

— Oui.

— Moi, j'aime les animaux et la nature. Pas vous on dirait ?

— Non. J'aime que les villes. Les banlieues surtout.

Je l'avais bien regardée de profil en faisant chauffer le thé. Elle avait le visage tout en rondeurs mais en même temps elle avait vraiment l'air très têtu. D'où ça venait ce truc ? Ah ! oui, peut-être des yeux. Elle regardait sérieusement, sans sourire ; on avait l'impression que c'était pas un souci pour elle de faire plaisir, d'être d'accord. Elle devait très bien pouvoir vivre en pensant le contraire des autres. C'était sans doute qu'elle se prenait pas pour n'importe qui, voilà.

— Vous voulez du thé ? j'ai demandé.

— Oui, avec un sucre s'il vous plaît. Et vous, qu'est-ce que vous faites dans la vie ?

— Moi, je suis imprésario, et sans ça j'étudie la philo à l'université.

— Vous êtes étudiant alors ?

— Un peu, oui.

C'était vrai. Nicolas et moi on avait eu le bac au printemps. Deux ans auparavant on avait brusquement décidé qu'il nous le fallait. On avait travaillé comme des malades. Et maintenant j'étais en licence de philo, mais j'allais pas aux cours.

— Moi je prépare le bac, cette année, elle a dit. Et sans transition :

— Bon, il faut que je parte, maman attend ses blinis. Viens, Lala. Si papa a des projecteurs, je vous les porterai un soir. Salut...


— Tu crois qu'elle reviendra ? j'ai demandé à Nicolas.

— Pourquoi, tu la trouves mignonne ?

— Plutôt oui.

— Eh ben, alors il fallait lui dire. T'es con, William !...

— Je lui dirai la prochaine fois, c'est rien. Tu la trouves pas mignonne, toi ?

— Pas vraiment. Je sais pas, elle a une tête de bébé, non ?

Nicolas, il avait déjà une copine en Allemagne. Il l'avait rencontrée au mois d'août. Une fille immense, comme lui, avec des yeux de chat, les pommettes très hautes, le nez retroussé et une bouche d'actrice. Une semaine par mois il allait la retrouver en auto-stop et il revenait les épaules pleines de suçons.


On avait peint toute la nuit ; on somnolait encore quand on a entendu frapper. J'ai enfilé un col roulé, un pantalon, et je suis allé ouvrir. En grelottant, en bâillant.

— Regardez ce que je vous ai trouvé ! elle a dit en me tendant une grappe de fils électriques et d'ampoules.

— Mais il est quelle heure ? j'ai demandé.

Je comprenais pas bien ce qu'elle foutait là, maintenant. Et en plus je la voyais trouble avec toute cette flotte qui m'était venue dans les yeux.

— 3 heures.

— Vous êtes pas à l'école ?

— C'est jeudi après-midi. On n'a pas cours.

— Ah bon ! C'est des projecteurs alors ? Faites voir...

Sa chienne était déjà dans la grande pièce. On s'y est retrouvés tous les trois.

— Vous avez fini on dirait ?

— Non, on dirait qu'il reste encore la porte et les fenêtres.

— Pourquoi vous riez ?

— Parce que vous dites tout le temps on dirait.

— Ah ?... Je peux peindre un peu ? Juste la porte.

— Oui, mais il faut la lessiver avant, la porte.

— Ah non ! j'ai pas envie de lessiver. Une fenêtre alors ?

— D'accord.

Je suis retourné dans la piaule pendant qu'elle s'y mettait. Nicolas m'attendait sur un coude, la couverture encore tirée jusqu'au menton, les yeux tout petits.

— C'est encore Véronique, j'ai dit.

— T'es content alors ?

— Oui, ça va. Tu veux du thé ?

On en a bu deux bols chacun, avec des petits Brun tartinés de confiture. La confiture, c'est le seul truc dont on ne manquait pas parce que Frédéric, qui faisait son service, la piquait à l'armée par boîtes de cinq kilos. On terminait quand on a encore entendu frapper.

— On a frappé ! a crié Véronique.

— Oui, bouge pas, j'y vais.

Ça m'avait ému de l'avoir tutoyée. J'avais plus toute ma tête au moment d'ouvrir. Tiens, c'était Toto.

— Salut, papa, j'ai dit.

— Bonjour, mon petit vieux. Je ne te dérange pas ?

— Non, pourquoi ? Viens, y a du thé.

Je l'ai laissé passer devant. Il a aperçu Véronique par la porte.

— Bonjour, mademoiselle... Qui c'est cette sauterelle ? il a demandé aussitôt dans la piaule.

— Une fille qui nous aide, pour l'exposition.

— Ah...

— Et toi, tu vas bien, papa ? Ça marche les assurances ?

— Au poil, au poil, je remonte la pente douce-ment doucement mais sûrement, il a fait en s'asseyant sur mon lit, les jambes écartées, comme un type plutôt heureux et assez sûr de lui, ma foi.

— T'as bonne mine en tout cas. Tu veux du thé ?

— Un chouïa, fiston, je sors de table.

— T'as déjeuné tout ce temps-là ?

— Oui, pourquoi, ça te choque ? Je suis en train de réapprendre à vivre, mon vieux. Et tu ne peux pas savoir le bonheur que j'ai à redécouvrir le monde !...

— C'est marrant que tu dises ça parce que nous on pourrait dire exactement la même chose. On est vraiment bien ici, hein, Nicolas ?

— Ouais.

— Je crois si vous voulez qu'on est en train de tourner la page, les uns et les autres, a poursuivi Toto, et c'est très bien comme ça.

— Oui, c'est vrai, on a fait, sans bien comprendre ce qu'il voulait dire. En tout cas l'exposition ça va être le début de quelque chose. Ça c'est sûr. Tu vien-dras ?

— Tu rêves ou quoi ? Évidemment je viendrai. Tiens à propos, je suis allé traîner hier soir à la Biennale de la jeune photographie, au Grand Palais. Mon vieux, il y a des gars qui ont un talent !... J'étais soufflé.

Toto, au Grand Palais ! En dix-huit ans de vie com-mune on n'avait pas visité une seule exposition avec lui. Qu'est-ce qu'il lui prenait ?

— Tu vas à des expositions maintenant ? j'ai demandé.

— Mais tu es marrant, mon vieux, on ne peut pas vivre éternellement comme des bernard-l'ermite tout de même, coupés du monde, de la culture, de la lecture, du cinéma, de tout quoi. J'en crevais, moi, de cette vie-là ! J'ai fait la connaisance d'une fille qui vit dans ce milieu et je t'assure que je le regrette pas. C'est passionnant, mon vieux ! Absolument passionnant !...

J'ai pas compris tout de suite. J'ai d'abord cru que c'était une de ses clientes qui lui avait refilé des entrées gratuites. Et alors j'ai remarqué son blazer bleu marine, ses souliers. Il était sapé comme jamais, Toto. Les épaules tenues, la taille pincée, le pli du pantalon comme une lame de couteau.

— Mais... Mais tu veux dire que t'as une copine ?

— Une amie, oui. Une fille formidable, pas belle belle mais avec qui j'ai des échanges comme j'ai jamais eus avec maman, qu'est-ce que tu veux que je te dise ?

— Tu t'es tiré de la maison ? a demandé Nicolas.

— Non !... Où tu vas, toi ? Je vous en parle parce que je crois qu'après ce qu'on a vécu ensemble, on est comme ça. (Il avait fait le geste de s'accrocher les doigts.) Ça me fait plaisir d'avoir votre avis, c'est tout...

— Ben tu fais ce que tu veux, a dit Nicolas. Nous, on s'en fout.

— De toute façon, si t'aimes plus maman, ça sert à rien de rester avec elle, j'ai dit. Même pour les petits, c'est aussi bien que tu t'en ailles.

— De toi à moi c'est un peu mon opinion. Mais je l'aurais pas fait sans vous en parler.

— Et elle le sait, maman ?

— Avec elle, va savoir ce qu'elle sait, ce qu'elle sait pas ? Tu la connais, hein ? Je vais pas te faire un dessin... Fichtre ! déjà 5 heures. Je vous laisse, les garçons.

Je l'ai raccompagné.

J'avais à peine refermé la porte que Véronique s'est pointée.

— Il faut que je parte aussi, j'ai laissé le pinceau dans le pot.

— Déjà ! Mais on s'est pas parlé, rien...

— Vous avez l'air triste, on dirait ?

— Non, c'est rien. C'est mon père qui veut divorcer, j'ai dit pour faire l'intéressant. Bon, salut alors.

— Oui, salut. Viens, Lala.

Et voilà, elle était partie. Et merde, la fenêtre bien peinte et tout. Je lui avais même pas dit merci.

— Eh ben, qu'est-ce que t'as, William ? Pourquoi tu tires cette tronche ? Nicolas m'a demandé.

— Je sais pas, je suis pas bien tout d'un coup.

— C'est à cause des histoires de Toto ? Mais laisse-les donc ces deux cons. Il veut se tirer, qu'il se tire. On n'en a rien à foutre...

— Ouais, t'as raison. Si on allait au cinéma ?

Je pouvais pas lui dire que le coup de cafard c'était Véronique. Il aurait pas compris. Il aurait dit : « Pour ce bébé ? » Lui, on avait jamais l'impression qu'il souffrait. Ni pour les filles ni pour rien. C'était pour faire comme lui que j'avais dit : « Si on allait au cinéma ? » C'était le genre de trucs qu'il disait. « Si on allait se bouffer un sandwich ? », « Si on s'envoyait un banana split ? », « Si on se tirait à Amsterdam ce week-end ? » J'adorais ça. J'aurais jamais trouvé toutes ces envies-là tout seul. On y allait. Il marchait un peu devant, une tête au-dessus de la foule, en poussant les vieilles de la main sans même regarder s'il les envoyait pas rouler dans le caniveau. On aurait dit qu'il se foutait de tout et en même temps tout l'intéressait. Et en même temps il s'assurait sans arrêt que j'allais bien. Moi, j'étais toujours à chercher des raisons supplémentaires de désespérer et lui, il disait : « Mais on s'en fout, William. C'est tous des cons... » Je disais : « Ouais, t'as raison », et ça allait mieux. Et le monde était à nos pieds. Et on n'avait plus qu'à le fouler, qu'à le bouffer. C'était impossible de rester malheureux avec lui. C'était le meilleur type que je connaissais,

Nicolas. J'aurais vécu mille ans avec lui devant, pour me déblayer le terrain.

Je l'ai laissé terminer seul la peinture. Le lendemain matin je suis parti pour Liège, en Belgique, essayer d'organiser un spectacle pour l'autre idiot. On s'était donné rendez-vous, lui et moi, à la mairie. M. le bourgmestre, Jean-Luc Daynard, cascadeur. Il savait à peine aligner trois phrases mais quand on montrait aux élus les photos de ses rodéos contre les murs de brique, ils le regardaient ensuite comme un miraculé. C'était magique. Bon, on ferait ça dans la banlieue. La construction du mur était toujours à la charge de la ville, si, si, par souci de crédibilité, M. le bourgmestre. Nous, il nous restait juste à dénicher trois ou quatre épaves capables de dépasser les cent kilomètres à l'heure. Et préparer les interviews du champion pour la presse municipale.

D'habitude on faisait ça le soir. Lui, allongé sur son lit à feuilleter des magazines de sport automobile, et moi à table, à rédiger questions et réponses, sous son contrôle tout de même.

On s'est retrouvés dans le studio qu'il avait loué, au premier étage d'une maison particulière. Mais ce soir-là il était sur le lit avec une fille. Dès que je suis entré elle a filé dans la salle de bains.

— Je vous laisse, j'ai dit. Je reviens dans une heure.

— Non, tu restes.

— On va pas travailler pendant que tu pelotes une fille !...

— Fais pas le con, j'la toucherai pas. Reste, j'te dis.

Bon, on a commencé.

— Si je dis qu'à quatre ans tu percutais déjà le mur du jardin de tes parents avec ton auto à pédales, tu démentiras pas ?

— Écris ce que tu veux, tête d'œuf. Et puis tiens,

255

dis que je prépare un film sur la cascade où je serai l'acteur principal. Dis-le ça, ça fait bien.

— Pas de problème.

Elle s'était recouchée à côté de lui. Ils avaient commencé par se lécher et maintenant elle avait carrément la main sur sa braguette, et lui, d'où j'étais, je voyais ses doigts qui farfouillaient dans sa culotte. Elle avait les cuisses épaisses. C'était dégueulasse. J'avais pas envie d'être là. Je suis sorti. J'aurais voulu appeler Nicolas. Comme une envie de me laver. Il m'aurait dit : « Mais t'en as rien à foutre, William. Tu lui prends son blé et tu rentres. » Il m'aurait parlé de l'exposition, du voyage qu'on ferait l'été prochain. Enfin de choses dont on pouvait être fier. Pourquoi j'avais pas la force tout seul de me protéger ?


J'ai couru pour sortir du métro, j'ai couru dans Passy, j'ai couru dans l'escalier. J'étais pressé de le retrouver. J'avais un gros paquet de fric dans la poche.

Il était pas là. La théière était encore tiède. Il avait dû partir à Ivry, à la Villette ou à Pantin. Ses coins préférés. Il avait besoin des quais, des rails, de la rouille, de toute cette merde pour peindre. Une heure plus tôt je l'aurais accompagné. On se serait glissés dans un entrepôt. J'aurais lu jusqu'à ce qu'il dise : « Je sens plus mes pieds. Viens, William, on va boire des cafés, on reviendra plus tard. »

L'appartement sentait la peinture et le moisi. J'ai tourné dans les pièces vides. Il devait êre midi et on y voyait à peine. J'ai eu envie de chier et en même temps d'écrire, ça se confondait les deux envies. Et comme chaque fois, j'arrivais pas à me décider pour l'une ou pour l'autre. Je tournais, j'attendais, et à force ça prenait la forme d'un désir sensuel, comme une envie de me laisser couler, de n'être plus qu'un trou par où je me liquéfierais. William, ça serait plus que ce truc chaud qui coulerait, qui coulerait. Et me ferait jouir au passage. Ça montait ce désir. Ça devenait une boule énorme. C'était aussi une envie de vomir. Je me voyais jaillir par tous mes trous. Je voyais cette image. J'avais envie de ces geysers. J'ai commencé à écrire, j'avais le cul sur les chiottes et la boule au fond de la gorge.

En trois mois je leur avais peut-être écrit deux cents pages à ces ordures de curés. Ça commençait toujours par des convulsions de tout le corps et puis petit à petit mon ventre s'apaisait, la boule fondait au creux de mes tripes et de tout ce déchaînement il ne restait bientôt plus que mon stylo qui filait silencieusement sur le papier.

Quand je pensais à eux, j'avais des images de sang. De hache qui leur fendait le crâne, de mitraillette qui les clouait au sol jusqu'à n'en faire plus qu'une bouillie de merde et de sang. Et à la fin, je crachais sur la saloperie de flaque. C'est ça que je leur écrivais et j'adressais mes liasses de papier au supérieur du collège, de la part du petit William de Repeygnac. Souviens-toi, crevure : les deux morveux aux billets d'admitature.

— T'es encore en train d'écrire à ces connards ?

— Ah ! salut Nicolas, t'as bien peint ?

— Ouais, je sais pas. Si on allait se bouffer une pizza ?

— D'accord.

— Ah ! et puis tiens, y a la fille qui est passée, là, pour nous inviter à son anniversaire.

— Véronique, elle est passée ?

— Ouais, elle fait une fête chez elle, samedi soir. T'auras qu'à y aller.

— Tu viendras pas, toi ?

— Non, ce week-end, je vais en Allemagne, voir Leïla.

Elle s'était mis du noir sur les yeux, du rouge sur les lèvres ; elle s'était fait un chignon et moi je ne savais pas de quel côté elle était la plus mignonne, de devant avec ses yeux têtus et sa bouche écarlate, ou de derrière avec ses cheveux relevés, sa nuque tendue. Je savais vraiment pas. Est-ce que je la voyais comme elle était ? Elle avait brusquement embelli à cause du crétin qui lui chuchotait des trucs à l'oreille. Qu'elle soit inaccessible, ça lui avait fait la taille plus fine, le cou plus long (dans ma tête je veux dire). Je suis comme ça : quand on me vole mes rêves je les embellis.

Il lui tenait la main quand elle m'avait ouvert. Un blond joufflu avec les yeux bleus. Paul, il s'appelait. Jusqu'ici elle n'avait dansé qu'avec lui. Il la serrait, elle laissait sa joue contre la sienne mais elle n'avait l'air ni bien ni mal, plutôt absente. C'est curieux comme elle était cette fille : elle devait avoir deux ou trois choses auxquelles elle tenait et le reste elle s'en foutait. Ça se sentait. Ça se voyait même. Là, par exemple, il devait lui raconter des trucs dont elle avait rien à faire. Elle prenait tout juste la peine de hocher la tête de temps en temps. Tiens, et maintenant elle venait vers moi, en le traînant par la main.

— Vous vous ennuyez ? Pourquoi vous ne dansez pas ?

— Je pensais à autre chose, j'ai dit.

— C'était bien, votre voyage en Belgique ?

— Oui, le spectacle a bien marché. J'ai gagné beaucoup d'argent.

— Un spectacle de quoi ? a demandé le crétin.

— Je m'occupe d'un cascadeur. Je suis son imprésario. Et toi, tu fais quoi ?

— Math élém.

— Ah ! tu passes le bac. Comme Véronique, quoi...

— Oui.

— Et votre exposition, c'est toujours prévu pour le mois prochain ? elle a demandé.

— Oui, tu viendras ?

— Si vous m'invitez.

— Là, je t'invite à danser, tu veux bien ?

Elle a fini par lui lâcher la main. Maintenant, je percevais les mouvements de son dos sous mes doigts, à la chute des reins, son genou m'effleurait aussi de temps en temps et sous mes yeux je n'avais qu'un gros plan d'un petit endroit de sa joue et de son oreille. Et rien à dire. Elle non plus.

— On a l'air bête à rien se dire, j'ai soufflé.

— Pourquoi tu dis ça ? C'est bien de pas parler.

— T'as raison, je trouve ça bien aussi. Qu'est-ce que tu aimes, toi, dans la vie ?

— J'aime bien le silence justement. Marcher dans la montagne, regarder les animaux...

— Dans quelles montagnes tu vas ?

— N'importe. Dans les Alpes, dans les Pyrénées, mes parents décident au dernier moment.

— Avec mon frère, cet été, on va en Éthiopie, j'ai dit.

— C'est vrai ! T'as de la chance, qu'est-ce que j'aimerais...

— Viens si tu veux...

— T'es fou. Maman voudra jamais.

Elle est repartie danser avec Paul. Et après, les choses se sont précipitées. Je me souviens qu'on s'est assis un moment tous les trois pour boire une vodka-orange. Je lui ai demandé ce qu'il ferait après son bac, il m'a dit une école de commerce, pourquoi j'ai dit, tu trouves ça intéressant ? passionnant il trouvait ça, je vois pas ce qu'il y a de passionnant à vendre des saloperies, j'ai dit, je reprendrai l'affaire de mon père et mon père ne fabrique pas des saloperies, pourquoi dis-tu ça ? Il a demandé, ah t'es un fils à papa, j'ai fait, fallait le dire tout de suite, tu viens danser Véronique ?

C'était la vodka qui avait dû me mettre dans cet état. Je me sentais aussi fort que Nicolas tout d'un coup. Je m'étais mis à parler comme lui d'ailleurs.

— Il est con, ton copain, j'ai dit à Véronique.

— Je sais pas, je m'en fiche, elle a fait.

— C'est à pleurer un mec qui n'a rien d'autre à foutre dans la vie qu'à reprendre la boîte de son père.

— Je vois pas pourquoi...

— Comment tu vois pas pourquoi ? Mais vivre c'est faire le tour du monde, c'est bourlinguer. Moi, je vais voyager jusqu'à trente ans et à trente ans je crèverai. Ça, je l'ai toujours su. Seulement en attendant j'aurai eu une vraie vie. Merde, il est nul ce mec.

On a dansé. Son type est parti avant la fin. Et dans les derniers slows on s'est embrassés sur la bouche.


Elle avait dit :

— Samedi, après le déjeuner, tu viendras me chercher ?

J'avais dit oui, en lui pressant la main comme un type sûr de lui et j'étais parti me coucher.

C'était parfait une semaine, comme délai. Ça me permettait de penser à elle sans paniquer. J'étais certain qu'en ouvrant la porte elle dirait :

— Tiens, William, qu'est-ce que vous faites ici ?

— Ben, tu m'avais dit...

— Entrez si vous voulez, Paul est là.

J'en étais certain. Mais chaque fois qu'elle revenait cette scène, je me disais : je m'en fous, j'ai huit jours tranquilles, j'ai qu'à juste penser comment elle s'est laissé embrasser. Chaque chose en son

260

temps, je vois pas pourquoi je devrais me gâcher ce plaisir. J'étais pas du tout pressé de la revoir, j'aurais même bien voulu que ça dure un mois ce rêve.

Le samedi au réveil, j'ai pas pu avaler un demi-petit Brun. Nicolas n'était toujours pas rentré d'Allemagne. Je suis parti marcher le long de la Seine, pour me calmer, en attendant 3 heures. Avec mon imperméable blanc du marché aux puces, britannique, malgré tout. C'est ce que j'avais de plus propre.

J'ai sonné à la grille. On ne voyait rien au travers. J'ai entendu courir dans le jardin. Et brusquement je l'ai vue. Alors tout a été très vite. Elle s'est jetée à mon cou et sans parler, sans sourire, sans rien montrer elle a pris ma bouche dans la sienne, elle y a fourré sa langue et très sérieusement elle a commencé à m'embrasser en me glissant son petit bout partout, méthodiquement, pour rien oublier surtout. Elle a même fermé les yeux pour mieux se concentrer. Quand elle a eu fini elle m'a gardé contre elle en me tenant enlacé par le cou, en laissant pendre sa tête en arrière. Elle allait me dire quelque chose, je crois. Mais brutalement je me suis souvenu de Pascale dans une rue d'Alger. Pascale, tu te tenais comme elle, Véronique, tu te suspendais à mon cou comme elle se suspendait à celui de Georges. Seulement pour ce geste je t'aurais aimée. J'étais tellement ému que j'ai dû trembler. Toi, tu étais en train de dire :

— T'exagères, pourquoi t'es pas venu plus tôt ? J'en avais marre de t'attendre. Hé, tu m'entends, William ? A quoi tu penses ?...

— Je pensais à toi, j'ai dit. J'aime bien que tu me tiennes comme ça.

— Comment ? Par le cou ?

— Oui, par le cou.

— Viens dans la maison, il fait froid.

Ça sentait le pain d'épice chez elle. On est entrés dans le salon. C'était une grande pièce du siècle passé, un peu fanée. Les coussins étaient avachis, les abat-jour cabossés, des journaux traînaient sur les tapis. Avec la chaleur et ce parfum de cigarettes blondes, ça faisait vieux nid où il faisait plutôt bon vivre. Je me suis laissé tomber sur le canapé; elle est venue s'allonger en travers de mes genoux. Et là, elle m'a refait ce truc de m'embrasser consciencieusement avec sa langue. Elle fermait les yeux et en même temps elle plissait le front entre les arcades sourcilières, comme si ça lui donnait du souci ces baisers.

— Alors, dis-moi pourquoi t'es pas venu me voir plus tôt ? elle a encore demandé, juste après.

— J'aime pas déranger. Tu m'avais dit samedi.

— T'es drôle, alors si je t'avais dit l'année prochaine...

— J'aurais attendu l'année prochaine.

— T'es drôle... T'es bien ? Tu veux pas un café ?

— Si, je veux bien. Ou du thé plutôt. T'en as du thé ?

C'est elle qui était drôle. On aurait dit qu'elle faisait tout exactement comme elle le sentait dans son corps. Instinctivement. En se foutant de tout le reste, quoi. Là, par exemple, elle regardait fixement ma bouche, en attendant que j'aie fini de parler pour se servir, un peu comme on fait la queue à la boulangerie.

— Elle est marrante ta bouche, les coins sont relevés, elle a dit. Alors tu préfères du thé ?

On a bu du thé.

Elle s'est remise en travers de mes genoux et pendant qu'on s'embrassait encore j'ai mis la main dans sa chemise, j'ai sorti un sein du soutien-gorge et je l'ai gardé dans ma main. On aurait dit qu'il s'allongeait son petit bout sous les caresses. Et ça, c'était...

— Si on allait se promener au bord de la Seine ? j'ai réussi à dire.

— Oui, ou au Bois. C'est mieux le Bois, non ?

— Moi je préfère le bord de la Seine. C'est le seul endroit que j'aime à Paris.

— Alors viens, on y va.

On a remis ensemble son petit sein à sa place et on est descendus sur les berges.

J'ai dit que toute cette flotte qui filait à la mer ça me donnait envie de partir. Mais comment on peut vivre dans cette ville de merde ? j'ai demandé. Moi, plus tard, j'aimerais habiter une ferme, elle a dit. Moi, j'ai pas envie d'une maison, j'ai répondu, je voudrais coucher toutes les nuits dans un endroit différent. On peut pas voyager toute sa vie, t'as pas envie d'avoir un métier ? J'ai juste envie d'écrire mais je sais pas quoi écrire. Tu peux comprendre ça ? je lui ai demandé en la regardant bien dans les yeux. Je sais pas, non. Moi, j'aimerais être vétérinaire, soigner les bêtes dans la campagne. Je peux pas blairer les animaux, j'ai dit, surtout les chiens. Si j'étais président de la République, j'ordonnerais qu'on les tue tous. C'est dégueulasse ces machins qui chient partout et qui se reniflent le cul sur les trottoirs. C'est marrant, elle a dit, t'es méchant en fait, alors que t'as l'air plutôt gentil. Je suis pas méchant mais je sais pas ce que j'ai, quelquefois j'ai envie de tuer. T'es un peu fou alors, elle a dit en me regardant d'en dessous comme un commissaire-priseur devant une fausse toile de maître. On s'est arrêtés de marcher. Ça va passer, c'est pas grave, j'ai murmuré en la prenant par le cou.

Tout de suite elle est revenue m'embrasser. Je me suis adossé au tronc d'un arbre et j'ai senti le poids de son corps contre le mien. Tout son corps, les cuisses, le ventre, les seins, la bouche. C'était la première fois que je percevais sa densité. Je l'ai prise par la taille et j'ai osé lui caresser les fesses à travers le velours du pantalon. C'étaient des fesses de femme, bien serrées à la chute des reins puis qui s'écartaient imperceptiblement au moment de rejoindre les cuisses. J'avais remarqué ce mouvement déjà, sur le corps de Béatrice à La Baule, chez d'autres aussi sur la plage, mais de le sentir à présent sous mes doigts ça me bouleversait. Je suis remonté au creux de son dos, j'ai tiré la chemise, je l'ai sortie et j'ai glissé mes mains contre sa peau. Elle a frissonné mais sans cesser de me crachouiller dans la bouche. J'avais envie de ça, de la boire.

Pratiquement tous les commerçants avaient accepté notre affichette : « Nicolas Guidon, peintre. Ses premières œuvres : *Ferrailles.* » Les gens de l'hôtel particulier derrière l'immeuble, une famille de sept enfants dont les grands fils étaient scouts et le petit, louveteau, étaient même montés spécialement nous dire que si on avait besoin de quoi que ce soit, n'est-ce pas ?... C'était si rare dans le quartier que des jeunes prennent des initiatives.

On voulait leur foutre à la gueule le chaos du monde et ils faisaient de nous des bons garçons. C'était à hurler. Seulement on n'avait pas eu le courage de les envoyer chier.

— Connards de catholiques, j'avais dit à Nicolas. Avec leur truc de tendre l'autre joue tu sais jamais quoi faire d'eux. Ils te restent sur les bras. Pour bien faire, faudrait les tuer.

— Laisse tomber, eux au moins ils achèteront un tableau.

Le soir du vernissage est arrivé. Véronique avait amené cinq cartons de petits fours qu'elle avait fait payer à ses parents. Nous, on avait acheté du champagne. On en prenait plein les yeux en entrant dans la pièce. D'abord le blanc des murs, du plafond, trop éclairé, trop lumineux.

Ensuite les tôles froissées de Nicolas, ses bagnoles concassées, ses eaux noires charriant des détritus, ses grues jaunes, partout. Je l'enviais d'avoir les moyens de montrer ce qu'il avait dans la tête. Dans un coin, on avait mis le buffet sur deux tréteaux. Dans l'angle opposé, un fauteuil Louis XV acheté chez l'abbé Pierre et repeint en vermillon. C'était tout. Et dans ce vide c'était un bonheur de marcher pour le seul plaisir d'entendre craquer le plancher. C'est ce qu'on faisait, Nicolas et moi, les mains dans les poches, comme grisés par l'espace, quand on a entendu :

— Il y a quelqu'un ?...

C'était Christine.

— Ah ! salut Christine ! T'es sympa d'être venue.

— Vous allez bien mes petits frères ?

— Ouais. Viens voir les tableaux.

— Tenez, je vous ai apporté des chaussettes.

— Ouah !... elles sont belles.

Elle a ri en nous passant la main dans les cheveux. Elle avait un kilt écossais, un foulard Hermès, comme la maman des scouts de l'hôtel particulier derrière. Elle était mariée à présent. Elle avait même deux enfants déjà, qu'elle avait fait baptiser. On pouvait pas comprendre qu'elle soit restée catholique, qu'elle ait des copains prêtres. Mais ça nous arrangeait bien. Grâce à ça on pouvait continuer à la considérer comme une maman. Puisqu'elle n'avait rien rejeté, puisqu'elle avait tout repris à son compte. Et nous, il nous fallait absolument une maman, pour lui vomir à la figure notre haine du monde. C'était d'abord sur la vraie, celle qui nous avait chiés sur terre, qu'on avait envie de dégueuler. Mais puisque Grangemarre se défilait — quand ne s'était-elle pas défilée d'ailleurs ? — eh bien, Christine faisait l'affaire.

— C'est bien, Nicolas, c'est très beau d'une certaine façon, mais quand peindras-tu des choses moins dures ? elle a demandé.

C'était tout à fait ça qu'on espérait, qu'elle prendrait ce visage de douleur pour réclamer un peu de soleil.

— Je sais rien faire d'autre, a dit Nicolas.

— Tu vois de la gaieté, toi, dans le monde ? j'ai demandé. Nicolas, il peint ce qu'on a dans la tête tous les deux. On sait même pas pourquoi on nous a foutus là, et maintenant on n'attend plus que de crever. Tu crois qu'avec ça on a envie de peindre des petits oiseaux ?

— Ne dis pas ça, William, quand tu auras retrouvé la foi, tu retrouveras l'envie de vivre. C'est merveilleux, la vie !...

— T'es comme une autruche, Christine. Tu veux pas voir que ton Dieu c'est du bidon. On est tous que des bêtes. On fait l'amour, on se reproduit et après ça, on crève. Mais pourquoi, bon Dieu ! ? A quoi ça sert de prolonger cette connerie ?...

— Ne dis pas des choses comme ça, William. Pour le moment vous êtes perdus, mais...

— Ah ! tiens, bonjour !

On les avait pas entendus entrer : Véronique et ses parents. Sa mère, j'ai vu du premier coup d'œil qu'elle était sans intérêt : une de ces vieilles élégantes de Passy dont je me demande encore chaque fois comment leurs maris ne les confondent pas, sur les trottoirs je veux dire. Moi, je serais incapable d'en reconnaître une en particulier. Son père en revanche avait une gueule. Le visage fin, la mèche blanche sur l'œil, une moustache. Lui, ça devait être par accident qu'il avait échoué dans le XVIe.

— Christine, je te présente Véronique, une amie, j'ai dit.

Et de les voir se serrer la main toutes les deux, ça m'a ému. Parce que Christine l'a regardée de très très haut, mais avec beaucoup de tendresse, comme un peu la Vierge Marie regarde Marie-Madeleine, la petite pute. Et Véronique en a rougi. Elle avait encore sa jupe d'uniforme bleu marine, ses socquettes blanches. Christine en faisait une enfant perdue, comme elle pouvait croire que j'en étais un quand j'agressais le Bon Dieu. Au fond, ça me convenait qu'elle ait pour nous deux ce regard. C'était mieux que l'indifférence.

Le père de Véronique a tout de suite acheté mon tableau préféré. Juste une grue immense qui touchait le ciel, et à son pied, dans une crevasse du sol, des tas de voitures que la terre venait d'engloutir dans un de ses tremblements mous. On devinait qu'elle était en train de les mastiquer avant de les ingurgiter pour toujours dans son ventre rond. Ils ont parlé un moment, Nicolas et lui. Je me suis approché pour écouter et presque aussitôt il m'a demandé :

— Et vous, vous montez des spectacles, c'est ça ?

— Oui, pour un cascadeur.

— C'est intéressant ?

— Très, j'ai dit.

L'image de l'analphabète farfouillant dans la culotte de la pouffiasse m'est revenue brusquement.

— Mais vous savez, j'ai ajouté, je fais ça en attendant. Moi, je voudrais écrire, mais je sais pas encore quoi écrire. Vous comprenez ça ?

— Je crois que oui.

Des tas de gens étaient arrivés entre-temps. J'ai reconnu la boulangère et son mari, mon ancien prof de philo, les catholiques de l'hôtel particulier derrière, une ancienne copine de Nicolas qui parlait à la maman de Véronique, un type qu'on avait rencontré à la cinémathèque...

On a bu du champagne. Véronique et moi on lavait les verres au fur et à mesure. Je me souviens du regard de sa mère nous suivant dans la pièce comme si elle avait deviné. Je me souviens avoir refusé, même contre une somme astronomique, de vendre à un jeune couple la lampe que Nicolas m'avait offerte pour la fête des mères. J'avais douze ans. Ils m'emmerdaient ces deux crétins avec leur pognon. Elle n'était pas à vendre ma lampe. Et puis Christine est partie sans me dire au revoir. Toto n'est pas venu. Nicolas est parti avec son ancienne copine, et bientôt on s'est retrouvés seuls Véronique et moi.

Ça sentait l'alcool et la cigarette blonde dans la grande pièce. On était un peu ivres. Je me suis laissé tomber dans le fauteuil Louis XV et j'ai regardé Véronique. Elle secouait chaque bouteille vide au-dessus de son verre, pour récupérer un tout petit peu de champagne. Elle l'a bu et très vite elle est venue sur mes genoux mettre sa langue toute fraîche dans ma bouche.

— J'avais envie, elle a dit aussitôt après, sans sourire.

J'ai pensé : elle parle de moi comme d'une gourmandise à consommer, et ça m'a plu.

— Est-ce que t'es baptisée, toi, Véronique ? j'ai demandé.

— Non, je suis même jamais allée au catéchisme, elle a dit. Papa est athée et maman s'en fiche.

Elle a reposé ses lèvres juste sur le coin de ma bouche. Elle a dit :

— J'aime bien cet endroit, c'est doux.

Et un moment plus tard :

— Attends, je vais éteindre, j'ai envie qu'on soit bien.
D'un seul coup on s'est retrouvés dans la nuit de la rue, la nuit des lampadaires qui entrait par les fenêtres.

Elle est revenue sur mes genoux, à califourchon, et elle m'a encore embrassé. J'ai pris sa tête entre mes mains. Doucement j'ai caressé ses oreilles, son cou, sa nuque. Alors elle m'a laissé descendre le long de son dos et à travers sa jupe j'ai effleuré ses fesses. C'est de les deviner ouvertes, offertes, si près de moi qui m'a donné ce désir. J'ai glissé ma main sous toi, Véronique, faufilé mes doigts entre l'étoffe de ton slip et la douceur de ta peau tendue et je suis remonté enserrer dans ma main ton pubis. Toi, on aurait dit que tu attendais, que tu guettais, la respiration comme suspendue, ta langue immobile dans ma bouche, seulement à l'écoute de ton corps. On aurait dit qu'une chaleur montait du plus profond de toi. Alors doucement, comme pour creuser un sillon entre des ronces, d'un doigt, d'un doigt fourchu, j'ai écarté. Ils avaient un peu la sécheresse des ronces, tes poils. Mais quand je t'ai trouvée dessous, alors j'ai ressenti un choc inouï dans le ventre, comme un magnifique haut-le-cœur de désir. Parce que c'était vivant et chaud ce que je touchais de toi, c'était plus que toi, c'était toi qui t'entrouvrais. J'ai continué à creuser et plus j'allais plus tu t'ouvrais. A présent tu haletais au fond de mon oreille.

J'ai eu envie de te pénétrer. Envie comme jamais. Et tu l'as ressenti, bien sûr. Alors doucement tu t'es laissée glisser le long de moi, jusqu'à m'avoir englouti complètement. Puis tu es revenue et tu as recommencé. Et ainsi de ton ventre, de tout ton corps, comme en dansant tu es venue dix fois, vingt fois, jusqu'à ce qu'une formidable explosion me déchire. Alors simplement tu as gémi. Longtemps. Tout le temps qu'a duré la déchirure.

Presque tous les soirs tu passais vers 5 heures. Je bondissais t'ouvrir. Tu avais couru. Tu étais essoufflée. Tes narines palpitaient. Tu pouvais presque plus parler. Tu tombais contre moi et j'embrassais juste tes cheveux pour te laisser reprendre souffle. Après je t'embrassais les yeux, le nez, les oreilles. Tu disais: «Viens!» On allait dans la piaule. On faisait l'amour sur mon lit n'importe comment. Toute la journée j'avais rêvé de te mettre toute nue, de t'embrasser le sexe, d'y fourrer ma langue et là, brusquement, on n'avait plus le temps de rien. On s'emmêlait les jambes dans les vêtements. On tombait l'un sur l'autre. On commençait à se pénétrer c'était brûlant, c'était à hurler d'extase, mais on était tellement entravés avec tout ce foutoir de fringues qu'on pouvait à peine aller et venir. Alors brutalement, de rage, on arrachait tout ce qui nous gênait et je m'enfonçais en toi. Tu gémissais. On retombait en riant. On se tordait de rire même, parfois, en se léchant le visage. Je t'aurais dévorée. Ton nez, ta bouche, je les aurais dévorés. J'avais encore jamais rien vu d'aussi mignon que ton visage essoufflé après l'amour.

Après, on allait au grand magasin Inno voler à manger. On avait faim. J'aurais pu payer, un peu, mais avec Nicolas on avait décidé de garder tout notre argent pour le voyage de cet été en Éthiopie. Alors j'avais cousu les manches d'une grosse parka de l'armée américaine, au niveau des poignets. Je la portais sur le dos comme une cape et, en passant dans les rayons, j'expédiais les trucs dans les manches. Le fromage, le beurre, le chocolat, le thé de Chine. Quand les deux manches étaient pleines, on passait à la caisse avec quatre paquets de petits Brun et un kilo de sucre. On payait juste ça. C'était pas cher.

Quand Nicolas rentrait, de Pantin ou d'Ivry, Véronique s'en allait. Il avait fait la connaissance d'un poète, Nicolas, un type beaucoup plus vieux que nous qui avait déjà publié des recueils. Et maintenant, ce gars l'accompagnait souvent, la journée. Ils avaient en projet de faire un livre ensemble, dans une collection «Poètes maudits» qui démarrait juste. Nicolas parlait de lui en termes graves, toujours. Il disait: «Antoine a pleuré en me regardant peindre», ou: «Antoine ne dort plus en ce moment, il écrit.» Quelquefois, Nicolas filait chez lui passer la soirée. Il en revenait avec des livres noirs. Antoine nous prêtait les écrits d'Antonin Artaud, de Breton, de Crevel. Toute la nuit, après, on parlait du suicide comme d'une fin naturelle. De la folie comme d'un état de grâce. Maintenant, Nicolas ne voulait plus jamais aller bouffer des banana split sur les Champs-Élysées. On aurait dit qu'il se l'interdisait par respect pour le malheur latent d'Antoine. D'ailleurs, sa souffrance nous gagnait, à le lire, à lire Artaud:

«C'était comme si l'irrémédiable s'était accompli: l'horreur était à son comble
en même temps que le désespoir et la navrance.
Et cela s'étendait
à toute la vie de mon âme dans l'avenir.
Dieu alors s'était fait introuvable.»

— Une fois, tu m'emmèneras chez Antoine? j'avais demandé.
— Si tu veux, y a pas de problème, avait dit Nicolas.
Mais les dimanches, je les passais dans l'hôtel particulier des parents de Véronique. On s'était habitué à ma présence, là-bas. Le père m'observait avec toujours le même sourire énigmatique et silencieux. J'avais appris qu'il était fils d'ouvrier, ingénieur et franc-maçon. Ça me plaisait plutôt. La

mère, c'était un mélange de pitié pour moi et d'inquiétude pour sa fille. Ça donnait : « Il faut manger, William, vous êtes à peine sorti de l'adolescence. Comment se fait-il que vos parents vous laissent dans cette misère ? » Et un instant plus tard : « Pourquoi n'invites-tu plus jamais Paul, Véronique ? C'est un garçon charmant et très brillant... » Elle ne me parlait plus de mon avenir depuis que j'avais dit : « Je voudrais écrire, moi, madame. Le problème, c'est que je ne sais pas quoi écrire. — Ce n'est pas un métier, ça, mon pauvre garçon », elle avait soupiré. Depuis, elle faisait plutôt des remarques désobligeantes sur mon physique, comme pour aider sa fille à me regarder sans parti pris. « C'est fou ce que vous avez le nez long, William, elle disait par exemple. Je n'avais pas réalisé, mais là, de profil, c'est flagrant !... » Ou encore : « Tiens, vous avez les doigts palmés, William, c'est pas très joli... » Un dimanche après-midi, son père nous avait surpris sur le lit de Véronique. Depuis, il frappait avant d'entrer.

C'est grâce à lui que bientôt Véronique a pu venir dormir avec moi, une ou deux nuits par semaine. Elle lui avait dit qu'elle en avait envie, il avait dit : « Alors fais-le, je m'arrange pour que ta mère ne le sache pas. La seule chose que je te demande, c'est d'être prudente. — William se retire, papa, il n'y a aucun risque. »

On s'était fait un lit avec juste des couvertures sur le plancher, dans la grande pièce de l'exposition. Maintenant qu'on avait la nuit devant nous, on prenait le temps de se mettre tout nus. Mais comme on ne chauffait pas, tu courais te glisser sous la couvrante, t'allonger sur moi. Tu étais toute pleine des odeurs de la journée encore. On devrait jamais se laver avant de faire l'amour. Je te mettais sur le dos à l'endroit que j'avais chauffé et je te léchais sous les bras, autour du bout de tes seins, puis le ventre, et quand j'arrivais aux poils j'y enfouissais mon nez. Ça sentait bon, c'était à tituber. J'avais juste à descendre un peu pour trouver sous ma langue tes grandes lèvres, déjà offertes. Il était salé ton ventre. Tu me laissais te boire un peu et puis tu t'impatientais. Je remontais à ta bouche. Tu me prenais des deux mains, autour, dessous, tu te caressais encore avec moi et puis comme tu n'en pouvais plus d'attendre, et moi pareil, tu me mettais en toi et des reins je t'écartais encore pour te pénétrer tout à fait. Alors c'est moi qui allais et venais, et je guettais sur ton front le gros souci que ça te faisait de sentir monter le plaisir. J'explosais au fond de toi et je me retenais de crier pour t'entendre gémir. C'est ça que j'aimais surtout, t'entendre gémir.

Un soir, en me quittant, tu m'avais dit que tu reviendrais vers 11 heures, minuit, et c'est ce même soir que Nicolas m'a emmené chez Antoine. Mais il n'y avait pas de problème, on serait rentrés à temps. J'ai trouvé un petit bonhomme plutôt gras, les cheveux mi-longs, qui parlait bas et très lentement comme s'il avait l'éternité devant lui. Au début, je l'ai pris pour un faiseur. Il m'a énervé. Mais on se laissait prendre à l'écouter. A l'écouter parler du malheur des autres poètes. Et bientôt j'ai eu honte de trouver sur terre de quoi survivre, de quoi rire même, pendant qu'eux ils s'éclataient la tête à coups de revolver. Il fallait avoir l'esprit simple ou vulgaire pour participer à ce cirque. J'ai fait oui, gravement, parce que au fond j'étais d'accord. Il n'y avait que toi qui me retenais de l'envie de mourir, mais toi c'était l'amour, la chose du monde la plus vulgaire vue de chez Antoine qui n'aimait rien d'autre que son désespoir. Alors bien sûr je n'ai pas bronché quand j'ai entendu sonner 11 heures, puis minuit, à la pendule de son salon. J'aurais eu l'air de quoi, dis, si après avoir acquiescé au suicide des autres j'avais réclamé de prendre congé au nom de mes obligations conjugales ?

D'ailleurs, à l'heure où tu te couchais pour m'attendre, lui nous lisait du Jean-Pierre Duprey :

« La période des rêves est mon cycle nocturne,
je n'y suis pas mal installé
car mes phantasmes sont à l'image
du noir de mon âme... »

Je t'ai vue comme dans un rêve, puis je t'ai oubliée.

On l'a quitté à la fin de la nuit et, en entrant un peu plus tard dans la grande pièce, je t'ai à peine reconnue. Tu avais le visage tout barbouillé de flotte, les cheveux collés, les yeux gonflés, les lèvres boursouflées. On aurait dit que tu avais sangloté toute la nuit. Tu as dit :

— Mais enfin, William, tu as vu l'heure ?...

C'était pas méchant, c'était juste que t'avais pas dormi une minute en m'attendant. Seulement moi, tu sais, je me suis vu aussitôt dans la peau de Toto — mais enfin Toto tu as vu l'heure ? Il aurait pas fallu que tu dises ces mots-là, justement ces mots-là. Mais tu pouvais pas savoir. Alors bien sûr t'as pas compris comment j'avais encore le culot de t'injurier après t'avoir fait passer une nuit pareille.

— Véronique, j'ai dit, tu vas pas commencer à me faire chier. Si je peux plus passer la nuit dehors sans que tu te mettes dans cet état, on n'a qu'à se séparer. Je veux rester libre, tu comprends ! ? Je suis pas un toutou, un petit mari de merde...

Tu t'es remise à sangloter. Tu as bafouillé :

— Mais tu deviens fou, William... T'étais content que je vienne et regarde ce que tu fais... On n'a qu'une nuit ensemble par semaine... Et en plus tu

274

m'engueules. Mais t'es dégueulasse à la fin, barre-toi ! Barre-toi !...

Quand j'ai compris c'était trop tard. Tu t'étais déjà rhabillée, tu voulais plus que je te touche.

— T'es qu'un salaud, t'es qu'un salaud, je veux plus te voir, tu répétais en ramassant ton écharpe, tes gants, ton blouson, ton sac.

Tu allais partir et ce serait fini.

Ça m'a paru insupportable, brusquement, que tu disparaisses de ma vie. C'était pas une douleur, pas encore, c'était juste une peur, comme si tu m'abandonnais aux mains des croque-morts, aux mains d'Antoine. Toi, tu t'en foutais de nos histoires d'âme. Je sais pas ce que c'est l'âme, tu disais. Toi, on aurait dit que t'avais toujours su qu'on était venus là par hasard. On aurait dit que t'avais toujours su qu'il n'y avait rien à espérer après la mort. Alors évidemment, tu ne tombais pas de haut comme nous. Tu ne perdais pas ton temps à pester contre le sort. Tu vivais pendant qu'il était temps. Tu voulais vivre. Avec moi ? Pourquoi pas. Et ça me rassurait qu'on puisse comme ça s'installer dans le provisoire en se contentant de jouir du présent.

— Ne me laisse pas, Véronique, je veux pas mourir, j'ai murmuré.

J'ai vu que si tu partais je n'aurais peut-être même pas la force de vivre la journée qui se levait. Vivre pour attendre quoi, si je n'avais plus à t'attendre ? Ça t'a surprise. Tu as dit sans me regarder :

— Qui te parle de mourir ? Ne fais pas le crétin, William.

Je pleurais, je me sentais vraiment perdu. Au moment de sortir, tu l'as vu que je pleurais.

— William, enfin, tu vas pas mourir parce que je m'en vais ! ?...

— Si, j'ai dit.

Alors bien sûr, tu es revenue. Tu m'as relevé les

cheveux. De me voir pleurer tu t'es remise à pleurer. Je crois que les enfants aussi font ça. On s'est embrassés. On est partis marcher le long de la Seine. En me quittant tu m'as promis de revenir dormir avec moi, le soir.

Toute la journée je me suis ménagé. Je me sentais petit, petit. Plus du tout la force de maudire le ciel. J'aurais eu honte qu'Antoine me voie dans cet état. J'étais prêt à tout lâcher, Kierkegaard, les poètes, ce putain de désespoir, pour la permission de me blottir dans ton cou. Et qu'on ne bouge plus surtout. Ta chaleur, la nuit et rien d'autre. Qu'on me laisse en paix. J'avais bien le droit d'être heureux comme ça. Vulgairement, bêtement. Des tas de gens l'étaient. Pourquoi j'aurais dû me sacrifier, moi seul, pour dénoncer la connerie du monde ?

Je grelottais sous la couverture quand tu es arrivée. Tu t'es déshabillée à toute vitesse et tu m'as rejoint.

— Ça va mieux, William ? tu m'as demandé dans l'oreille en te blottissant.

— Oui, j'ai dit. J'ai juste envie de toi.

— Moi aussi, mais tu te retires, hein, t'oublies pas ? tu as soufflé en me prenant dans ta main.

Je t'ai caressée et tu m'as mis sur toi, en t'installant bien bien, en remontant tes jambes pour que ce soit exactement comme t'avais envie. Ça me bouleversait chaque fois cette façon que tu avais de te préparer sans honte aucune. On aurait dit que c'était inné chez toi. Je commençais à t'aimer très fort pour cette envie que tu avais de me prendre, de jouir de moi, plus que de te donner. Mais en même temps ça me faisait peur, ton attente, je veux dire. Plus je la mesurais plus j'avais peur de ne pas savoir la satisfaire. Je me disais que le jour où je ne saurais plus te faire jouir, eh bien ce jour-là tu me quitterais pour un autre, comme une biche de la forêt, sans faire d'histoires.

Cette nuit-là, en plus, avec tout ce qui s'était passé, j'aurais voulu que ça soit mieux que bien. J'ai guetté le plaisir qui montait, le tien, le mien. Mais quand tu as gémi, alors l'envie de toi a été trop forte. Je suis venu tout au fond de ton ventre. D'abord de très loin, puis de tout près, je t'ai entendue dire :

— William, non, William, il faut pas. Mais t'es fou !...

Tu m'as repoussé avec tes mains et aussitôt j'ai dit :

— Merde, Véronique, je sais pas ce qui m'a pris. Vite, vite, viens, tu vas te laver.

Dans la cuisine j'ai rempli une cuvette d'eau froide et tu t'es lavée. Après ça, tu tremblais de froid, et de peur aussi, peut-être. Je sais pas. Je t'ai serrée contre moi comme si déjà tu couvais une effrayante maladie.

— Tu crois que ça suffit comme tu t'es lavée ? j'ai demandé.

— Je pense, oui. Mais ne t'inquiète pas, ça sert à rien. On est bien, non ? Dors maintenant.


Trois semaines plus tard on a su que tu attendais un enfant. J'ai senti que toute la merde du monde nous dégringolait sur les épaules. On n'y échappait pas, décidément. Tu pleurais. Tu n'en voulais pas de cet enfant. Moi, j'étais même incapable d'imaginer ce que c'était un enfant. Je veux dire un visage, des yeux, une bouche. Je voyais juste le potentiel d'emmerdements que ça avait représenté dans mes dix-huit années de vie. Comme une douleur inévitable, un mal incurable qui avait irrémédiablement laminé Toto. C'était une diarrhée hurlante qui devait nous guetter à la sortie de l'adolescence et qui ne nous lâchait plus jusqu'à la mort. On y survivait que décérébré, exsangue, grotesque. Moins que bête. Bête de somme.

Je le savais qu'aux yeux de Nicolas c'était une déchéance. Il appelait ça les chiards, comme on disait les clébards. Ça serait une trahison aussi. Comme si brusquement j'avais décidé de renoncer à écrire pour ouvrir un cabinet d'assureur-conseil. A peine envolé, les ailes encore pleines des souillures de l'enfance, j'y retournais dans le purin. Il allait penser : « T'étais pas de taille, William. T'es qu'un petit, un besogneux. Comme Toto, comme Kérivel. Va, mon pote, va rouler ta crotte avec les autres. Te mêle pas aux artistes. » Non, il ne le penserait pas.

— Nicolas, j'ai dit, je suis dans la merde. Véronique attend un bébé. Faut que je trouve de l'argent. Pour l'avortement, tu comprends ?

— Ah ! bon, vous allez pas le garder, le chiard, alors ?

— T'es fou ! Mais comment je peux faire, tu crois ?

— Prends de l'argent du voyage si tu veux. C'est pas grave, on se débrouillera.

Mais on partait dans deux mois à peine et même si j'avais pris tout l'argent de l'Éthiopie ça n'aurait pas suffi.

J'ai appelé Toto.

— Papa, j'ai dit, tu peux passer me voir ? J'ai des ennuis.

— Qu'est-ce qui t'arrive, mon petit vieux ?

— Je peux pas te dire au téléphone. Tu peux passer, vite ?

— En début d'après-midi, ça te va ?

Il m'a semblé que Toto a souri intérieurement en apprenant. Il a fait « aïe, aïe, aïe, ça c'est pas marrant, mon pauvre vieux », mais j'ai bien vu que ça lui faisait tout chaud dans le ventre cette nouvelle. On s'était tellement foutus de lui la dernière fois. Il avait dit : « D'accord, autant pour moi. Mais vous verrez quand ça vous tombera dessus ! Mon vieux, t'as beau faire gaffe, quand t'es dans le feu de l'action... » Tiens au fait, c'est vrai, Grangemarre aussi était enceinte.

— Et maman, quand est-ce qu'elle accouche ? j'ai demandé.

— Fausse couche, mon petit vieux. Il y a trois mois déjà. On s'en est bien tiré pour une fois...

Il avait bonne mine, Toto. Chemise bleu pâle, costume de flanelle grise, parfumé et tout.

— Mais comment t'as pu faire cette connerie, William ? il a demandé en se regardant le pli du pantalon.

— Je sais pas. Faut que tu m'aides, papa...

Ça me reprenait cette angoisse. Mais d'où ça venait à la fin ? J'étais incapable d'y réfléchir calmement à ton avortement. Je pensais à ce truc qui grossissait dans ton ventre. Je pensais à toi qui n'avais rien demandé. Ça me rendait fou, ton impuissance au moment où je t'avais foutu cette saloperie tout au fond. C'était comme si je t'avais violée, tu comprends ? Comme si je t'avais fait mal. C'était pas supportable. Alors j'avais un besoin urgent de te voir, il le fallait absolument. Quand je te trouvais, je te couvrais de baisers mais ça n'effaçait pas cette peur. Parce que je devinais cette chose qui grossissait sous ta peau. Il aurait fallu l'arracher, vite, vite, mais comment ? On savait rien, on n'avait pas d'amis, pas d'argent.

— Faut que tu m'aides, papa, j'ai répété.

Il a vu que ça n'allait pas. Je devais être livide, je piétinais, j'étais couvert de sueur.

— Calme-toi, vieux, il a dit. Te fais pas de bile, t'es tout de même pas le premier à vouloir faire passer un enfant.

Et là, brutalement, à cause de ces mots, « faire passer un enfant », de ces mots sordides, j'ai compris ce que c'était cette angoisse. C'était que tu meures aussi, Véronique. Je les ai devinés, les hommes, entre tes cuisses. Des types crasseux, qui feraient ça dans une cave, pour de l'argent. Des salauds entre tes cuisses, à cause de moi. Et si ça ratait ? Alors je t'aurais pissé la mort au fond du ventre, pendant que toi tu gémissais de plaisir ? Non, merde, c'était pas possible.

— Attends-moi là, papa, j'ai dit. Tu bois du thé, tu bouges pas surtout. Je reviens.

J'ai couru comme un fou jusqu'à ta maison. Tu jouais du piano. Tu étais plus pâle que d'habitude mais tu l'avais presque oublié ton truc. Tu as dit aussi que tu n'étais pas la première à qui ça arrivait, il faut pas te mettre dans cet état William, ça va aller. Tu m'as rassuré. Je t'ai dit oui oui Toto va nous aider ça va aller. Et j'ai filé le retrouver, Toto.

Laisse-moi dix jours, il avait dit, que je déniche une piste. Je lui en ai laissé quinze. Et pendant ces deux semaines j'ai fait comme si j'étais un homme libre de nouveau. Je suis allé en Belgique chercher un contrat pour mon cascadeur, je n'en ai pas trouvé et à mon retour, lui et moi, on s'est injuriés et finalement séparés sur cet échec. J'ai écouté Nicolas préparer notre descente en Afrique. On irait en stop jusqu'au Pirée. De là, on gagnerait Alexandrie par bateau. Il n'y avait qu'une liaison par semaine, le jeudi, il faudrait en tenir compte pour fixer la date du départ. Jusqu'à Khartoum on prendrait le train. Après, on ne savait pas. C'était la guerre en Érythrée. Il faudrait se débrouiller pour traverser la zone des combats jusqu'à Asmara, au nord de l'Éthiopie. Ensuite, on disait que des cars assuraient la liaison jusqu'à Addis-Abeba, la capitale, notre terminus. Nicolas oubliait sans arrêt la tumeur dans ton ventre. Il s'emballait, il s'emballait, je l'oubliais aussi du coup, mais brusquement ça me revenait, alors je disais : « J'espère que je vais pouvoir partir... — A cause de Véronique, tu veux dire ? Ben ça va, il te reste plus d'un mois. » J'avais l'impression brusquement qu'il me regardait comme on regardait les pères de famille qu'on croisait dans le parc : avec pitié et un peu de mépris. J'étais le mec qui ne se déplaçait plus comme ça, du jour au lendemain. Bientôt, j'allais lui sortir ma carte de réduction famille nombreuse aussi.

Le jour, j'arrivais à ne pas penser une seule fois que tu pouvais en mourir. Ça me réveillait la nuit seulement. Et quand tu venais dormir c'était pire. Je passais la nuit à chercher une position supportable. Quand tu te blottissais contre moi j'avais l'impression qu'on couvait ensemble la saloperie qui te bouffait. Quand je m'écartais, je te laissais mourir seule. Finalement, je prenais juste ta main.


On s'était donné rendez-vous dans une cité, là-bas, vers Nanterre. C'est comme ça qu'il m'a piégé, Toto. Moi j'avais dit, pourquoi on se retrouve pas plutôt à Paris ? Mais il avait insisté. Il était pour la journée dans cette cité, à assurer des zèbres qui arrivaient du Viêt-nam ou du Laos, enfin du diable quoi, on n'avait qu'à se retrouver dans sa voiture, comme ça on parlerait à l'abri des oreilles indiscrètes, tu me suis, vieux, et après on irait prendre un sandwich chez le petit père Lakdhar, un Arabe comme je les aime, un type dévoué toujours prêt à se mettre en quatre, il sera ravi de te connaître, William, et patati et patata. D'accord, papa, d'accord, dis-moi où elle sera ta bagnole ?

— J'ai quitté ta mère, mon petit vieux.

— C'est pas vrai ! j'ai dit. T'es complètement parti et tout ? Mais depuis quand ?

— Une petite semaine. J'ai pris mes cliques et mes claques et barka ! Ça pouvait plus durer, mon vieux, tous les soirs c'était la même sérénade : tu empestes la cocotte, tu as encore vu cette femme, tu n'es qu'un monstre... Je t'en passe et des meilleures.

— Et maintenant t'habites chez ton amie ?

— Ah ! tu peux pas savoir cette paix tout d'un coup... J'aimerais que vous la connaissiez cette fille, d'ailleurs. A l'occasion, parles-en à Nicolas, tu veux ?

— Si tu y tiens... Mais je crois que Nicolas il aura pas très envie de se mêler de ça. Et maman, dis, comment elle l'a pris ton départ ?...

— Dix pieds sous terre, mon vieux ! Mais je vais pas te faire de dessins, tu la connais...

— Elle fait que pleurer, c'est ça ?

— Ah ! non, si c'était que ça ! Non, tu y es pas du tout. J'ai dû la mettre en maison de repos. Elle mange plus, elle dort plus. Je peux tout de même pas la laisser crever...

— Non... Et les petits ?

— Chez les parrains et marraines.

— C'est chiant ça, dis donc. Comment tu vas faire ?

— T'es marrant, toi, comment je vais faire ? Et comment tu ferais, toi, à ma place ? Je fais ce que je peux, tiens ! Mais même avec la meilleure volonté du monde je peux pas me couper en deux. Je suis pas fakir. Tu es d'accord ?

— Tu vas la voir quand même ?

— Mais ça sert à rien, mon vieux, elle refuse de m'ouvrir ! Alors si c'est pour se faire traiter de monstre, d'assassin ou je ne sais quelle connerie, devant tous les pensionnaires, tu es bien gentil mais merci. Non, de toi à moi, si j'ai un peu insisté pour qu'on se voie ici, c'est que la maison de repos est à dix minutes. Je crois que ça serait pas un mal si tu allais l'embrasser...

— L'embrasser ? Mais qu'est-ce que tu veux que je lui dise ?

— Que tu l'aimes, qu'elle a pas le droit de se laisser mourir... Enfin tout de même, William, je vais
pas te souffler ce que tu dois dire à ta mère ! Et puis
fais-moi confiance, dans ces cas-là les mots les plus
simples sont les plus forts. Tu n'es pas de mon avis ?

— Si, peut-être, je sais pas. Mais tu fais chier,
merde, je peux pas lui dire des trucs pareils, moi...

— Écoute, mon vieux, sois chic, je me suis décar-
cassé pour te sortir du pétrin avec ta sauterelle,
rends-moi ce service. Je te le demande du fond du
cœur.

— Bon, d'accord. Alors qu'est-ce que t'as trouvé
pour Véronique ?

— Oui, Véronique. Elle est mignonne cette
gamine d'ailleurs, je trouve qu'elle a un regard
très... très émouvant. Tu n'es pas de mon avis ?

— Si, papa, elle a un beau regard. Mais dis-moi
ce que t'as trouvé ?

— Alors, il a fait en sortant un papier froissé de
sa poche, tu vas l'envoyer de ma part chez le doc-
teur X. Tiens, voilà l'adresse. Il lui fera une série
de piqûres. Je te dis pas que ça va forcément marcher. Lui prétend que c'est efficace chez une femme
sur trois environ. Mais de toute façon qui ne tente
rien n'a rien. Tu es bien d'accord ?

— Et si ça marche pas ?

— Là, mon petit vieux, y a plus qu'à crever la bouche ouverte et pleine de mouches. On aura fait ce
qu'on a pu... Non, mais te fais pas de bile, avec un
peu de pot et le soutien de la sainte Providence, ça
va marcher comme sur des roulettes.

— C'est qui ce toubib ?

— Le gynécologue d'Évelyne, mon amie. Un type
charmant. Je t'avoue que c'est elle qui l'a appelé, du
reste. Sache aussi que cette histoire de piqûre n'a
rien d'illégal. C'est plus rassurant, non ? D'accord,
mon petit vieux ? Ça te va comme ça ?

283

— Ouais, d'accord. Allez, emmène-moi vite voir maman, je voudrais rentrer après.


Chambre 216, ils m'avaient dit à l'accueil. Arrivé devant la bonne porte j'ai pas pu, j'ai fait le type distrait à cause des infirmières qui patrouillaient et j'ai continué jusqu'au bout du couloir. Comme je regardais le parc par la fenêtre, sans le voir d'ailleurs, j'en ai entendu une qui m'interpellait depuis l'autre bout de l'étage :
— Vous cherchez quelque chose, jeune homme ?
— La chambre 216.
— Sur votre droite. Vous êtes passé devant.
— Connasse, j'ai murmuré, je suis pas aveugle.
Je l'ai trouvée sur son lit, en combinaison rose. Ce qui m'a frappé tout de suite, c'est sa maigreur : ça lui faisait un corps de jeune fille sous un masque ravagé de femme mûre. L'indécence venait de ce que ses cuisses, ses seins pouvaient avoir d'érotique alors que le malheur absolu se lisait sur son visage. J'ai eu le temps de pardonner à Toto de l'avoir tant aimée, ou tant désirée plutôt. Le temps d'imaginer son émotion lorsqu'il l'avait mise nue pour la première fois.
— William ! ? Mais qu'est-ce que tu fais ici ?
— Papa m'a dit que tu allais pas bien, j'ai dit, en l'embrassant très vite.
— Comment ? Tu l'as vu ? Il est venu vous voir ?
J'ai deviné qu'il ne fallait pas qu'on se soit vus. A aucun prix. Elle me traquait de ses yeux griffus. J'ai eu peur. Encore plus peur, je veux dire. J'ai bégayé :
— Non, non, maman, je l'avais juste appelé pour autre chose. Et il m'a dit ça, que t'étais malade, quoi...
— Je ne suis pas malade du tout. Enfin qu'est-ce qu'il raconte ? Mais je n'ai plus la force à la fin, elle

a fait en tapant du poing serré sur sa couverture. Je n'ai plus la force... Oh! William, j'en peux plus tu sais, j'en peux plus...

Et là soudain, elle s'est mise à sangloter. Plus la force de manger, de vivre... elle bredouillait dans ses larmes. Et aussi : le salaud, le salaud, après tous ces gosses, cette vie de chien... Aucune femme n'aurait supporté ce qu'il m'a fait endurer...

J'ai attendu un peu et puis j'ai dit :

— Moi je suis sûr qu'il reviendra, maman. Tu devrais pas te mettre dans cet état.

J'étais sûr de rien en réalité. Mais là, je m'en foutais qu'il revienne ou qu'il revienne pas. Je voulais la calmer pour pouvoir partir. Partir vite. Je pensais à toi, Véronique. Comment j'allais te dire qu'il n'y avait qu'une chance sur trois pour que ça marche ces piqûres. Toi aussi tu allais pleurer et alors quels mots je trouverais pour te rassurer ? C'est dans des coups comme ça qu'il avait dû commencer à mentir, Toto. Forcément, on n'a pas envie que les femmes pleurent. Alors on doit finir par leur dire n'importe quoi pour qu'elles arrêtent. Et puis après c'est foutu, de mensonge en mensonge on survit sur une poudrière.

— Tu parles comme il reviendra ! elle m'a presque aboyé entre deux sanglots. Cette femme lui a foutu le grappin dessus, elle ne le lâchera plus, oui...

J'aurais voulu lui dire, j'aurais dû lui dire, eh bien, après tout tant mieux si elle le lâche plus, ça fait vingt-cinq ans que vous vous déchirez, que vous vous étripez, tu trouves que ça suffit pas à la fin ? Tu crois que nous, on a envie qu'elle continue votre vie commune de merde ? Mais au lieu de ça j'ai dit :

— Si tu veux, maman, nous, on va lui dire qu'il doit revenir. Tu veux ça ? Que je lui dise qu'il rentre à la maison avec toi, au nom de tous les enfants ?

285

— Mais il ne t'écoutera pas, voyons ! Ces femmes sont des vampires, tu ne sais pas ce que c'est...

— Écoute, maman, promets-moi de manger, de dormir, et moi je vais parler à papa, d'accord ? Il faut que j'y aille maintenant.

Elle a fait un vague oui de la tête en se mouchant. J'ai regardé ma montre, je l'ai embrassée et je suis parti.


— Alors, comment tu l'as trouvée ? il m'a demandé Toto.

Tout ce temps il m'avait attendu dans la bagnole, sur le parking.

— Je comprends pas, j'ai dit. Ça fait dix-huit ans que je la vois te cracher sur la gueule et là, on dirait qu'elle va mourir si tu reviens pas dans les huit jours. Je comprends pas...

— T'exagères, vieux. Ta mère et moi on a eu de très belles années ensemble. Tu peux pas dire ça, c'est pas juste. Je crois si tu veux que dans la vie...

— Écoute, papa, j'ai dit, je voudrais que t'arrêtes de me faire chier avec tes histoires. J'ai promis à maman de te dire de rentrer, alors voilà je te le dis : rentre. Mais en même temps, je trouve ça complètement con, si t'es bien avec ta copine, t'as qu'à rester chez elle. Tu vois, je dis n'importe quoi. J'en ai plein le dos de vous deux, tu comprends ça ? Ramène-moi à Paris s'il te plaît, ramène-moi vite, j'ai mal au ventre.

— Pardonne-moi, vieux, c'est vrai qu'avec ta sauterelle t'as d'autres chats à fouetter en ce moment...

— C'est pas une sauterelle, papa, c'est Véronique. Mais merde ! Tu peux pas arrêter un peu...

J'ai senti que j'allais pleurer, de dégoût, de fatigue.

J'ai regardé par la fenêtre et j'ai plus bougé. On s'est tus jusqu'à la porte Maillot. J'ai sauté dans le métro.

— Mais qu'est-ce qu'on va faire si ça marche pas ? tu as demandé.

— Je trouverai de l'argent, on ira à Amsterdam.

On était sur le grand canapé de ta maison. Tu as mis les mains dans tes poches comme si tu avais froid. Tu regardais nulle part.

— Il faut pas avoir peur, Véronique, j'ai dit, je resterai avec toi tout le temps.

Tu as pris ma main, tu l'as embrassée, tu l'as enfournée dans ta poche avec la tienne. On est restés comme ça, sans rien se dire, un grand moment.


— Je vous attendais beaucoup plus tôt, a dit le médecin. Pourquoi n'êtes-vous pas venus il y a dix jours, après le coup de fil de votre... de votre belle-mère, c'est ça ?

— Mon père ne m'a prévenu qu'hier, j'ai dit.

— C'est dommage. Plus on intervient tôt plus on a de chances de réussite.

— Si ça ne marche pas ? j'ai demandé.

— Alors je ne pourrai plus rien pour vous.

— Même pas nous indiquer un médecin, je sais pas...

— Rien, il a fait en rangeant les stylos sur son bureau. Déshabillez-vous, mademoiselle, que je vous examine.

J'ai vu que tu avais la chair de poule, que tu tremblais aussi quand tu as calé tes jambes dans les étriers. Lui, il a enfilé un doigt de caoutchouc. Je me suis détourné.

Quand je t'avais connue, jamais personne n'y était entré dans ton sexe. Je me souvenais de deux pétales, à peine collés l'un contre l'autre. Et maintenant, combien allaient-ils être à y enfourner le doigt, l'écarteur, des sondes, des pinces ?... Et maintenant c'était comme s'il ne nous appartenait plus, ni à toi ni à moi. Il y avait cette saloperie au fond, on devait le trimbaler comme une éprouvette ton sexe, le brandir, l'ouvrir, l'écarter, supplier le premier salaud venu d'y enfiler ce qu'il voulait pourvu qu'il nous débarrasse de la vermine que j'y avais collée. Je commençais à croire qu'on n'y survivrait pas à ce déferlement.

Voilà, à présent, il ne restait plus qu'Amsterdam.
— Mon pauvre vieux, je sais pas quoi te dire, a pleurniché Toto.
Dans trois semaines on partait en Éthiopie. Pour quatre mois, cinq peut-être. Pour ne plus payer de loyer on allait quitter l'appartement, remiser toutes nos affaires chez un ami. Nicolas avait déjà commencé. Ça lui plaisait les déménagements, les départs.
— Ça va, William ? il demandait.
— Ouais, ça va bien, je disais.
Je pouvais plus supporter de lui parler de Véronique, de son ventre, de toute cette merde qu'on se traînait parce qu'il me semblait lire alors dans son regard quelque chose d'assez similaire au dégoût que je ressentais quand Toto me replongeait dans ce cauchemar qui n'en finissait plus avec Grange-marre.
Je ne sais pas si j'ai sincèrement cru que je m'en sortirais tout seul. Mais j'ai fait semblant. Je connaissais bien le petit bijoutier de la rue de Passy. Je lui avais acheté une bague et un bracelet pour Véronique. J'ai dit : celui-là, je vais le cambrioler, il n'y a jamais personne dans sa boutique. Pendant cinq ou six jours je n'ai fait que ça, préparer le casse. Je suis retourné aux Alouettes, chez les

parents. Dans l'appartement désert j'ai pu chercher tranquillement le vieux flingue de Toto, un truc que lui avait passé Périne. Je l'ai embarqué avec juste les trois balles qui restaient.

A 7 heures du soir on s'entendait plus rue de Passy. C'était le bon moment. J'entrerais dans sa boutique avec un bonnet et des lunettes noires. Je lui collerais une balle dans le genou au bijoutier, qu'il ne soit pas tenté de me poursuivre. Je ramasserais tout le pognon, quelques montres en or, et je me tirerais par la cour derrière. De là, en traversant par les caves d'un immeuble, on accédait à une rue transversale. Il pourrait toujours donner l'alerte rue de Passy, je serais loin.

Je ne savais pas du tout quel jour je le ferais. Chaque début d'après-midi je partais marcher, le flingue sur le ventre. Tant que je marchais, tant que je pouvais croire que ce serait pour le soir, ma peur de l'enfant qui grossissait dans ton ventre s'estompait. Comme si la solution étant trouvée, il ne restait plus qu'à laisser s'égrener le temps. Si je fais tout exactement comme j'ai prévu, je me répétais, dans dix jours c'est fini. C'est forcément fini. Je suis dans le train, j'ai plus qu'à attendre le terminus, voilà. Et puis un après-midi, je ne sais pas comment, mes pas m'ont ramené jusqu'au collège. Je ne saurais même pas dire par où je suis passé pour y aller. Mais j'étais là, à vingt mètres du porche, à peu près à l'endroit où Toto stoppait la 203 pour nous larguer. Oh ! bon Dieu ! je l'ai revu brusquement, vieux Toto, avec son manteau crasseux. Fichtre ! déjà neuf heures et demie. Je suis désolé, les enfants, j'ai vraiment fait le maximum. Ouais, ça fait rien, papa, c'est pas de ta faute. Les salauds, ils avaient pas arrêté de le harceler, ils lui avaient rien passé. Ça m'a repris, cette envie de les tuer. Et puis je sais pas ce qui est arrivé, j'étais là, sur le trottoir, à regarder fixement le porche du collège, quand je me suis mis à sangloter, comme ça, debout. Pourtant j'avais mon pistolet. Là, j'aurais pu peut-être en tuer un ou deux. Dans les yeux. Aujourd'hui justement. Aujourd'hui... Mais merde, j'étais brisé par les sanglots. Les salauds, les salauds, je disais. Et brusquement j'ai pensé : il faut que je lui dise que je l'aime, mais vite, avant qu'il meure. Ou plutôt, je l'ai même pas pensé, c'est venu comme ça, ça m'a submergé cette envie. Mais vite, vite, je le voyais déjà mort Toto — pourquoi je le voyais déjà mort ? — sans que personne lui ait jamais dit je t'aime quand même, vieux Toto, je t'aime, je les tuerai tous tu sais, je les massacrerai à la mitraillette, ils tressauteront, ils auront le corps comme une écumoire, le sang leur giclera de la gueule, de partout, et après, sur leur saleté de bouche, sur leurs yeux crevés, j'écraserai mon pied. Je les écraserai, vieux Toto, c'est que des merdes ces types-là, que des merdes... Je me suis mis à courir tout en pleurant. J'ai couru jusqu'à la poste. J'ai appelé son bureau.

— C'est de la part de qui ? elle a demandé l'andouille.

— De son fils, grouillez-vous s'il vous plaît.

— Ah ! je suis désolée, il vient de partir.

— Mais vous l'avez vu, il allait bien ?

— Bien sûr, il a même plaisanté, M. Guidon. Comme d'habitude quoi...

— Ah ! bon, alors ça fait rien, ça fait rien, laissez tomber.


J'appuyais de toutes mes forces sur la détente mais les balles n'avaient aucune énergie. Aussitôt sorties du canon, elles s'écrasaient au sol comme des gouttes d'huile. Là-haut, le supérieur me regardait sévèrement. Moi, j'étais très petit. J'arrivais à peine à brandir le pistolet au-dessus du pupitre. Maintenant, des deux doigts, j'appuyais. C'était un effort surhumain qui m'arrachait les articulations. Et chaque fois j'espérais que la balle toucherait son crâne. Une boule chauve, lisse et blanche. Je la devinais gélatineuse. Il me semblait qu'une balle s'y enfoncerait sans peine. Oh! c'était trop bête, je le tenais sous mon arme et... A présent, il se penchait même au-dessus de mon épaule pour vérifier que je m'appliquais. J'avais peur de son regard, je lui montrais comme j'appuyais consciencieusement sur la détente pour le tuer. Mais invariablement, parvenue au ras du goulot, la balle coulait au sol. J'étais impuissant à le tuer. Excusez-moi, monsieur l'abbé, je murmurais, je peux pas, je suis pas assez fort...

— William, tu as dit, réveille-toi.

J'ai senti ta main dans mes cheveux.

— Véronique ? Mais qu'est-ce que tu fous là ?

— J'ai prévenu papa, William. Il va trouver un médecin, il va s'occuper de tout.


L'appartement était presque vide déjà. J'ai vu qu'il faisait beau dehors. C'est vrai, on était en mai. Encore un printemps que je n'avais pas vu venir. J'ai eu envie de vivre, brusquement. Mais qu'est-ce qui s'était passé ? Il y avait eu cette exposition, l'euphorie d'être libre, et bientôt, avec toi, tout ça s'était transformé en un cauchemar. J'avais presque perdu Nicolas à cause de toi, on avait cessé de marcher ensemble la nuit, d'aller bouffer des sandwiches à l'heure où les autres boivent des tisanes. Tiens c'est vrai, je l'avais même laissé démonter seul l'exposition. Qu'est-ce qu'il avait dû penser, Nicolas, que je ne sois pas là ? Je l'imaginais triste, décrochant ses tableaux. Seul. Tu m'avais déjà entraîné dans ce labyrinthe de malheur. J'étais foutu, j'allais en crever. Mais bon Dieu, où il était passé Nicolas ? Où il était, là, tout de suite ? On partait en Éthiopie dans même pas huit jours.

— Où il est Nicolas, Véronique ?
— Comment veux-tu que je le sache...
— Il faut que je le trouve, vite. Tu te rends compte, on part à la fin de la semaine.

Je l'ai trouvé dans le garage qu'on nous avait prêté pour remiser nos caisses. J'étais essoufflé d'avoir couru.

— Nicolas, j'ai crié, tu t'es occupé des visas ?
— Ouais, tout est prêt. Mais d'où tu viens ? Ça y est, ton histoire avec Véronique ?...
— Oui, ça y est. Quand est-ce qu'on part ? T'as calculé pour le bateau ? Pourquoi on partirait pas samedi ? Ça serait bien samedi, non ?


— On part samedi, Véronique.
— Je rentre à la clinique lundi, tu as dit.
— Tu veux que je reste ou tu t'en fous ?
— Pars, William, Nicolas t'attend. Je préfère que tu partes.
— D'accord. Alors tu m'écriras à Addis-Abeba, pour me raconter.

On s'est embrassés du bout des lèvres. Tu t'es retenue de pleurer et je suis parti.


« William, tu écrivais, au cas où ça t'intéresse, j'ai perdu beaucoup de sang. J'ai saigné pendant trois jours. Ça n'arrêtait pas de couler tu sais, et j'ai eu peur. J'ai eu peur de mourir. Tout au début, à la clinique, j'ai pensé à toi tendrement, mais maintenant... »

— Nicolas, j'ai dit, ça va pas. Nicolas, Véronique, ça va pas du tout...

On était assis tous les deux sur des chaises bancales. On avait demandé des cafés. On revenait de la poste. On était entrés là pour s'abriter. La pluie d'été. La boue du ciel et de la terre qui se confondait. Depuis Asmara, tous les jours, l'énorme pluie d'été. Elle ravinait les montagnes, elle emportait les routes, elle avait failli précipiter notre car dans un torrent de boue. On était arrivés dans la nuit à Addis-Abeba. On avait attendu le jour sur une paillasse, en écoutant le ruissellement sur la tôle ondulée, et maintenant des saloperies de bêtes nous couraient sur la peau.

— Qu'est-ce qu'elle a, Véronique ? Ça s'est pas bien passé son truc ?

— Je peux pas te dire, c'est... Mais qu'est-ce que je vais faire ? Mais qu'est-ce que je vais faire maintenant ?

« Au cas où ça t'intéresse, elle disait, j'ai perdu beaucoup de sang. » Au cas où ça t'intéresse... C'était ça. Le dire comme ça.

— Je peux pas, Nicolas, j'ai répété. Je peux pas. Mais bon Dieu de merde, je peux pas rester là non plus. Viens, viens, faut se tirer...

— Mais elle va bien quand même ?

— Oui, oui, je crois. Mais viens, on n'a qu'à pas attendre les cafés. Faut se tirer, vite...

C'est dehors qu'il a eu cette idée, Nicolas. On marchait comme des dératés sous l'averse, vers nulle part.

— Pourquoi on va pas à l'ambassade ? il a demandé. Comme ça tu lui téléphoneras et peut-être qu'après ça t'iras mieux.

Il n'y avait que des gueux dans ces rues démolies, torrentielles. Des gueux encapuchonnés sous des sacs à patates, dont on devinait les yeux rougis, les barbes crépues, et qui riaient de nous voir courir, ou qui tendaient un moignon ruisselant pour nous montrer aux autres gueux, nous toucher, je sais pas. C'était le Moyen Âge ici.

On surgissait de toute cette boue quand le concierge de l'ambassade nous a ouvert. On était hors d'haleine. On a dit que c'était grave, alors il nous a conduits jusqu'au coin d'un patio où poussait un gazon comme on n'en avait plus vu depuis l'Italie peut-être. Quelqu'un allait venir, il fallait attendre. On n'entendait plus que la pluie à présent.

Pourquoi j'avais pas téléphoné, d'Italie justement, ou même de Grèce ? Pourquoi ? De découvrir que j'avais pu rester un mois et demi sans t'appeler, Véronique, j'étais suffoqué brusquement. Les premières nuits, en Europe, j'avais dormi des huit heures, des dix heures d'affilée, au péage des autoroutes, dans les caniveaux des nationales. Un bon sommeil de cantonnier fourbu. Oui, mais après ? Comment j'avais pu ? Comment j'avais pu, mon amour ?

— C'est pourquoi messieurs ?

On avait encore rien dit que déjà il avait l'air agacé le type. Un peu plus tard il s'est excusé : il avait cru qu'on venait pour un passeport volé, comme tous les autres Français qui se faisaient détrousser dans les dortoirs d'Addis.

Mais non, le téléphone, l'ambassade ne pouvait en aucun cas nous l'offrir. Pensez, même pour un décès on le refuse. Le mieux, à son avis, c'était un télégramme, et pour ça il y avait la poste. Vous redescendez sur le centre-ville, voilà, c'est ça, et vous la trouverez facilement, sur votre gauche.

— Mais ça doit être cher aussi, un télégramme ? j'ai demandé.

— Ah ! ça, je ne peux pas vous dire. Enfin voilà. Bonne continuation, messieurs.

On a compté et recompté les mots pour en mettre le moins possible et finalement j'ai écrit: « Je t'attends au Pirée — Mardi 5 août — William. »

Ça me laissait deux semaines pour rejoindre Alexandrie et embarquer sur le bateau du dimanche, le seul de la semaine. Deux semaines quand on en avait mis plus de trois pour descendre avec Nicolas. Oui mais deux semaines c'était déjà immense avant de la revoir.

— Si tu t'arrêtes pas de rouler tu peux y arriver, avait dit Nicolas à la poste.

Aussitôt après on avait couru vers la grande gare des bus. On avait enjambé les bêtes, les ballots, les enfants, les lépreux, et quand on avait trouvé le bus d'Asmara, Nicolas était monté avec moi.

Il avait dit:

— Ça va aller, William. T'as qu'à foncer. Ça va aller, t'en fais pas.

Et il était redescendu dans la boue, sous la pluie, attendre le départ avec les gueux.

Il m'avait juste fait un sourire à ce moment-là, et puis je l'avais vu une dernière fois de dos, les mains dans les poches, repartir pour la ville à grandes foulées.

Et maintenant le car roulait vers le nord. On était encore sur le goudron des faubourgs. La piste ne commencerait qu'au-delà des dernières baraques. Il était fini mon voyage avec Nicolas.

Pendant les quatre jours de route le chauffeur a bien voulu que je dorme dans son bus. Il m'y enfermait le soir. J'aurais dû être bien, pris en charge comme un enfant. Avec quatre bananes et des tartines pour passer la nuit. Mais sans arrêt je recomptais les jours. J'étais devenu insomniaque. Toute la nuit je comptais, les jours, les heures, les demi-heures. Ça me foutait le vertige tous ces obstacles

avant Alexandrie et si peu de temps pour les sur-
monter. Et si le bateau partait sans moi ? Et si Véronique... Véronique toute seule, au Pirée... J'en
suais de partout. J'arpentais le car. Je recomptais
bien bien encore une fois, les jours, les heures,
les obstacles, mon argent, n'importe quoi... J'ai
quand même dormi deux nuits sous la tour de
contrôle, plus tard, en attendant une place sur
le vieux DC4 qui survolait la guerre, à très basse
altitude, deux fois par semaine. Asmara-Kassala,
Kassala-Asmara. Qu'il se fasse descendre ce vieil
oiseau, qu'un moteur lâche, et on ne passerait
plus au Soudan avant longtemps... Voilà, j'y étais
au Soudan. Khartoum. Ah oui ! ici, avec Nicolas,
on avait été pris de délire. Ça me revenait brusquement. On l'avait parcourue longtemps cette
ville, en criant dans le vent, les yeux brûlés,
la gorge en feu aussi. Cette grande ville ensablée.
Une vraie capitale, britannique et tout, pourtant
reconquise par le sable. Des ministères ouvragés,
des portes-tourniquets comme au Crillon, des
salons de thé, tout ce luxe irrémédiablement bouffé
par la poussière du désert. Elle tombait d'un ciel
jaune, les soirs de grand vent. On avait crié que
c'était une belle mort pour une ville. Une belle
mort. La mort aux trousses. Mon cœur cognait.
Là, je courais, seulement préoccupé d'atteindre
la gare... A présent on ferraillait en plein désert.
Trois jours assis en tailleur, ou couché en travers,
sur le toit rond du train blanc, le dos au sable
que levait la loco. A l'intérieur c'étaient les femmes
et les petits qui s'entassaient, les marmites de
haricots qu'on réchauffait soir et matin, l'odeur
de merde aussi... Une nuit, enfin, le train s'est
immobilisé. Dans le sable toujours. Pourtant c'était
le bout du désert ici. Il ne restait plus qu'à marcher
quelques heures pour atteindre l'eau. L'eau miracu-

leuse du barrage d'Assouan, là-bas, en Égypte...
Bien avant le jour on nous a fait embarquer sur
le pont des péniches. Des hommes ont tendu des
toiles pour protéger les enfants du soleil qui nais-
sait. Bientôt on se brûlerait sur la tôle. Mais moi
je m'en foutais de brûler. Il me restait trois jours
pour remonter le lac et l'Égypte ; pour la première
fois j'ai su que j'y arriverai.


Je l'ai reconnu le paquebot. Il était illuminé dans
la nuit. Une grue lui bourrait les soutes de gros ballots. J'ai pensé que ça devait être du coton. Je me
suis approché des types qui travaillaient sous les
projecteurs.
— Je peux monter à bord ? j'ai demandé.
Ils ont fait non, l'embarquement c'est pas avant
demain matin 11 heures.
— Mais je peux rester quand même, regarder ?
j'ai encore demandé.
— T'as tout le temps d'aller dormir, garçon, a dit
un homme en anglais.
— Non, je préfère rester là, j'ai dit, je veux pas
le rater.
J'ai attendu le jour adossé à un container.
Le premier, j'ai franchi la passerelle. Arrivé au
pont supérieur je me suis couché en boule contre
une cheminée et très vite j'ai dû m'endormir. Quand
je me suis réveillé, c'était la nuit de nouveau. Le
bateau filait sous un ciel sans étoiles. Autour de
moi, d'autres gens dormaient, roulés dans des couvertures.


D'abord je l'ai cherchée depuis ce pont. Il devait
être 6 ou 7 heures du matin. Il était tombé quelques gouttes un peu plus tôt et maintenant le ciel

se dégageait. On était arrivés depuis deux heures peut-être ; on attendait l'ouverture de la douane pour débarquer. Sur le quai, la foule grossissait sans arrêt. Une fois j'ai cru la reconnaître, juste une fois. Une jeune fille blonde parmi tant de cheveux crépus. Mais celle-là portait des lunettes. J'avais déjà tellement cherché quand on m'a poussé vers la passerelle, qu'au moment de descendre j'ai brusquement réalisé qu'elle pouvait n'être pas venue. Ça m'a foutu un coup terrible ce truc. En fait, depuis Addis-Abeba, j'avais pas imaginé une seule seconde ce cas de figure. Ce qui m'avait obsédé, c'était de ne pas y être, moi. Mais elle ? Non, elle, j'avais toujours cru qu'elle viendrait. Alors j'étais comme un type qui va s'évanouir quand j'ai touché le quai. J'avais cessé de la chercher, je taillais ma route tête baissée dans la foule. J'avais dans l'idée d'aller m'allonger sur le carrelage, dans la gare maritime. Et d'y rester. D'y rester jusqu'à ce que Nicolas vienne m'y chercher peut-être. Enfin là, vraiment, je ne savais plus.

— William ! j'ai entendu dans ce coma.

Et presque aussitôt on s'est abattus l'un contre l'autre.


— Est-ce que tu peux m'envoyer 100 francs, papa ? j'ai demandé. Je te les rendrai à mon retour.

— Bien sûr, mon petit vieux, je te dis pas que ça va être facile mais je vais me débrouiller, te fais pas de bile. D'où m'apelles-tu ?

— Du Pirée, papa. On n'a plus du tout de quoi bouffer.

— Et ta Véronique, au fait, comment ça s'est terminé son histoire ?

— Ça va, papa, on s'en est bien sorti, je te raconterai. Et toi aussi ça va ?

— Ah ! tu sais que j'ai suivi ton conseil, hein, je suis retourné chez ta mère...

— T'as fait ça ! T'as quitté ta copine ?

— Ta mère en serait morte, mon vieux...

# 9

A présent qu'ils n'avaient plus aucun enfant à charge, les parents vivaient la moitié du temps à Paris, l'autre moitié dans leur villa du front de mer à La Baule. Parvenus à plus de soixante ans l'un et l'autre, Toto et Grangemarre pouvaient, grâce à cette éblouissante demeure, offrir au pèlerin l'illusion de leur bonheur. Ah! comme elle était fière, Grangemarre, d'accueillir une fois l'an dans ses murs deux ou trois vieilles vipères dépêchées par Poitiers pour disséquer son train de vie. Après deux décennies de clandestinité — aucun Poitevin n'était jamais venu aux Alouettes malgré nos efforts —, elle pouvait enfin « tenir son rang ».

Les envoyés du Poitou qui nous avaient vus pour la dernière fois à Neuilly, dans nos meubles, lors du baptême de Marie-Lise, ne devaient pas être dépaysés : Grangemarre avait fait de La Baule la réplique de son quatrième étage sur Bois de Boulogne. Sans Dusapin, devenu gâteux, et bien que son successeur, brièvement consulté, ait osé toussoter sur le Louis XVI. « Au bord de la mer, madame ? Vous n'y songez pas sérieusement. »

Elle y songeait, Grangemarre, elle ne songeait même qu'à ça. Si bien que parmi toutes les maisons alignées sur la promenade, la sienne était presque devenue une curiosité locale. C'était le faubourg Saint-Antoine à deux pas des rouleaux de l'Atlantique. Le soir parfois, des groupes d'autochtones stationnaient sous nos fenêtres. Sous ces latitudes ils ignoraient peut-être qu'on pouvait geler des dizaines de mètres carrés habitables pour le seul plaisir d'y disposer, autour de guéridons mal pratiques, des fauteuils faméliques à vous dégoûter de la position assise.

Elle s'en était tenue au vieux rose pour la tapisserie, les doubles rideaux et les petits abat-jour à croquer des appliques murales. Certains fauteuils, dits mirlitons, piaillaient de gaieté sous un ramage à rayures vertes sur fond blanc torsadé de dorures. De petits coussins jaunes, hardis comme le poussin, leur jetaient la réplique du tréfonds de bergères à gros cul et courtes pattes. Pour le reste, on avait décliné les teintes Grand Siècle de la palette, de la purée de carottes premier âge au plat d'épinards. Tout cela gisait sur un océan de tapis et sous un faux plafond flanqué aux quatre coins des inévitables angelots.

Grangemarre parcourait son salon Louis XVI à quatre pattes, picorant rageusement du pouce et de l'index grains de sable, demi-fientes de goéland, plumes d'oiseaux et autres immondices que déposait là le vent du large. Toto saisissait cette occasion pour astiquer l'argenterie. Alors on le découvrait recroquevillé sur un tabouret, la taille ceinte d'un long tablier bleu, briquant avec la dernière énergie telle ou telle pièce qu'il coinçait entre ses genoux. Il tentait bien encore de siffler comme autrefois, mais très vite le souffle lui manquait et on n'entendait plus qu'un halètement de vieux chien.

Depuis qu'il avait cessé de travailler, Grangemarre en avait fait son homme de maison. Le matin, il s'activait dans son sillage, feignant d'être effondré aussitôt qu'il la découvrait la tête sous l'évier ou le nez dans les toilettes.

— Laisse-moi faire, mon Minou, il geignait, tu vas t'épuiser.

Mon Minou ne prenait pas la peine de lui répondre. Elle lui expédiait au mieux une ruade de la croupe dans les tibias, accompagnée d'un :

— Ne reste pas planté là, tu ne vois pas que tu me gênes ! ?

L'après-midi, la baronne de Repeygnac prenait le soleil sur sa chaise longue, ou écrivait à Poitiers les jours de pluie, tandis que lui, Toto, bricolait dans sa soupente. Il s'était aménagé une cagna derrière la maison, dans un fond de cour humide que le soleil évitait soigneusement. Quand ce n'étaient pas les meubles de jardin qui s'écaillaient, c'étaient les manches des casseroles qui foutaient le camp ou les tiroirs de la commode qui coinçaient.

Ce gourbi était de toute évidence son dernier espace de liberté. Il y avait entassé toutes les vieilles choses de Colatte et quelques souvenirs de Périne. Ils étaient morts la même année, Colatte et Périne, sans que jamais on ait pris le temps de parler vraiment, de les faire parler je veux dire. Leurs affaires et le reste ne laissaient qu'un étroit sentier pour gagner l'établi au-dessus duquel tremblait un néon plein d'empreintes grasses. Une forte odeur d'huile de vidange montait du sol, tandis que d'un ciel bas s'abattaient sur l'intrus chambres à air, chaînes de vélo, toile émeri, paille de fer, presse-purée, etc. Cet amoncellement aurait suffi à dégoûter Grangemarre. Elle avait de surcroît trop épaissi pour oser s'engager dans ce fatras. Dans le même temps Toto, lui, s'était rabougri, ratatiné, desséché, jusqu'à prendre un teint de parchemin.

Ce veillissement l'avait brusquement saisi cinq ans auparavant, au lendemain de sa première opération du cœur. De cette intervention datait également l'épanouissement physique et moral de Grangemarre. On avait senti d'emblée que cette affaire de cœur éveillait en elle des sentiments porteurs, car elle avait appelé chacun d'entre nous pour nous dire à quel point les médecins étaient pessimistes. Il s'agissait de remplacer les valves cardiaques de Toto par des prothèses en peau de cochon qui n'avaient pratiquement aucune chance de fonctionner. En somme il allait mourir, c'était certain, mais il avait la délicatesse d'agrémenter sa sortie d'un minimum de suspense.

L'occasion n'était-elle pas inespérée pour tenter un retour fracassant sur la scène poitevine ? Grangemarre, en tout cas, l'avait saisie. On en avait perçu le premier indice en l'entendant un jour sangloter au téléphone, bafouillant entre deux hoquets des mots qu'on ne lui connaissait pas.

— Oh ! ma pauvre Marguerite, elle avait dit, nous prions tous les deux, mais il a un courage, vous savez...

On avait appris ainsi, grâce aux écoutes téléphoniques, que ce vieux Toto était un « saint », que depuis le début de leur mariage elle n'avait cessé « de le supplier d'épargner sa santé », que nous, les enfants, nous étions « formidables » avec elle « dans cette terrible épreuve », etc. Que des nouvelles inédites de ce style.

Elle attaquait en début d'après-midi et ne raccrochait qu'à la nuit tombée pour aller fredonner du Vivaldi dans sa cuisine, l'œil en compote mais le cœur alerte. La technique d'approche était toujours la même. Ça donnait à peu près le monologue suivant :

— Simone ? Oh ! Simone, comme je suis contente

de vous entendre ! Vingt-quatre ans, vous croyez ? Je disais encore hier à Raoul que nous n'avions pas vu le temps passer... Oui, oui... Les enfants... faire leur bonheur... exactement, Simone... On ne vit plus que pour eux et... Absolument ! Absolument ! Ah ! comme je suis contente de... Raoul ? Oh ! ma pauvre Simone, si vous saviez quelle épreuve... Il est perdu, Simone, oui, perdu.. Oooooh ! (Premiers sanglots.) Non, les médecins vont tenter l'impossible... Nous prions... Raoul est extraordinaire, si vous saviez... Extraordinaire... Et juste au moment où il m'avait promis de s'arrêter... Oui, dans notre propriété de La Baule... Raoul a une passion pour cette maison...

Quelle maison ? C'est comme ça qu'on avait découvert qu'ils venaient de s'offrir une villa sur le front de mer. Un peu plus tard, à l'hôpital, Toto nous avait raconté qu'il l'avait eue en viager. Une affaire. La vieille, paraît-il, était tellement myope qu'elle ne distinguait pas un feu rouge d'un feu vert.

— Avec un peu de pot, il avait gloussé, elle passera sous un camion la semaine prochaine et barka !...

Ça devait le rassurer, Toto, de jouer la canaille sur son lit d'hôpital à la veille de se faire monter des valves en peau de cochon.


Huit jours après son opération il n'était toujours pas mort. C'était une tuile, d'accord, mais d'un autre- côté un nouveau suspense était engagé : on saurait d'ici un mois si son organisme avait accepté la greffe. A la réflexion, cet ajournement temporaire des obsèques dut apparaître à Grangemarre comme un don du Seigneur car, du coup, Poitiers vint aux nouvelles. Le téléphone ne cessait plus de sonner et Grangemarre de sangloter. Elle était l'incarnation de la souffrance, celle dont on se dispute la confidence, le cri de douleur. À force de crachouiller dans le combiné, elle en avait fait une chose infecte, une sorte d'éponge à salive qui vous arrachait des haut-le-cœur à la seule idée de le décrocher. Elle n'avait de répit pour écouter Vivaldi qu'après 23 heures. Et tout cela grâce à Toto. En trente-cinq ans de mariage, c'était certainement la première fois qu'il lui donnait tant de bonheur.

Pourtant, avant même d'être fixé sur le rejet de la greffe, Poitiers se lassa. Sans doute estima-t-on là-bas que l'agonie de « ce pauvre Raoul » serait plus longue que prévu. Ou peut-être un vrai macchabée lui rafla-t-il la vedette ? Grangemarre dut sentir qu'elle ne captivait plus son public car, bonne joueuse, elle changea de partition du jour au lendemain.

— Il est sauvé, Marguerite !... Oui, oui, sauvé ! claironna-t-elle un matin sans prévenir. Nous respirons, ma pauvre, nous respirons, mais quelle épreuve !... Les médecins eux-mêmes n'y croyaient plus, vous savez !? Comment ? Les prières ? Exactement Marguerite, je le disais encore à Raoul hier soir : la Vierge Marie nous a entendus...

L'hôpital finit par nous restituer Toto, ou plutôt ce qu'il en restait : une petite chose couleur de cendres, pliée à angle droit, comme si les nouvelles valves ne pouvaient fonctionner qu'à l'horizontale. Trois mois plus tard il ne s'était toujours pas redressé et les médecins dirent qu'une valve commençait à se découdre. Mais on n'allait pas simplement raccommoder son cœur. Non, on allait le sortir encore une fois, pour le poser bien à plat sur une table et le réparer à fond. Les types avaient même décidé de lui monter les dernières-nées des valves en peau de cochon. Et ça, c'était une chance.

Le matin de l'opération ils ont laissé Grangemarre l'accompagner jusqu'au bloc. Et pour la première fois je l'ai vue pleurer sur ce vieux Toto. C'était à son retour du bloc opératoire. Elle était toute mouillée de larmes, Grangemarre, elle cherchait quelque chose, peut-être son mouchoir, dans ses poches, dans son sac, elle ne trouvait rien de ce qu'elle voulait et avec toute cette eau dans la bouche, elle bafouillait : « Oh ! tu sais, il a peur de mourir... tellement peur... il tremblait, il n'arrêtait pas de trembler... mais qu'est-ce que je pouvais faire ?... Qu'est-ce que je pouvais faire, William ?... Il s'accrochait à ma main... Il s'accrochait... » C'était à moi qu'elle disait ça. C'était toujours à moi qu'elle disait les choses importantes à présent. Parce que je ressemblais à son père. Il lui foutait des baffes son père, quand elle se fardait, quand elle minaudait, quand elle rentrait après l'heure. A tout bout de champ il lui collait des baffes. Et je lui ressemblais. Et pour ça, maintenant que j'étais homme, elle venait vers moi. Il aurait fallu que je la serre contre moi, que j'aie des mots de grand fils. Mais je suis resté là, à la regarder se noyer. J'ai imaginé son dos, mes mains sur son dos, et je n'ai pas pu.


Il a encore survécu Toto. Ce malheureux corps grisâtre, harcelé de tuyaux, c'était lui. Et il vivait ! Sous le pansement qui le couvrait de la gorge au nombril, son vieux cœur luttait toujours. On entendait même que lui dans la chambre noire. Il dormait, pauvre Toto, mais il vivait. C'était bien la preuve qu'il voulait vivre.

Après ça, Grangemarre l'a emmené à La Baule et on a de nouveau tenté de les oublier, tous les deux. Et puis un soir elle m'a appelé. Ça recommençait. Il saignait sans arrêt du nez. Il était tombé. La nuit, il prenait sa main. Il répétait : « Minou, j'ai peur de mourir. Minou, j'ai peur de mourir. » Une angoisse

folle. Il se couvrait de sueur. Il haletait. Il disait :
« Pourvu qu'il fasse bientôt jour. Minou, Minou,
allume, je t'en prie. Oh ! pourvu qu'il fasse bientôt
jour. » Elle allumait. Il avait les yeux cerclés de noir.
Ce regard ! « Une bête traquée », disait Grangemarre. Elle s'y connaissait en bêtes traquées, avec
la chasse à courre de son père, autrefois. Les yeux
du cerf. Je crois que petite fille elle avait dû pleurer
pour ces yeux-là.

Je suis allé à La Baule et on a conduit Toto à
l'hôpital. Et le lendemain... Le lendemain, ces
salauds de médecins, au pied du lit de Toto. Ils ont
osé. Ils ont osé nous dire devant lui, à Grangemarre
et à moi, que c'était une connerie ces valves en peau
de cochon, que quand ça tenait six mois c'était déjà
un miracle, qu'il fallait tout recommencer avec des
valves en acier, à billes, des trucs increvables,
garanties dix ans, « et il faut faire vite, madame, si
vous voulez garder votre mari ». J'ai vu le corps de
Toto qui se mettait à trembler, à trembler, et bientôt c'est tout le lit qui grelottait. Et ses yeux ! Toute
la peur du monde rassemblée là. J'ai couru vomir
dans le couloir.

Il paraît qu'à force, son cœur était en lambeaux.
Ils n'ont pas su où piquer pour coudre leurs saloperies de valves. Ils se sont battus des heures pour
sauver cette loque. Mais ils ont réussi. Et Toto a
encore survécu.


Après ça, bien sûr, il n'était plus question qu'il
cavale dans les escaliers pour fourguer des assurances. Il avait fait un tabac dans ce métier-là et c'est
comme ça qu'ils avaient pu se maintenir pendant
quinze ans aux Alouettes. A la fin seulement ça
s'était gâté dans les assurances, parce qu'il avait
fait mine d'embaucher Périne, puis de le licencier

pour des histoires de chômage. Des inspecteurs étaient venus et, sans le vouloir, Grangemarre l'avait sorti d'affaire. Les sanglots, toujours.

Cette fois encore des types de la compagnie sont venus, mais pour une bonne nouvelle : Toto était admis à la retraite. Ça y était enfin ! Les villes nouvelles se passeraient de lui désormais. Vingt ans qu'il s'embourbait dans les chemins creux, qu'il inaugurait des tours, des barres, encore à moitié habitées, avec son cartable sans poignée et sa lampe de poche les soirs d'hiver, à Sarcelles, à Cergy-Pontoise, à Créteil, pour arriver le premier chez des mégères excédées dont à peine une sur dix le faisait entrer. Les autres lui balançaient la porte à la figure. Il le racontait comme les chauffeurs de taxis racontent les bouchons, avec lassitude mais sans état d'âme. Je crois que Grangemarre l'avait habitué à se moquer des portes qui volent.

Quelques jours plus tard une autre bonne nouvelle est arrivée : les assurances allaient prendre en charge le viager de La Baule. En somme, après trois décennies de gros temps chez les Guidon, les éléments semblaient s'apaiser. Certes, ils n'offraient pas vraiment l'image du bonheur, Grangemarre et Toto, mais au moins l'argent ne leur manquerait plus. Leurs deux derniers enfants venaient de partir. Pour le temps qu'il leur restait à vivre ensemble, on pouvait espérer qu'ils se supporteraient.


D'une certaine façon ils y avaient réussi. En inversant les rôles. C'était elle désormais qui dictait leur mode de vie et non plus lui, qui durant tant d'années l'avait traînée d'illusions en catastrophes. Elle rattrapait le temps perdu avec une rage presque pathétique.

Il avait fallu faire de La Baule cette vitrine

Louis XVI pour tous les Grangemarre du Poitou. Il avait fallu le claironner là-bas puis organiser ici une réception à tout casser. Pour le bal de Christine, c'était vingt ans trop tard. Enfin il avait fallu « tenir son rang », au jour le jour. Tenir, malgré l'infime retraite de Toto, malgré l'usure, malgré les cauchemars peut-être. Tenir.

Faire comme si rien ne s'était passé depuis Neuilly. Entre Neuilly et les Alouettes. A force de jouer l'amnésique, on aurait dit qu'elle avait fini par effacer vraiment nos années noires. Dans son salon du bord de mer elle nous avait encadrés, oui, mais photographiés sur le canapé de Neuilly. En costumes marins et souliers vernis. Tout à fait présentables en somme. Après ? Rien ne restait de cet après, de notre après. Aucune photo de l'hôtel Saint-Lazare-Pasquier, de Périne, des HLM. Aucune photo des petits qui avaient eu le malheur de naître dans ce néant. Nous, les grands, on avait quitté hier le salon de Neuilly et on se retrouvait aujourd'hui dans celui-ci. Et c'est pas parce qu'on était devenus des papas entre-temps qu'on avait plus le droit de s'y asseoir. Non, on aurait dit que rien n'était venu bousculer l'ordre des choses. Grangemarre avait tout oublié. Notre grande enfance et le reste.

Pas Toto. Lui ne perdait jamais une occasion de nous souffler qu'il n'était qu'un « pauvre type ». Devenu captif de Grangemarre, il avait choisi le créneau de l'expiation pour respirer au jour le jour. A la réflexion, je ne sais pas si l'oubli de Grangemarre n'était pas préférable aux pleurnicheries de Toto. Il suffisait qu'un de nous apparaisse pour qu'aussitôt un sourire d'enfant du quart monde illumine son visage. Comme il s'appliquait à ne porter en toutes saisons qu'un pantalon trop court, un pull miteux et des nu-pieds retenus aux chevilles par des caoutchoucs de chambre à air, il est clair qu'on aurait dû recevoir ce sourire comme une pitoyable offrande. Le ton était d'ailleurs celui de Marie-Madeleine : doucereux, légèrement traînant et soutenu d'une inclinaison de la tête en signe de contrition. Alors que son cœur menaçait à tout instant de se rompre, saint Toto feignait d'être parfaitement indifférent à son destin. En revanche, ses traits se tordaient, il était accablé, il disait : « aïe, aïe, aïe, mon pauvre vieux », en se tapant du poing dans la paume, aussitôt qu'on lui racontait notre dernière crevaison.

— Mais toi, comment ça va ? on insistait.

— Oh ! moi, tu sais, j'ai pas un mot à dire, il susurrait avec des mimiques de bigot. Quand on a fait autant de conneries que ton vieux père sur cette bonne vieille terre, on n'a plus qu'à la boucler et patati et patata...

Bien sûr, il aurait voulu qu'on dise : « Mais c'est pas vrai, t'as peut-être pas été un père comme les autres, mais t'as été un pote, etc. » Mais ça, c'était plus possible.

C'était devenu impensable depuis ce jour, lointain déjà, où comme on lui demandait chaque fois :

— Elle te fait pas trop chier en ce moment ?

Il avait répondu :

— C'est pas bien de parler comme ça de votre mère. Elle a fait ce qu'elle a pu, la malheureuse...

Au fond, lui aussi, il avait dû décider d'en oublier un bout.

Oui, mais ils avaient trouvé ensemble un équilibre. Elle dans la peau du majordome, lui dans les guenilles du pénitent. Grangemarre se mouvait comme un yacht sous spinnaker tandis que Toto, plus chétif que le rat, furetait sous son vent. Elle l'avait à l'œil, soucieuse de lui éviter les mauvaises fréquentations d'autrefois. Et Toto feignait d'en redemander. Quand il revenait du marché, au volant d'une chignole sans âge, il ânonnait son emploi du temps, quêtant un grognement d'hommage pour l'affaire du jour : un cageot de poires blettes ou un talon de jambon tendre comme la semelle. Aux repas, il était alternativement le faire-valoir et la claque, renchérissant sur les histoires poitevines de Grangemarre, dix mille fois entendues, et gloussant bruyamment avant même qu'elle ait dit le mot de la fin. Lui qui avait déjà un pied dans la tombe jouait au type miné par la santé de sa femme.

— Mange, mon Minou, il pleurnichait, tu tiendras jamais le coup sans ça.

Mon Minou pesait deux fois son poids et n'avait vraiment pas besoin de ses conseils pour se nourrir, mais Toto insistait, surtout s'il y avait des invités, parce que alors c'était bien la preuve qu'ils formaient .tous les deux « un excellent ménage », comme disait Grangemarre.

Il en allait de même pour les médicaments. Toto pensait aux siens, mais elle qui n'avait pas besoin de toutes ses pilules pour survivre jouait la distraite. Matin, midi et soir il lui préparait donc un petit assortiment qu'elle prenait bien soin de négliger jusqu'au dernier coup de fourchette.

— Minou, ta santé mon petit !... Ah ! vraiment tu me navres, geignait alors Toto.

Et c'était du meilleur effet sur le public.

Ils auraient pu se consumer ainsi encore quelques années, peinards. Mais un jour de février, un coup de téléphone nous rejeta tous trente ans en arrière. C'était leur voisine de La Baule ; eux habitaient Paris les mois d'hiver. Ce matin très tôt, un homme était venu coller des affichettes orange sur tous les volets clos de la maison. On allait la vendre aux enchères la baraque de Grangemarre. Oui, aux enchères, le mois prochain. Entre un faux Renoir et une pince à feu du XVIIᵉ. Il savait déjà tout, le mari de la voisine, parce qu'il travaillait au tribunal. Ça prendrait pas plus d'une demi-heure. Et après, Grangemarre n'aurait plus de maison, plus de salon Louis XVI, plus rien pour prouver aux autres imbéciles de Poitiers qu'elle était des leurs, qu'elle n'avait pas démérité. J'ai demandé tout doucement :

— Et eux, ils le savent déjà ?

— Forcément, a dit la voisine, l'avis est parti hier.

Alors j'ai appelé Christine. Dans les moments graves on appelle toujours Christine. C'est l'usage chez les enfants Guidon. J'ai beau avoir quarante ans et elle à peine cinq de plus, elle est encore l'aînée. On ne l'a jamais connue petite celle-ci. Ce qui fait que des couches-culottes à aujourd'hui elle n'a jamais cessé de nous regarder comme des morveux.

— Mais, William, elle a dit, il faut y aller tout de suite ! Tout de suite !

On s'est donné rendez-vous porte Dauphine et on a foncé dans leur pied-à-terre de banlieue. Elle avait déjà une idée assez précise de ce qu'on allait y trouver : Toto tétanisé par une crise cardiaque — pas d'émotions fortes, avait recommandé le médecin — et Grangemarre en compote sur son lit. Elle peignait cette horreur d'une voix très douce, tout à fait maîtresse de la situation. Il apparaissait qu'après un coup pareil, l'infarctus était un don du ciel pour ce vieux Toto. C'est vrai qu'on les imaginait mal poursuivant la vie commune après ça. Parce que, évidemment, c'était un montage à la Toto ; là-dessus on était tacitement d'accord. On savait qu'il avait émaillé d'ardoises Paris et sa couronne, et qu'en dépit d'une immense lassitude certains de ses créanciers cédaient parfois à l'exaspération.

On est entrés sans sonner dans l'appartement. D'ordinaire, le seul fait de pousser cette porte entraînait chez toutes les autres des claquements sauvages. Les fameux courants d'air de Grange-marre. Mais cette fois-ci il flottait dans la maison une agréable tiédeur. On a traversé le vestibule, la salle à manger, et soudain, dans un fauteuil du salon, j'ai vu un petit homme noiraud en costume sombre.

— Chut! il a soufflé, en collant son doigt sur sa bouche, votre maman dort.

— Ah! bonjour, père, a dit Christine, c'est formidable que vous soyez là!

Très à l'aise, Christine. C'était donc l'abbé Faure, cette incarnation du diable, confesseur de je ne sais plus qui mais de toute évidence ami de la famille.

— Votre maman m'a appelé, a aussitôt raconté l'abbé, en chuintant comme au confessionnal pour ne pas la réveiller. Quand je suis arrivé j'ai trouvé votre père sur le trottoir, en chemise, par ce froid. Il était très mal. Il n'osait plus rentrer et il n'osait pas partir non plus. Je lui ai dit : « Allez chez qui vous voulez, mais laissez-moi seul avec elle. »

Il avait calmé Grangemarre avec des mots à lui et deux Témesta. Quant à Toto, il s'était réfugié chez le commandant, mon parrain, dans cette maison où j'étais venu trente ans auparavant, à ma sortie d'hôpital. Il avait été l'un des seuls, parmi leurs anciens amis, à venir nous voir dans les HLM, mon parrain. C'est là qu'un dimanche matin, comme Grangemarre tentait de lui griffer les yeux, il l'avait giflée. Une claque terrible qui l'avait envoyée cogner contre le mur. Depuis, Grangemarre l'appelait au secours quand une nouvelle tuile lui tombait du ciel. Et Toto avait avec lui cette façon de parler en zozotant, l'œil un peu bêta. Je crois qu'ils s'étaient retrouvé un papa tous les deux.

On les a tenus éloignés l'un de l'autre quelques semaines. L'abbé veillait Grangemarre avec l'aide d'un médecin et d'une dame de sa paroisse. Toto avait trouvé la paix dans les faubourgs de Versailles, chez le commandant. Il s'était naturellement glissé dans le rôle de l'homme de maison. Le commandant était veuf, ça tombait bien. Au petit matin, Toto filait au marché, puis jusqu'au soir il trottinait, du jardinet aux combles, avec une préférence pour les combles. C'est là qu'on le trouvait, bricolant un manche de casserole ou recollant avec un soin extrême une tasse à café qui ne valait pas forcément le prix de la colle. On voyait bien qu'on le dérangeait, qu'il était ailleurs. Aussitôt qu'on arrivait, ses mains se mettaient à trembler et il devait poser son ouvrage. Il voyait tout le reste derrière nous. Ses yeux se voilaient d'anxiété, d'une frousse immédiate de ce qu'on allait encore lui annoncer.

— Tu sais, Grangemarre...

— Ah oui ! comment va-t-elle la pauvre vieille ?

Il se tassait sur son tabouret, parvenant à prendre les traits du type accablé. C'était irritant cet effort qu'il devait faire pour se replonger dans le cloaque. Et en même temps c'était touchant. Avec toute cette paix autour de lui, ses joues s'étaient remplies, son visage s'était arrondi. Et comme il ne s'habillait plus qu'avec les salopettes du commandant, trop grandes pour lui, on aurait dit un vieux bébé en barboteuse. Un vieux bébé qui ne réclamait rien d'autre que l'oubli.

Seulement l'oubli. Mais l'abbé et le commandant ont jugé cela indécent. Le premier a dit qu'on n'avait pas le droit de briser un mariage béni par le Seigneur, sous le prétexte d'un malheureux accident temporel. Que pesait la perte d'une maison, n'est-ce pas, au regard du long chemin qu'il leur restait à parcourir ensemble et bla-bla-bla et bla-bla-bla... Elle pesait beaucoup plus lourd que tout le reste la perte de la maison, nous on le savait mais à quoi bon le dire ? L'abbé ne nous aurait pas crus.

Le commandant, lui, estimait qu'on ne se sépare pas sur un échec. D'accord, c'était la faute de Toto, eh bien, il allait se battre désormais pour regagner la confiance de Grangemarre. « Saute l'obstacle, Raoul, saute l'obstacle », il lui serinait avec son mètre carré de décorations en toile de fond. Il en avait sauté, lui, des obstacles, pour ramasser tout ça. Il avait même sauté sur une mine avec son sous-marin, et quand on l'avait repêché il lui manquait les doigts d'une main et un morceau de boîte crânienne. « Tu as parfaitement raison, Pierre, c'est mon devoir. Tu as parfaitement raison », disait vieux Toto, aussitôt secoué d'un méchant tic qui lui tordait le cou comme s'il avait voulu se mordre l'épaule.

C'était l'expédier à l'abattoir. Comment Grangemarre aurait-elle pu lui pardonner de l'avoir exécutée pour la seconde fois aux yeux des Poitevins ?


Tout s'était joué la veille de sa première opération. Le type s'était mis dans la tête que Toto allait en mourir et il s'était dit que s'il lui restait une chance de récupérer son fric, il devait la saisir. Là, tout de suite. Il avait menacé d'aller prévenir Grangemarre. Toto avait supplié, juré qu'il trouverait l'argent dans le mois. L'autre avait dit non. Il s'était mis à rouler vers chez Grangemarre avec Toto dans sa voiture. Mais à un moment Toto avait commencé à vomir de la bile et le type avait dû s'arrêter. C'était dans la grande côte de Suresnes. Toto s'était vidé sur le trottoir et à la fin il avait crié dans le vacarme des voitures : « Si je vous donne une maison en hypothèque, vous voudrez bien attendre ? »

Ils avaient foncé chez un notaire. Ils étaient convenus que si l'argent n'était pas rendu dans les six mois, le type pourrait faire vendre la baraque pour le récupérer. Toto avait tout signé. C'est lui qui me l'a raconté. Et puis il n'avait plus voulu y penser. Avec ses valves qui claquaient tous les trois mois, il avait d'autres soucis. Plus tard, il a balancé les avis d'huissier en espérant peut-être mourir avant l'apocalypse.

Le soir de la « réconciliation » on était tous là, autour de Grangemarre. C'était une idée de l'abbé. Il s'imaginait qu'avec tous ses beaux enfants à ses côtés, elle oublierait plus facilement son salon Louis XVI. Le commandant est entré le premier, très droit, un peu solennel. Et pendant qu'il embrassait Grangemarre en lui tapotant l'omoplate, on a vu surgir Toto. Il s'est immobilisé petit Toto. Sans voix, déjà harassé, incapable même d'un sourire. On le devinait pétrifié par la honte. Cette mise en scène grotesque. Ce costume sans forme qui lui pendait à l'entrejambe. Mais aucun de nous n'a fait un geste. Il a fini par s'avancer puis, parvenu devant Grangemarre, il s'est encore arrêté. C'est qu'elle ne le voyait pas, Grangemarre, c'est qu'elle regardait bien au-delà de lui, très loin, ses yeux pleins de larmes, ses poings serrés sur un mouchoir, tout entière nouée, ligotée par une rage, ou plutôt, je crois, par une haine incommensurable.
L'abbé a dit : .
— Embrassez votre époux, Suzanne.
Elle n'a pas bronché mais elle s'est laissé faire quand Toto a effleuré sa tempe.
Le surlendemain, ils sont partis pour La Baule déménager la maison. Le commandant a conseillé de ne pas les laisser seuls. J'étais en arrêt maladie ; je les ai rejoints presque aussitôt. Quand je suis arrivé, Toto avait déjà repris son teint de parchemin. Il était occupé à empaqueter le service à

thé au milieu d'un amoncellement de vaisselle cassée.

— Ah ! mon petit vieux, il a dit, tu peux pas savoir le plaisir que tu me fais...

— C'est toi qui as cassé tout ça ? j'ai demandé.

— Ta mère, mon vieux William, ta mère... Tiens, sois chic, monte la voir dans sa chambre, tâche de la calmer...

Du premier palier on l'entendait sangloter. Je suis redescendu et j'ai dit à Toto :

— Va t'asseoir, tu sais bien que t'as pas le droit de faire d'efforts. Je vais vous les faire vos caisses, ça va pas traîner.

Mais il n'a pas bougé et on a continué ensemble. Le soir, elle n'est pas reparue et je suis monté me coucher en laissant Toto dans les porcelaines.


Une porte a claqué, il pouvait être 2 ou 3 heures du matin. J'ai bondi de mon lit. Grangemarre avait tout allumé. Elle vidait ses armoires. Ça faisait des montagnes de linge dans le salon. Elle a dit :

— William ? Mais qu'est-ce que tu fais ici ?

— Je suis venu vous aider. Pourquoi tu fais ça maintenant ? j'ai demandé.

Elle n'a pas répondu. J'ai retrouvé Toto à la même place. Il n'avait pas osé se mettre au lit. A quoi bon d'ailleurs ? Elle l'aurait réveillé. Cette fois, il avait de nouveau des cercles noirs autour des yeux.

Le lendemain, elle s'est encore bouclée dans sa chambre tout le jour. Et alors j'ai compris qu'en plus du manque de sommeil, Toto n'avait rien dû manger, pratiquement, depuis leur arrivée. Il avait toujours compté sur elle pour les repas. Il était même incapable de se mélanger une purée en flocons. Et elle faisait la grève de la cuisine. Et elle lui sabotait ses nuits. C'était évident qu'après huit jours comme ça son cœur lâcherait.

C'était lui ou elle à présent. Quand j'ai compris cela, je le lui ai dit. J'ai seulement dit :

— Elle est en train de te tuer, papa. Tu ne vois pas qu'elle est en train de te tuer ?

— T'exagères, vieux, il a commencé. Ta mère est épuisée à l'heure actuelle mais j't'assure...

Là, j'ai pas pu supporter. Je suis remonté dans ma chambre, j'ai bouclé mon sac et j'ai fui. J'ai fui par la porte du jardin, derrière. Sans même l'embrasser une dernière fois, vieux Toto.

En fonçant, j'avais peut-être le temps de rentrer à Paris avant que Véronique se fourre au lit. Cette nuit, si elle voulait bien — mais elle voudrait bien — on irait dormir à l'hôtel tous les deux.

Rabos-Fontenay-Rabos,
juillet 89-avril 90.

**3138**

*Achevé d'imprimer en France*
*par* **MAURY IMPRIMEUR**
*le 4 avril 2011.*

Dépôt légal avril 2011. EAN 9782290035504
1er dépôt légal dans la collection : juillet 2002

**ÉDITIONS J'AI LU**
87, quai Panhard-et-Levassor, 75013 Paris

*Diffusion France et étranger : Flammarion*